LE CHATEAU DE LA BÊTE

JONATHAN FAST

LE CHATEAU DE LA BÊTE

Roman

Traduit de l'anglais
par Béatrice VIERNE

ACROPOLE

216, Bd St-Germain
75007 Paris

Un livre présenté par Hortense Chabrier

Si vous souhaitez être tenu régulièrement
au courant de nos publications,
envoyez vos nom et adresse en citant ce livre aux

Editions Acropole
216, boulevard Saint-Germain
Paris 7ᵉ

Ce livre a été publié sous le titre original :
The beast, par Random House, New York.
© 1981, Jonathan Fast.
© 1983, traduction française, Editions Acropole, Paris.
ISBN 2-7357-0000-3

H 60-2112-2

A Rachel Fast

Dans les déserts du cœur
Que jaillissent des fontaines de douceur.

W. H. AUDEN.

1

Il était une fois un marchand, père de trois filles, toutes trois fort jolies, surtout la plus jeune ; lorsqu'elle était enfant, tout le monde l'admirait tant qu'on l'appelait « la petite Belle » et, en grandissant, ce nom de Belle lui était resté, ce qui ne laissait pas d'exciter la jalousie de ses aînées.

Alors que Belle n'aimait rien tant que les durs travaux et les promenades dans la campagne avoisinante, ses aînées paressaient au lit jusqu'à dix heures du matin et passaient leurs journées dans l'oisiveté, occupées à rêver aux princes fortunés qu'elles espéraient épouser, car bien peu de chose les intéressait en dehors des richesses.

Un jour, les affaires du marchand l'appelèrent dans une ville lointaine. Lorsque ses deux filles aînées apprirent cette nouvelle, elles le supplièrent de leur rapporter des robes neuves, des parures pour leurs cheveux, des rubans et toutes sortes de bagatelles, mais Belle ne demanda rien, car il lui semblait qu'elle possédait déjà tout ce que pouvait désirer un cœur de jeune fille, à l'exception d'un mari pour partager son existence.

Le marchand, cependant, insista et, davantage pour le satisfaire, Belle finit par le prier de lui rapporter une rose, car il n'en poussait point près de chez eux et elles faisaient dans le pays figure de rareté.

Le marchand se mit en route et, arrivé au terme de son voyage, il eut tôt fait de régler les affaires qui l'avaient amené et ne tarda pas à reprendre le chemin de sa demeure, non sans avoir chargé son superbe coursier de robes neuves, de parures et de rubans pour ses filles aînées ; mais il avait été incapable de trouver une rose pour sa petite Belle et cette pensée le chagrinait fort, car elle était sa préférée.

Il n'était plus qu'à une douzaine de lieues de chez lui, tout occupé à songer au plaisir qu'il aurait à revoir ses enfants, lorsqu'il pénétra par mégarde dans une forêt enchantée. Tout s'assombrit autour de lui et les arbres prirent un aspect terrifiant, car les éclairs faisaient ressembler leurs branches à des mains de démons brandies vers le ciel. Un violent coup de tonnerre terrifia sa monture qui se cabra et le jeta à terre, avant de disparaître dans la nuit. Le malheureux marchand dut continuer sa route à pied, à travers la forêt ; il avait froid et faim, et tremblait de fatigue. Au moment où il commençait à désespérer de jamais trouver un abri et de quoi manger, il aperçut, très loin devant lui, une lumière...

La grosse Lincoln Continental blanche de Leslie Horowitz tomba en panne à plus de trois cents kilomètres de Los Angeles, sur une route peu fréquentée — la California State 127 — à l'extrémité orientale du désert de Mojave. Il filait vers le sud à cent quarante à l'heure, lorsqu'une espèce de crépitement de mitrailleuse le tira de sa rêverie ; la vue des épais nuages de fumée noire qui sortaient de son capot le remplit d'effroi.

Se rangeant sur le bas-côté, il coupa le moteur, sortit de sa voiture et attendit que la fumée se fût dissipée avant de plonger la tête, tel un dompteur de lions, dans la gueule béante du capot grand ouvert, espérant parvenir à un diagnostic quelconque malgré sa profonde ignorance de la mécanique. Après avoir tâté de-ci et tripoté de-là, et s'être brûlé les doigts, il finit par dénicher un long morceau de caoutchouc effiloché qu'il jugea, à vue de nez, être la courroie du ventilateur ; il le jeta au sol, ulcéré, et se posta sur le bord de la route pour faire de l'auto-stop.

Il ne pensait pas devoir attendre bien longtemps, car depuis qu'il avait quitté la vallée de la Mort et Rebecca, un peu plus tôt dans l'après-midi, il avait dépassé plusieurs voitures et camions. Et ici, dans l'amicale atmosphère de cette Californie où chacun semblait prendre sincèrement plaisir à veiller sur son prochain, le premier passant venu ne manquerait pas de s'arrêter pour lui venir en aide. Au bout d'une heure, cependant, n'ayant vu passer aucun véhicule, Leslie commença à se poser des questions ; au bout de deux heures, il sombra dans un véritable abîme de perplexité. Brusquement, il se rappela que ce jour était celui entre tous où chaque citoyen américain digne de ce nom rentre au plus vite chez lui retrouver les siens, réunis autour de la table familiale, pour découper la dinde et distribuer la farce : avec sa chance habituelle, il avait choisi l'après-midi du Thanksgiving pour tomber en panne. S'il s'entêtait à faire de l'auto-stop, il risquait d'attendre jusqu'au lendemain.

Il sortit du vide-poches une carte routière qu'il déplia sur la tôle brûlante de son coffre. A quelque cinquante kilomètres au sud, il y avait une ville du nom de Baker. A trente-cinq kilomètres au nord, il y avait Shoshone, qu'il se rappelait avoir traversée un peu plus tôt dans la journée ; il avait gardé le vague souvenir de quelques huttes en bois, blanchies par le soleil comme des ossements, et du vent qui, en soufflant dans les lignes à haute tension, faisait chanter leur solitude avec des sanglots de violons.

Etait-il capable de faire cinquante kilomètres à pied ? Voyons, à quand remontait sa dernière marche d'un kilomètre ? En dépit de sa gymnastique quotidienne — enfin, journalière, c'était peut-être beaucoup dire ; le terme bimensuelle était sans doute plus exact — et de ses expéditions irrégulières au club de culture physique de Beverly Hills, où il se contentait généralement de faire trempette dans la piscine et de sillonner les vestiaires, Leslie n'était pas très en forme. Il mangeait trop, fumait trop, buvait trop et ne dormait pas assez. Résultat : son physique se détériorait à la vitesse grand V, son corps s'épaississait, son teint se brouillait et les cernes sous ses yeux étaient aussi finement striés qu'une pâte feuilletée. De temps en temps, lorsqu'il s'apercevait nu et en pied dans le miroir de sa chambre, il se jurait de perdre ces quelques kilos superflus et se rendait au club trois jours de suite, pour faire du jogging, travailler aux agrès et soulever des poids. Mais bien vite sa résolution flanchait, car l'unique passion de sa vie était son travail, où il excellait, et il n'avait d'autre préoccupation au monde que ses clients, qu'il chérissait comme un père et une mère tout à la fois. Quant à son corps, aussi longtemps qu'il trouverait des partenaires pour faire l'amour, qu'il se débrouille tout seul !

Avec ses trente-six ans, son petit mètre quatre-vingts, sa crinière de boucles, son teint basané, ses yeux comme deux olives noires et sa lèvre inférieure sensuelle, Leslie ressemblait, comme le lui disait souvent Rebecca Weiss pour le taquiner, à un gros nounours irrésistible et on sentait en effet chez lui une sexualité si peu menaçante, voire même si maternelle, qu'il plaisait autant aux hommes qu'aux femmes. Il s'habillait de façon voyante mais non dénuée de goût, affectionnant particulièrement la tenue d'été qu'il arborait ce jour-là : complet blanc, chemise en soie rouge et chaussures de toile.

Il se pencha à nouveau sur la carte, s'efforçant de prendre une décision. Valait-il mieux faire à pied les cinquante kilomètres qui le séparaient de Baker ? Risquer le coup et aller chercher de l'aide dans ce trou perdu de Shoshone ? Ou encore ne pas bouger, dans l'espoir qu'un automobiliste finirait par emprunter cette route abandonnée de Dieu et des hommes ? Si le problème avait été celui d'un de ses clients, Leslie l'eût résolu en un clin d'œil, mais comme il s'agissait de lui il était frappé d'inertie. Allez, va pour Baker, finit-il par se dire, craignant autrement de rester paralysé par l'indécision. Il sortit sa serviette du coffre, ferma les portières à clef et partit à pied sur l'autoroute.

Le désert s'étendait devant lui, vaste plaine grise parsemée de buissons verts et roux de cette plante que les Américains appellent créosote, en raison de sa forte odeur, et de grosses touffes d'armoise d'Amérique dont la fine dentelle blanche rappelait celle des cristaux de glace ; dans le lointain, il apercevait des montagnes basses, couleur d'ardoise, surmontées de nuages qui faisaient penser à d'autres sommets plus élevés, et enfin le ciel, si bleu et si clair qu'on en avait le cœur serré. Les pylones électriques qui bordaient l'autoroute se succédaient à perte de vue.

Leslie n'avait pas fait un kilomètre qu'il était déjà hors d'haleine ; son cœur se mit à palpiter de façon inquiétante et il eut l'impression que la sécheresse lui brûlait des trous dans le gosier. Lourdement, il rebroussa chemin jusqu'à sa voiture et s'écroula sur le siège avant, où il attendit que son malaise eût disparu en écoutant à la radio les bavardages d'un présentateur de Las Vegas.

Le soir venu, il ressortit du véhicule et s'assit sur le pare-chocs, recroquevillé sur lui-même pour se tenir chaud ; il regarda le ciel s'assombrir et se parer d'étoiles. Ce fut alors qu'il aperçut, au loin dans les montagnes, une lumière, une unique lueur qui, pour autant qu'il pût en juger, ne devait pas être distante de plus d'une huitaine de kilomètres. Au même instant, il entendit la pulsion d'un moteur d'hélicoptère et l'engin parut brusquement, telle une monstrueuse libellule ; Leslie se mit à sauter sur place, en hurlant et en agitant les bras, puis, voyant que le pilote ne semblait pas le remarquer, il grimpa dans sa voiture et se mit à corner et à faire des appels de phares. Puis, attrapant sa serviette au vol, il partit comme un dératé à la poursuite de l'engin, mais, presque aussitôt, celui-ci disparut derrière les montagnes. La course de Leslie se ralentit et il se remit au pas — la poitrine déchirée par un atroce point de côté — pour continuer son chemin dans la direction de la lumière qu'il apercevait et qui indiquait, espérait-il, la présence d'une demeure, d'un ranch ou même d'une tour de surveillance d'où l'on guettait les incendies, d'un endroit où il trouverait en tout cas de la nourriture, un toit et un téléphone ; peut-être même pourrait-il persuader le pilote de l'hélicoptère de le ramener, moyennant finance, jusqu'à Los Angeles. Leslie était de ces gens qui souffrent de multiples phobies et la perspective d'un trajet en hélicoptère le glaçait,

15

mais pas autant que celle de passer la nuit tout seul en plein désert.

Il marcha pendant une heure à travers une plaine aride, creusée par les inondations et la sécheresse, se prenant les pieds dans des buissons qui s'agrippaient à lui comme des fils de fer barbelés, se tordant les chevilles sur les rochers et dans les trous. Et puis, subitement, la lumière s'éteignit. Leslie s'arrêta pour regarder derrière lui, mais la route et la voiture lui étaient désormais cachées par les ondulations du désert ; autour de lui, le paysage était le même partout, plaines et montagnes, montagnes et plaines. A présent il ne savait plus du tout d'où il était venu, ni où il voulait aller. Il fit volte-face, une fois, deux fois, s'efforçant vainement de dénicher un repère quelconque, mais il ne réussit qu'à se désorienter un peu plus encore. En désespoir de cause, il finit par lever les yeux vers le ciel, se rappelant vaguement qu'à l'époque où il était scout on lui avait appris à situer l'étoile Polaire à l'aide de la Petite Ourse, mais la nuit était si noire et les étoiles si brillantes qu'il fut incapable de reconnaître la moindre constellation ; de toute façon, son sens de l'orientation était si lamentable que l'étoile Polaire ne lui eût sans doute été d'aucune utilité. Si seulement il était resté bien tranquillement dans sa voiture jusqu'au lendemain matin, il aurait forcément trouvé de l'aide. Mais non, en idiot impatient, il était allé se perdre dans le désert le plus vaste et le moins peuplé de l'hémisphère occidental. Il était transi de froid, terrifié par les bruits nocturnes, le chant irréel d'un engoulevent, les cris d'une chouette, le hurlement d'un coyote. Pendant un bref instant, l'air grouilla de chauves-souris et le fit songer à un morceau de pellicule très abîmée. A quelques mètres devant lui, il entendit un bruissement qu'il supposa aussitôt être celui d'un serpent à sonnette, ce qui le fit décamper sur la pointe des pieds, le cœur cognant dans la poitrine, une sueur glacée lui dégoulinant des aisselles, alors qu'en fait il ne s'agissait que d'un minuscule rongeur qui sortait de son trou pour se mettre en quête de sa pitance. Leslie qui, à l'instar d'un guide indigène, était capable de mener infailliblement

16

les autres à bon port à travers les redoutables sables mouvants d'Hollywood, leur signalant au passage toutes les espèces de producteurs vénéneux, de journalistes venimeux et de contrats meurtriers, n'était dans le désert que le plus désarmé des touristes.

Il décida de faire du feu, n'importe quoi pour mettre fin aux frissons qui le secouaient. Avec tous les buissons archisecs qui l'entouraient, ça ne devrait pas être bien difficile. Il arriva devant une énorme touffe de minuscules feuilles blanches semblables à des feuilles d'érable, qu'il décréta inflammables en raison de leur couleur cendrée, et il commença à tirer dessus, sans se rendre compte que l'armoise d'Amérique, tout comme le fameux et omniprésent « créosote », possède de gigantesques racines — dont les filaments se prolongent sous terre sur des kilomètres, en quête d'humidité — et une tige dure comme de l'acier. Il sentit couler entre ses doigts quelque chose de tiède et, les portant à ses lèvres, il comprit qu'il s'agissait de son propre sang. En lui glissant des mains, les branches avaient laissé des coupures qu'il ne sentait même pas tant il était engourdi par le froid.

Autant brûler cette saloperie de buisson sur pied, décida-t-il alors. Il fouilla dans la poche de son veston, d'où il sortit un Dunhill en or, l'actionna une fois et fut enchanté de voir jaillir une petite flamme jaune vacillante. Quand il serait de retour à Los Angeles, il écrirait une belle lettre à la firme Dunhill : « Le briquet qui m'a sauvé la vie ». Peut-être s'en serviraient-ils comme publicité, avec la photo de Leslie. Peut-être même y avait-il dans sa mésaventure matière à un téléfilm : une personnalité hollywoodienne, perdue dans le désert, survit grâce à sa débrouillardise et acquiert ainsi une confiance en soi nouvelle. Il pourrait caser des clients à lui dans les principaux rôles et vendre le tout à Colby chez Universal... Leslie se mit à rire de lui-même, de sa manie de ne penser qu'aux affaires, quoi qu'il arrivât, alors qu'il était perdu en plein désert de Mojave. Actionnant de nouveau son briquet, il s'agenouilla à côté du buisson, mais avant que la flamme ne fût entrée en contact avec les feuilles le Dunhill lui glissa des doigts. Il se mit à quatre pattes, s'efforçant, comme l'avaient fait les anciens prospecteurs qui avaient hanté cet endroit un siècle auparavant, d'apercevoir un reflet doré entre les feuilles. Il passa le terrain au crible à plusieurs reprises, sans pouvoir se résigner à accepter cette perte.

Il finit, cependant, par s'allonger à même le sol dénudé, lové dans la position du fœtus, avec son mince veston pour toute couverture, mais il ne parvint pas à trouver le sommeil. Le froid s'infiltrait dans chacune de ses articulations, lui glaçait le sang et le faisait claquer des dents. Lorsqu'il fut incapable d'endurer ce supplice plus longtemps, il se releva et se remit en route en direction d'un sommet noir qui se découpait sur le ciel étoilé, espérant qu'il s'agissait bien de celui où il avait aperçu de la lumière ; en fait, n'importe quel sommet eût fait l'affaire, du moment qu'il offrait une destination, un prétexte pour continuer à marcher. La lassitude s'insinuait comme un poison dans son corps, mais le mouvement le réchauffait et, partant du principe que de deux maux il faut choisir le moindre, il préférait encore l'épuisement au froid ; tout valait mieux que de geler. Lorsqu'il atteignit enfin le pied de la montagne, l'escalade lui parut à la fois plus facile — le sol était celui d'une plaine alluviale, sans la moindre végétation — et plus difficile car, par moments, les abrupts versants d'argile s'effritaient sous ses pieds. Il tombait alors à quatre pattes et avançait ainsi jusqu'à ce qu'il parvînt à se remettre debout. Maintenant qu'il avait pris sa vitesse de croisière, son rythme cardiaque s'était stabilisé et sa respiration était devenue plus régulière, quoique sifflante. L'adversité, comme un de ces amants qui ont le don de mettre les qualités de l'autre en valeur, révélait chez lui d'étonnantes ressources de volonté et d'endurance. La nature conspirait peut-être à sa perte, mais il se jura de faire l'impossible pour survivre.

Ses clients avaient besoin de lui.

Trois jours auparavant, Leslie avait reçu une lettre de sa cliente préférée, Rebecca Weiss : il s'agissait d'un appel au secours, ou il n'y connaissait vraiment rien.

18 novembre

Mon cher Leslie,

Je suis si malheureuse que j'ai grande envie de me tuer (serait-ce pour cela que cet endroit s'appelle la vallée de la Mort ?). Tous les pépins possibles me sont tombés dessus. John Guilford fume tellement de marijuana qu'il est incapable de se rappeler un mot de son texte et qu'on est obligé de lui mettre des gouttes dans les yeux pour qu'ils ne soient pas trop rouges. Hier, Tony Corelli, un des machinos, s'est évanoui, victime d'une insolation, après quoi, au moment où nous allions commencer à tourner, il s'est mis à pleuvoir ! Tu imagines ? On choisit exprès un endroit où les précipitations annuelles sont de trois centimètres cinq et il a déjà plu deux fois depuis notre arrivée. Et quand ce n'est pas la nature qui essaie de nous mettre en fuite (serait-il possible que Dieu, ayant lu le scénario, ait décidé de nous coller des bâtons dans les roues ?), ce sont les connards de touristes qui s'y efforcent. Parce que, enfin, dans l'idée des gens, qui dit vallée de la Mort dit image de la plus parfaite désolation, non ? Tu parles ! Pour le moment, c'est plutôt la gare du Grand Central à six heures du soir. Il faut croire que, depuis qu'on avait découvert du borax dans le coin, il n'y était plus rien arrivé d'aussi excitant que nous. Tous les matins à partir de sept heures, les gogos commencent à montrer le bout du nez. Ils se suivent à la queue leu leu sur des kilomètres et puis tout le monde y va de sa grimpette et nous envahit pour essayer de m'apercevoir et de me fourrer entre les mains un album à autographes. Ça pourrait être flatteur, si je n'en avais pas entendu un expliquer doctement que j'étais la petite (la petite ! moi qui aurai trente ans la semaine prochaine !) qui avait joué le rôle de la Princesse Leila dans *La guerre des étoiles*.

Mais ce qui fait de ma vie un véritable cauchemar, c'est

19

monsieur Mack Gordon. Pour ce qui est de l'art dramatique, il est évident que cet individu est un admirateur inconditionnel du style Donald Duck. Ses indications préférées, les voici : « Tu ne pourrais pas hurler un peu plus fort ? » et : « Je veux te voir trembler, trembler de tous tes membres ! » (Ça, ce n'est pas dur : il me suffit de penser à l'effet que va avoir son film sur ma carrière !) Sa grande passion, ce sont nos araignées mécaniques géantes ; il passe des heures à jouer avec, comme un petit garçon avec son nouveau train électrique. Il a aussi une nette prédilection pour les longs travellings compliqués, le genre qui dure dix bonnes minutes et qu'il faut refaire entièrement si le moindre petit détail cloche. (A le regarder les préparer, je vois bien qu'il ne songe qu'à la rétrospective que lui consacrera un jour le Musée d'Art moderne.) Il raffole des poursuites en voiture et il adore faire sauter tout ce qu'il peut. Dès qu'il a l'impression que le film s'enlise un peu, boum ! ça saute. Si jamais il abandonne le cinéma, il aura toujours la ressource de se recycler dans la démolition. La seule chose qu'il n'aime guère, ce sont les acteurs, mais j'imagine qu'il n'a pas encore trouvé le moyen de s'en passer pour faire un film.

Leslie, je n'ai pas besoin de te dire à quel point il est déprimant d'être traité comme un accessoire. Car enfin, je ne suis pas comme le commun des mortelles, moi. Je n'ai ni mari ni enfant pour justifier de mon existence. En ce moment, je n'ai même pas de jules. Je n'ai pas non plus un de ces corps à couper le souffle, comme notre amie Mlle Dunbarr, et *Vogue* ne se suspend pas à mes basques pour me faire faire des photos de mode. J'ai les genoux cagneux et les cheveux crépus. Le peu de fierté que je possède, je le dois à mes talents d'actrice et à la conscience que je mets à faire mon boulot le mieux possible. Si on m'enlève ça, je ne suis plus rien et je n'ai plus qu'une envie, ramper tout au fond d'un trou et ramener la poussière sur moi.

Par conséquent, j'essaie de faire de ce rôle quelque chose qui sorte un peu de l'ordinaire, je m'efforce de donner de l'ampleur et de la profondeur au personnage, et Mack Gordon fait tout ce qu'il peut pour m'en empêcher. Il m'insulte et me traite de tous les noms. Il y a des moments où il me rend si malheureuse que j'ai envie de me recroqueviller dans mon coin pour mourir. Et le plus terrible, avec ces fichus tournages en extérieur, c'est qu'il n'y a nulle part où aller, personne à qui parler. Nous sommes coincés dans la vallée de la Mort, avec toute la frustration que peuvent engendrer les retards et les araignées cassées, la chaleur et les nerfs en pelote ; j'ai l'impression de me trouver dans une cocotte-minute sur le point d'exploser. Je pourrais filer d'ici deux jours, si Mack voulait bien consentir à filmer mes scènes en premier, mais il ne veut même pas en entendre parler. Tu serais un amour, Leslie, si tu pouvais l'appeler. Je sais que tu es capable de le convaincre, tu as un véritable génie pour cela.

Je t'embrasse, tu me manques plus que je ne saurais dire,

Becky.

Leslie reçut cette lettre le mardi 21 novembre et décommanda aussitôt ses rendez-vous du mercredi, en dehors d'un déjeuner avec un imprésario important, où il envoya son associée Sheila Gold, une New-Yorkaise rondelette, à la langue bien pendue. Comme d'habitude, le vendredi qui suivait le jeudi du Thanksgiving était férié et Leslie avait depuis longtemps réservé ce long week-end pour tâcher de se débarrasser de la pile de scénarios qu'il avait à lire. Jamais il n'eût laissé un client envisager même une affaire tant que lui-même et l'acteur pressenti n'avaient pas personnellement lu le scénario ; malheureusement, comme il lisait très lentement et que ses acteurs étaient très demandés, la pile de brochures à côté de son lit croissait à vue d'œil, devenant même montagne ces derniers mois, un véritable Everest de papier dont les avalanches périodiques menaçaient d'engloutir sa chambre, puis les autres pièces, et finalement, craignait-il, de le chasser hors de chez lui. Pour se donner bonne conscience, il jeta quelques scénarios dans sa serviette, tout en sachant pertinemment qu'il n'aurait pas le temps d'en lire un seul si Rebecca était en crise.

Il fallut ensuite annoncer à Tommy Troy, le jeune acteur avec qui il vivait, qu'il risquait de ne pas être de retour à temps pour le dîner du Thanksgiving et qu'il serait peut-être même obligé de rester avec Rebecca si elle était vraiment dans le trente-sixième dessous. Tommy avait invité plusieurs de leurs amis et relations professionnelles à un grand repas, pour lequel il avait passé plus d'une semaine à élaborer toutes sortes de menus, comparant les mérites respectifs de l'oie et de la dinde, de la farce aux marrons et de celle aux pruneaux et raisins secs. Issu d'une famille nombreuse du Midwest qui se réunissait traditionnellement pour le dîner du Thanksgiving, Tommy cherchait à s'entourer d'une famille-ersatz pour lutter contre la solitude qui lui pesait toujours beaucoup à cette période de l'année. Leslie détestait les fêtes, mais il adorait Tommy en qui il voyait son ultime espoir de nouer des relations durables avant que l'esseulement de l'âge mûr ne se refermât sur lui. Après tout, encore quelques années et il aurait quarante ans : la vie serait finie.

Ce soir-là, lorsque Leslie lui annonça la nouvelle, Tommy se détourna, s'efforçant de dissimuler sa déception. Il n'avait que vingt et un ans. C'était un beau garçon aux cheveux blonds tirant sur le roux, avec un corps de danseur, si mince que les tendons de ses muscles faisaient saillie lorsqu'il levait les bras pour prendre quelque chose.

« Tu ne comprends donc pas ? demanda Leslie. Elle a besoin de moi. J'ai l'impression qu'elle est au bord de la dépression nerveuse. »

Tommy eut un sourire triste : « Très bien, je te garderai de la dinde — quoique tu ne le mérites pas.

— Merci de bien vouloir comprendre.

— Ce qui te distingue du commun des mortels, déclara Tommy, c'est que tu n'hésites pas à renoncer à un week-end de liberté et à faire dix heures de route pour aller remonter le moral à une amie. Tu es l'un des types les plus épatants que je connaisse. »

Gêné, Leslie essaya de prendre la chose à la légère : « C'est ça, les affaires. Rebecca est une de mes clientes. Je ne peux pas me permettre d'ignorer une cliente malheureuse.

— Mon œil ! Tu veux dire que c'est une de tes enfants et qu'elle a besoin d'un papa. Heureusement pour elle, le papa, c'est toi !

— Alors, tu te débrouilleras sans moi ?

— Parfaitement bien.

— Tu donneras quand même ce dîner ?

— Je ne sais pas, dit Tommy d'un ton songeur. Je vais peut-être tout décommander et aller plutôt au restaurant.

— Tout seul ?

— Non, Larry, Vince et Bill m'ont demandé de me joindre à eux.

— Tu ne me l'avais pas dit.

— Je ne pensais pas devoir te signaler tous les coups de téléphone que je reçois.

— Tu n'es obligé à rien du tout, tu es parfaitement libre. Sors avec qui tu veux, ça m'est bien égal.

— Tu es l'être le plus jaloux et le plus possessif que j'aie jamais rencontré de ma vie », déclara Tommy. Il soupira : « Tiens, tu veux que je te dise, je passerai la soirée du Thanksgiving tout seul à la maison devant la télévision. C'est ça que tu veux ?

— Pourquoi finissons-nous toujours par nous disputer aussi bêtement ? » demanda Leslie.

Tommy secoua la tête. « Je ne sais pas. Tout est si difficile quand on tient vraiment à quelqu'un. On est sur une corde raide et on sait très bien qu'on ne pourra pas s'y maintenir éternellement, alors on finit par avoir une telle frousse de tomber qu'on saute volontairement.

— C'est exactement ça, convint Leslie. Mais ça n'arrange absolument rien de le savoir, hein ? »

Le lendemain matin, Leslie passa prendre deux pizzas chez Tony, à Hollywood, les fourra sur le siège arrière de sa voiture, en espérant que l'huile ne traverserait pas l'emballage pour tacher le velours bleu des coussins, et, à dix heures, il fonçait sur la route inter-Etats N°15, au volant de son énorme Lincoln blanche. Il s'arrêta à Barstow pour déjeuner, puis se joignit au flot d'automobilistes, gros joueurs et enragés de la machine à sous, qui roulaient vers Las Vegas ; au carrefour de la 127, il prit l'embranchement en direction de la vallée de la Mort, franchit une crête et descendit vers le but de son voyage, une terre croûteuse et brûlée de soleil. En incurable romantique, il s'était attendu à voir se dérouler à perte de vue une sorte de Sahara aux sables d'or, et il fut déçu par ce paysage qui ne différait guère des mornes étendues du désert de Mojave qu'il avait traversées tout au long de la matinée.

L'hôtel de Furnace Creek se profila au-dessus de lui, en haut d'une falaise ; c'était une grande hacienda en stuc, avec un toit de tuile, dont l'architecture semblait des plus anarchiques. Elle était environnée de dattiers et on apercevait un peu plus loin plusieurs courts de tennis et une grande piscine. Dans ce luxueux refuge des années trente étaient logés les acteurs et le metteur en scène (au milieu de la clientèle habituelle qui, selon Rebecca, consistait à parts égales en « jeunes mariés et cadavres ambulants ») ; le reste de l'équipe, c'est-à-dire le directeur de production, le premier assistant à la mise en scène, le deuxième assistant (il en fallait bien deux pour neutraliser les hordes de touristes), les trois assistants de production (dont la toute jeune fille du producteur qui nourrissait l'ambition de devenir un jour réalisatrice), la script-girl, le directeur de la photographie, le chef opérateur, son assistant, l'ingénieur du son et le perchman, le chef de l'équipe technique et son bras droit, le chef accessoiriste et le sien, la maquilleuse et le maquilleur responsable des effets spéciaux (chargé des blessures infligées par les araignées, sans parler des araignées elles-mêmes qu'il fallait saupoudrer d'un produit spécial pour qu'elles aient l'air moins fausses), la décoratrice (qui ne faisait pratiquement rien, mais qui avait une liaison avec le directeur de production), l'homme qui avait conçu et qui faisait fonctionner les araignées (un vieux magicien des effets spéciaux qui avait jadis fabriqué dix-sept alligators géants

24

pour les besoins de *Tarzan dans la vallée de la Mort*, l'un des meilleurs films de la série) et ses trois assistants, sans parler du responsable du générateur, des hommes de main, du photographe, du responsable de la publicité, de l'observateur de l'American Film Institute et d'une espionne envoyée par le studio afin de découvrir pourquoi Mack Gordon avait aussi largement dépassé son budget — toute cette brochette de techniciens spécialisés était logée au ranch de Furnace Creek, un sinistre motel distant de trois kilomètres, ce qui permettait d'économiser quelques dollars et de bien faire sentir à tout le monde qu'il ne fallait pas mélanger les torchons avec les serviettes, l'une des éternelles préoccupations hollywoodiennes.

Un jeune étudiant, fort joli garçon, porta le sac de Leslie jusqu'à sa chambre. Leurs regards se croisèrent et ils surent instantanément qu'ils faisaient partie de la même confrérie. Les signes de reconnaissance qu'ils échangèrent étaient si subtils qu'aucun des deux n'aurait été capable de les expliquer, à supposer qu'il en eût envie : un mouvement des mains, un regard baissé, une inflexion de la voix, autant de mots de passe entre espions bien intentionnés.

« Qu'est-ce qui vous amène dans ce trou perdu ? demanda l'étudiant.

— Je viens voir une amie qui joue dans le film.

— Ah bon ? » Le garçon sourit. « J'avais deviné que vous veniez d'Hollywood.

— J'espère que nous nous verrons un peu plus tard, déclara Leslie en lui glissant un billet de cinq dollars.

— Je termine mon service à minuit. Je serai probablement au bar. » Il se mit à rire. « De toute façon, ici, il n'y a nulle part ailleurs où aller. »

Ce voyage ne sera peut-être pas une telle corvée, après tout, songea Leslie en ouvrant ses rideaux. De sa fenêtre, il apercevait la piscine, dont la fraîcheur bleutée était une séduisante invite pour son corps ankylosé par le long trajet en voiture, mais il répugnait à exhiber son embonpoint devant des étrangers. Il préféra prendre une douche et changer de chemise avant de retourner à la réception pour y demander Rebecca Weiss.

Le réceptionniste lui apprit que l'équipe au grand complet était partie travailler au cratère d'Ubehebe, à quatre-vingt-dix kilomètres vers le nord, et ne devait rentrer que vers dix ou onze heures du soir. Leslie fit la grimace — il n'avait vraiment aucune envie de refaire une heure de voiture — mais il écouta patiemment les indications et remonta dans sa Lincoln.

Bien vite, il eut au moins la consolation de contempler un paysage dramatique. Aux abords du cratère d'Ubehebe, la terre devint noire ; on aurait dit une montagne de houille brillante striée d'ondulations gris fer, créant un décor aussi désolé, aussi inanimé que la face cachée de la Lune. Ayant contourné cette hauteur, Leslie aperçut les camions bourrés d'équipement, les « cinémobiles » et les caravanes ; il prit un nouveau virage et vit les caméras installées au sommet de la hauteur et dirigées vers l'énorme cratère, une cuvette si vaste qu'il fut pris d'un brusque vertige en la contemplant. Il gara sa voiture au milieu d'un assortiment d'autres véhicules et se joignit à la foule qui regardait bouche bée, à distance respectueuse. Au fond du cratère, il distingua les trois quarts d'une fausse soucoupe volante. C'est bien foutu, se dit-il. Malgré tout le mal qu'il avait entendu dire de Mack Gordon — et Dieu sait s'il en avait entendu de toutes les couleurs, sur ses beuveries, ses accès de violence et sa cruauté envers les acteurs —, on ne pouvait nier qu'il fût capable de recréer une véritable magie visuelle. Ainsi, en plaçant pour quelques centaines de dollars de bouts de bois peint et de plastique au fond de cet énorme entonnoir géologique, il était parvenu à donner l'impression que ceux-là étaient à l'origine de celui-ci, que la « soucoupe volante » avait creusé un gigantesque trou dans le sol lors de son atterrissage.

Rebecca Weiss et John Guilford, les vêtements en lambeaux, échevelés, le visage barbouillé de noir, étaient occupés à escalader la face la plus éloignée du cratère, délogeant des rochers et provoquant d'épais nuages de poussière à

26

chaque fois qu'ils retombaient en glissant vers le bas, cherchant manifestement à échapper aux passagers de la soucoupe, deux gigantesques araignées mécaniques qui, hors du champ de la caméra, gisaient inertes sur le sol.

Un opérateur armé d'un Aeroflex était penché par-dessus le bord du cratère, en train de filmer toute la scène, cependant qu'un assistant lui maintenait fermement les jambes ; Mack Gordon se tenait à quelques pas derrière eux, hurlant des ordres à travers un mégaphone. Leslie songea aussitôt, sans savoir pourquoi, à un entraîneur au cours d'une rencontre sportive.

« De la peur ! Je veux voir de la peur sur les visages ! Vous avez les araignées au cul, elles ont décidé d'envahir la Terre et vous êtes les seuls à pouvoir les arrêter... »

C'était effectivement assez dans la tradition Donald Duck.

Gordon était un petit bonhomme énergique (un mètre soixante-cinq, bottes de cowboy à hauts talons incluses), dont on remarquait surtout le regard d'acier et la barbe poivre et sel taillée près des joues. Il portait un panama en paille, des lunettes d'aviateur, une chemise en toile ouverte jusqu'au plexus et un jean délavé avec une ceinture à large boucle.

Le reste de l'équipe arborait des tee-shirts bleus où l'on pouvait lire en lettres d'or « Gare à la toile d'araignée », au-dessus d'un dessin représentant la Terre encoconnée comme une mouche — l'affiche du film. Ils portaient tous aussi des chaussures de tennis blanches, avec trois bandes noires sur le cou-de-pied, comme s'il se fût agi d'un uniforme officiel, alors qu'en fait, c'étaient eux-mêmes qui avaient choisi de s'habiller tous de la même façon, apparemment poussés par un besoin inconscient de se différencier des gens du coin. Lorsqu'ils tournaient en extérieur, les techniciens étaient toujours ravis de jouer les hordes barbares venues assiéger une petite ville, tout prêts à violer les femmes et à faire ripaille, avant de disparaître un beau matin aussi soudainement qu'ils étaient arrivés.

Leslie connaissait la plupart des acteurs et quelques membres de l'équipe technique, mais il resta néanmoins caché au milieu des touristes, car il voulait voir lui-même dans quelle mesure les sentiments de Rebecca envers Mack Gordon relevaient de l'habituelle paranoïa des actrices et dans quelle mesure son indignation était justifiée. Il n'eut pas besoin d'attendre longtemps. En escaladant la face du cratère, Rebecca se cogna violemment le genou contre un rocher ; elle poussa un cri de douleur et, perdant prise, redescendit six ou sept mètres en glissant avant de parvenir à freiner sa chute.

« Continue à filmer, hurla Mack Gordon à l'opérateur. C'est fantastique, c'est ce qu'on a eu de mieux aujourd'hui ! » Puis il brailla à l'adresse de Rebecca : « Toi, tu as mal à en crever, mais tu reprends ton ascension, il faut que tu arrives jusqu'en haut...

— Va te faire foutre ! hurla Rebecca en retour. Je crois bien que je me suis pété la rotule. Aidez-moi, s'il vous plaît, il faut que quelqu'un m'aide ! »

John Guilford se laissa glisser jusqu'à elle et lui offrit son bras ; ensemble, ils se mirent à escalader tant bien que mal la paroi abrupte qui s'effritait sous leurs pieds. Pendant ce temps, trois techniciens commençaient à descendre dans le cratère pour les aider, tandis que d'autres se massaient au bord, prêts à intervenir.

Pour le moment, l'autorité de Mack Gordon était carrément bafouée, et, réaction normale chez un homme de petite taille, cette constation le rendit frénétique.

« Tirez-vous de là ! cria-t-il. Continuez à filmer ! Je veux voir tout ça ce soir aux rushes ! Je veux voir Guilford — et personne d'autre — sauver celle qu'il aime ! »

Les techniciens reculèrent ; Mack était le capitaine du navire et lui désobéir équivalait à se mutiner.

Finalement, John, ayant péniblement atteint le haut du cratère, aida Rebecca à se hisser sur le bord.

« C'est bon, coupez », ordonna Mack.

Toute l'équipe s'empressa autour de Rebecca, pour lui manifester sa sympathie. Deux techniciens l'aidèrent à se relever et, la maintenant sous les aisselles, commencèrent à l'entraîner en direction de sa caravane.

Mack était resté à l'écart, les bras croisés sur la poitrine, tapant impatiemment du pied tout en regardant un vautour évoluer dans le ciel azuré.

« Où vas-tu comme ça ? cria-t-il à Rebecca.

— Je retourne dans ma caravane.

— Je n'ai pas fini de tourner.

— Moi, si !

— Si tu n'es pas devant ces caméras quand j'aurai compté jusqu'à cinq, tu auras de gros ennuis avec le syndicat ! Un... deux...

— Tes caméras, tu peux te les ficher là où je pense ! » lança l'actrice d'un ton impérial.

Les touristes l'acclamèrent.

Mack fit volte-face : « Allez au diable ! » leur hurla-t-il, et il partit à grandes enjambées.

Aussitôt ils le conspuèrent, comme s'il eût incarné Richard III sur scène.

Et Leslie songea : « Qui a dit que le public américain n'avait aucun goût ? »

Rebecca Weiss claqua derrière elle la porte de sa caravane et s'avança en boitillant jusqu'à sa chaise longue, s'y étendit et s'offrit le luxe d'éclater en sanglots. Voilà un bon moment qu'elle en avait envie, depuis le début de la journée, non, depuis le début de la semaine, depuis le jour où elle avait rencontré l'infâme individu qui avait nom Mack Gordon ; seulement, les pleurs étaient une marque de faiblesse et elle refusait de trahir la moindre faiblesse devant lui. Elle aimait à paraître forte, coriace, la gosse des rues au verbe volontiers cru, alors qu'en réalité elle était fille de riches bourgeois juifs de Manhattan et avait fait ses études à la Brearley School et au Sarah Lawrence College, établissements des plus huppés. Comme chacun sait, pour une actrice, le plus difficile c'est encore de jouer son propre rôle.

A présent, à une semaine de son trentième anniversaire, Rebecca était une jeune femme au teint d'albâtre et à la beauté délicate. Les gens qui la croyaient pulpeuse, au vu de ses fims, étaient toujours étonnés de la trouver si frêle au naturel. Ses cheveux noirs, qu'elle avait cessé de faire défriser depuis déjà plusieurs années, lui arrivaient presque à la taille. Elle les portait tressés sur le devant, pour dégager son visage, un style conçu par son coiffeur qui avait décidé de lui donner l'air d'une princesse de conte de fées. Elle avait les yeux bruns, presque noirs, les dents petites et aiguës, le menton pointu. Ne voyant que ses défauts, comme les femmes ont souvent tendance à le faire, elle se trouvait l'air d'un rongeur et croyait que tous ceux qui lui faisaient compliment de sa beauté essayaient de lui remonter le moral ou de la flatter pour se faire bien voir.

Elle portait un jean moulant et de grosses chaussures de marche, une chemise en laine écossaise, ridiculement ajustée pour mettre sa silhouette en valeur, et un soutien-gorge à balconnet pour tenter de donner un peu d'opulence à sa poitrine menue. Le pantalon déchiré laissait voir un grand morceau de cuisse pâle et la chemise avait été lacérée (prudemment, par Olga, la décoratrice) pour révéler un maximum de ce qu'il y avait en dessous. (« Ce serait vraiment dommage de ne pas montrer toute cette jolie dentelle », avait déclaré Olga.)

Les larmes firent fondre son maquillage et dégoulinèrent sur la toile blanche de l'oreiller, la maculant de gris. Rebecca s'en aperçut et s'en voulut de faire un pareil gâchis ; puis, aussitôt, elle s'en voulut de s'être souciée d'avoir fait du gâchis. (Après tout, c'était elle la star, n'est-ce pas ? Elle pouvait bien saloper vingt taies d'oreiller si ça lui plaisait !) Après quoi, elle s'en voulut d'être incapable de se conduire en star, de se sentir star ; personnellement, elle se faisait plutôt l'effet d'une actrice qui serait parvenue à rouler la direction et à se faire confier un grand rôle sans avoir jamais rien fait avant et sans aucune chance de faire quoi que ce fût après. Bref, d'une actrice qui n'en serait pas vraiment une.

A force de remâcher complaisamment les réflexions de ce genre, elle finit par se rendre de plus en plus malheureuse et par pleurer de plus en plus fort. Elle n'avait pas d'amis, décida-t-elle. Victoria Dunbarr, la fille avec qui elle partageait sa maison, ne lui avait envoyé qu'une seule carte postale, pour lui dire que le chat ne voulait pas manger et lui demander ce qu'il fallait faire. Son père ne lui avait pas écrit du tout. Quant à Leslie — Leslie sur qui elle avait été sûr de pouvoir compter quand tous les autres lâchaient —, il n'avait tenu aucun compte de sa lettre. Personne ne se souciait d'elle, personne ne l'aimait ; elle pouvait bien mourir, personne ne s'en apercevrait, ni ses fans, ni les critiques, ni même les chroniqueurs spécialisés.

Et certainement pas Mack Gordon !

Mack Gordon *moins* que quiconque !

Quelqu'un frappait à sa porte.

« Foutez le camp ! » cria Rebecca.

Une voix étranglée répondit : « C'est la pizzeria Chez Tony. J'ai une livraison pour Mlle Weiss. Double ration de fromage, poivrons doux, anchois...

— La pizzeria Chez Tony ? » Rebecca se redressa et s'essuya les yeux d'un revers de main, étalant de grands deltas de noir sur les joues. Chez Tony, c'était sa pizzeria préférée et ils assuraient effectivement un service de livraison — mais quand même pas à plus de cinq cents kilomètres de Los Angeles ! Si ?

Elle ouvrit la porte et Leslie lui adressa un large sourire en lui tendant la pizza. Rebecca en resta bouche bée, incapable de proférer le moindre son. Elle parut un instant sur le point de se remettre à pleurer, puis elle le serra dans ses bras, comme s'il eût été le dernier mât encore debout sur un navire en perdition.

« Attention ! dit-il en jonglant d'une main avec la pizza.

— Leslie ! dit-elle dans un souffle. Oh, Leslie, Leslie ! Et avec de la pizza en plus !

— Je te l'apporte tout droit de Hollywood.

— Espèce de cinglé ! Je suis si heureuse de te voir que j'ai envie de pleurer. »

Elle le lâcha et recula, un grand sourire sur le visage.

« Je ne savais pas que tu jouais le rôle d'une Noire, dit Leslie.

— Hein ? » Elle se regarda dans la glace. « Vingt dieux ! »

Aussitôt, elle plongea un gant éponge dans son pot de démaquillant et fit disparaître le fard noir qui, étalé par ses mains et irrigué par ses larmes, lui couvrait la majeure partie du visage. « Je ne pensais pas que tu viendrais. J'étais persuadée que personne ne se souciait de savoir si j'étais morte ou vive.

— Je suis venu le plus vite que j'ai pu.

— Leslie, il faut absolument que tu m'aides.

— C'en est vraiment à ce point-là ?

— Tu te souviens du vieux gag : Avec qui faut-il que je couche pour ne pas tourner ce film ?

— Je suis navré de te le rappeler, mais je t'avais conseillé de ne pas l'accepter.

— Oh, je sais, je sais. Mais je suis la reine des pommes. Pourquoi est-ce que je refuse toujours de t'écouter ?

— Parce que ça fait un an que tu n'as rien tourné, parce que tu doutes de toi ; tu as peur, si tu refuses un film, que les gens te prennent en grippe et que personne ne veuille plus t'engager. Alors, tu finis par dire oui à une merde de cet acabit.

— Comment se fait-il que tu me connaisses aussi bien ?

— C'est pour ça que tu me paies.

— La prochaine fois, je te promets de...

— La prochaine fois, tu feras exactement la même chose !

— Mais tu continueras à t'occuper de ma carrière ? s'enquit-elle avec inquiétude.

— Qui d'autre me paierait à ne rien faire ?

— Oh, Leslie ! » Elle le serra à nouveau dans ses bras, l'obligeant une fois de plus à faire de l'équilibre avec sa pizza, comme un serveur d'opérette, tout en répondant à son étreinte de l'autre bras. Il se dégagea doucement.

« Où puis-je mettre cet objet à chauffer ? demanda-t-il en indiquant la pizza.

— Sur le seuil de la porte. »

Ils s'esclaffèrent avec un bel ensemble.

« En fait, continua Rebecca, les anciens prospecteurs mangeaient toujours leur pizza froide. C'est une vieille tradition de la vallée de la Mort. Au même titre que les insolations. Et les morsures de scorpion.

— Ma foi, si c'était assez bon pour les anciens prospecteurs — ils prospectaient quoi, à propos ? —, c'est assez bon pour moi. »

Ils s'assirent par terre, en tailleur, le carton imbibé d'huile entre eux, et, armés de mouchoirs en papier pour s'essuyer les doigts, ils se mirent à engloutir les parts de pizza arrosées de grandes lampées de bière bien fraîche (la caravane était équipée d'un petit réfrigérateur), s'amusant comme deux étudiantes qui font la pause au cours d'une longue veillée de travail.

« Tu as du fromage sur le menton », annonça Rebecca.

Leslie se tâta le visage, trouva le fromage et se le fourra dans la bouche.

« Je t'ai apporté deux choses », dit-il en s'essuyant les mains. Il attrapa sa serviette et en extirpa un magazine : « *American Cinema* estime que tu figures parmi les trois jeunes actrices les plus intéressantes de l'année.

— Fais voir... »

Elle lui enleva le magazine des mains et l'ouvrit à l'endroit où la page était cornée.

« Encore cette monstrueuse photo ! s'écria-t-elle. J'ai l'air d'avoir quatre-vingt-dix ans là-dessus !

— Il y a des jours où je me demande pourquoi je me donne tout ce mal, déclara Leslie, mi-figue, mi-raisin. Si je te donnais un Oscar, tout ce que tu trouverais à dire, c'est : Oh, regarde, l'or est un peu écaillé à la base !

— Absolument pas ! Je dirais : Je tiens à remercier tous les petits, les obscurs qui m'ont faite...

— Tous les nains et les gnomes concupiscents !...

— Non, laisse-moi finir... qui m'ont faite ce que je suis aujourd'hui — ça, cela fait partie des choses qu'on est obligé de dire pour bien montrer comme on a su rester humble et reconnaissant. Et puis, j'ajouterais : Mais je tiens avant tout à remercier mon agent, Leslie Horowitz, pour m'avoir empêchée de me suicider au Valium.

— Ah oui, c'est très poétique, ça !

— Merci, merci.

— Tu as fini ?

— Ouais.

— Bon, alors regarde un peu ça. »

Il sortit de sa serviette un scénario qu'il lui tendit. Elle déchiffra, en lettres d'or, sur la couverture : « *L'autre femme*, de Harriet Klaus. C'est bien ?

— C'est tout simplement le meilleur scénario que j'aie lu depuis bien longtemps. Ecoute, Becky, c'est un de ces bons vieux films de femme à l'ancienne mode, au meilleur sens du terme. Jacqueline, le personnage principal, est une jeune femme sensible et intelligente, prise au piège d'un mariage raté. Son mari finit par la plaquer et, pour subvenir aux besoins de leurs gosses, elle se met à dessiner des robes. Avant même d'avoir compris ce qui lui arrive, voilà qu'elle réussit au-delà de toute espérance. Et elle se retrouve brusquement obligée de faire face à tout un ensemble de problèmes entièrement nouveaux pour elle : elle est devenue une personnalité en vue, elle doit lutter avec d'autres femmes, elle s'éprend d'un homme qui a moins bien réussi qu'elle.

— Le genre Mildred Pierce ?

— Cent fois mieux. C'est Billy Rosenblatt qui produit et tu connais la qualité de son travail : la grande classe de A jusqu'à Z. Et c'est toi qu'il veut pour Jacqueline.

— Ah bon ? » Rebecca haussa les sourcils, mais n'ajouta pas un mot.

Leslie continua, très volubile : « C'est un rôle comme on en rencontre un dans sa carrière, un véritable petit bijou. Le genre de rôle qu'on aurait confié à Bette Davis jeune ou à Kate Hepburn. » (Il choisit intentionnellement ces deux comédiennes, sachant qu'elles étaient les idoles de Becky.) Il la regarda droit dans les yeux : « Tu acceptes de faire un bout d'essai ?

— Un bout d'essai ? répéta Rebecca, aussitôt crispée.

34

— Oui, une bande vidéo, tout simplement. Billy aime beaucoup ce que tu fais, mais il ne t'a jamais vue dans un rôle de ce genre.

— Je ne devrais plus en être à faire des bouts d'essai. Il sait bien à quoi je ressemble sur un écran.

— Rebecca...

— Et puis, en plus, je veux retourner sur la côte Est dès que j'aurais fini ce film-ci.

— Rebecca...

— Will Roach est en train de monter, dans un style ultra-expérimental, une nouvelle pièce de...

— Rebecca, tu ne retourneras pas sur la côte Est, tu ne te lanceras pas dans l'ultra-n'importe quoi, tu vas faire un bout d'essai pour le rôle de Jacqueline et je ne veux plus entendre parler de toutes ces fadaises ; tu as suffisamment saboté ta carrière comme ça et je ne vais pas te laisser foutre en l'air une occasion inespérée. Je ne le tolèrerai pas, un point c'est tout !

— Je vais réfléchir.

— Je te donne dix secondes. » Leslie regarda sa montre : « Voilà, c'est fini, donne-moi ta réponse.

— Il ne voudra probablement plus de moi quand il aura vu mon bout d'essai. Je ne sais plus comment on fait, j'ai oublié.

— Ne sois par ridicule, tu veux ?

— Oh, ça va, c'est toi qui gagnes. Seigneur ! Tu ne me laisses même plus m'autodétruire à présent !

— Tu m'excuseras ! Bon, et maintenant où en es-tu, avec Mack Gordon ?

— Au plus mal. Aujourd'hui, je me suis pratiquement fracturé la rotule et il m'a obligée...

— Je sais, j'ai vu.

— C'est un monstre, ce tordu-là !

— C'est vrai, convint Leslie.

— Il faut que tu me sortes d'ici.

— Je vais faire l'impossible.

— Il y a un petit problème.

— Lequel ?

— On couche ensemble.

— Toi et...?

— Mack Gordon. Oui.

— Mais, tu m'as dit...

— Je sais.

— Ouille ! lâcha Leslie que son désarroi laissait à court de vocabulaire.

— C'est comme ça, les tournages en extérieur. On est coincé avec les mêmes gens, jour après jour, et on finit par avoir l'impression qu'ils font partie de la famille, même si on ne les a jamais vus avant et si on sait qu'après la fin du mois on ne les reverra plus. Pas de cinoche, pas de restaurant, pas de réceptions, pas de boîte, rien d'autre à faire qu'à baiser, et baiser avec Mack Gordon, c'est vraiment une affaire. C'est même mieux que ça, c'est fantastique, c'est grandiose !

— Ce sont toujours les salauds qui baisent le mieux.

— Oh, Leslie ! soupira Rebecca. Pourquoi a-t-on toujours envie des hommes qu'on déteste ?

— J'imagine que c'est parce qu'on se déteste soi-même », répondit Leslie, et il se versa une autre bière.

Il était près de minuit lorsqu'il reconduisit Rebecca jusqu'à l'hôtel de Furnace Creek. Il l'accompagna dans sa chambre et la mit au lit (elle aurait aimé rester à bavarder et à boire avec lui, mais elle devait être à pied d'œuvre à six heures, le lendemain matin), puis il descendit au bar.

Le garçon qui lui avait monté son sac à son arrivée était installé au comptoir, devant un gin-tonic, le nez plongé dans un livre de poche, malgré l'insuffisance de l'éclairage tamisé. Il s'appelait Greg, il était large d'épaules et soigneusement rasé, avec des cheveux noirs et lisses et un sourire resplendissant. Il avait décidé de suspendre ses études pendant un trimestre et de quitter l'université du Nouveau-Mexique, pour essayer de faire un peu le point de son existence. (Il n'a vraiment pas choisi le bon endroit, se dit Leslie, il aurait mieux fait d'aller à San Francisco.) Ses parents étaient éleveurs de bétail. Il jouait au football et voulait être architecte.

Ils s'assirent à l'une des tables qui entouraient la petite piste de danse, écoutèrent trois hommes d'âge mûr jouer de la musique disco au moyen d'un orgue, d'une contre-basse et d'une batterie, tandis que deux couples âgés, qui auraient dû avoir le bon sens de ne pas se fourvoyer ainsi, s'agitaient sur la piste.

« Ils sont chouettes, hein ? remarqua Greg. Je parle du groupe. Ils avaient une semaine de libre, alors ils sont venus de Las Vegas. D'habitude, on a des petits jeunots de Lone Pine, qui se prennent pour les Rolling Stones. Tu veux danser ?

— Non merci, je suis de ceux qui n'ont qu'un pied gau-che », assura Leslie. Il commanda un Margarita. « Comment c'est, ici ?

— Comme la cellule d'isolement à Sing-Sing.

— Hé là, tu charries ! protesta Leslie. Il doit bien y avoir des clients intéressants.

— Ben... tu vois ces deux couples au bar ? Je les soup-çonne de faire dans l'échange de partenaires. Et puis il y a une rombière de quatre-vingts ans qui va tous les jours faire ses quinze kilomètres à pied. Et, la semaine dernière, on a eu deux types qui se sont pintés et qui ont fait des pro-positions malhonnêtes à leur femme de chambre.

— Mais dis-moi, c'est un vrai petit Peyton Place. »

Greg se mit à rire. « Tu vois cette fille, là-bas ? » Il indi-quait de la tête une blonde maigre comme un clou, plutôt quelconque, mais non dénuée de sex-appeal, moulée dans une robe mexicaine qui lui découvrait les épaules ; elle était assise en compagnie d'un couple à une table placée juste en diagonale par rapport à la leur, parlant comme un moulin, sans s'apercevoir qu'on l'observait.

« Alors, elle, je n'arrive pas à comprendre ce qu'elle fri-cote. Elle joue les touristes, mais tous les soirs elle appelle un gars, chez World International Pictures, et lui fait un résumé de la besogne abattue par nos amis du cinématographe pendant la journée. En tout cas, c'est ce que m'assure la standardiste. »

C'était donc là le terme manquant de l'équation ! Tel un champion d'échecs capable de prévoir infailliblement les dix coups à venir, Leslie sut aussitôt que Rebecca Weiss serait de retour à Los Angeles dès le lundi ; il le sut avec la plus parfaite certitude.

« Comment s'appelle-t-elle ?

— McDougal... non, McDonald ! Cynthia McDonald.

— Tu m'excuses une minute ? Il faut que je lui parle. »

Leslie s'approcha de la blonde : « Mademoiselle McDonald ? s'enquit-il avec son plus charmant sourire.

— Oui ? » Elle était aimable, mais aux aguets.

« Puis-je vous parler un instant ? En tête à tête ? »

Le couple avec qui elle bavardait se leva aussitôt avec une politesse un peu ostentatoire pour aller danser, et Leslie s'installa dans l'un des fauteuils, qui venait d'être libéré.

« C'est le studio qui m'envoie, annonça-t-il d'un ton confidentiel. Ils m'ont demandé d'entrer en contact avec vous.

— Dieu soit loué ! Enfin, quelqu'un à qui parler ! Il vous ont dit quand je pourrais rentrer ? »

Comme Leslie restait muet, elle continua sur une note complice, de sa voix aiguë et flûtée.

« Je suis navrée, mais je ne suis vraiment pas faite pour ce genre de boulot. Vous comprenez, d'habitude je travaille au secrétariat, mais mon patron m'a demandé si j'aimerais passer un mois dans la vallée de la Mort, sans autre obligation que de surveiller Mack Gordon pour m'assurer qu'il n'était pas en train de se soûler ni de perdre son temps, et de téléphoner tous les soirs pour faire mon rapport. Avec, par-dessus le marché, une prime de cent dollars. Sur le moment, l'offre m'a paru inespérée, mais vous voulez que je vous dise ? Je n'ai pas du tout la mentalité qu'il faut. A chaque fois que je vois Mack Gordon, j'ai envie de l'entraîner dans un coin pour lui avouer la vérité. Je n'ai jamais su mentir. Je vous en prie, dites-moi si j'en ai encore pour longtemps.

— Encore une semaine ou deux, répondit Leslie. Détendez-vous donc et profitez-en. Vous voulez prendre du galon, non ? »

Elle acquiesça chaudement.

« Eh bien, jamais vous ne pourrez devenir cadre supérieur d'une firme cinématographique si vous n'êtes pas capable de mentir sans la moindre réticence pendant des trois et quatre mois d'affilée. »

Cette affirmation avait tout de la boutade et la blonde scruta attentivement le visage de Leslie, pour savoir si elle pouvait se permettre de rire tout haut, mais il resta sérieux comme un pape.

La musique s'arrêta, le couple regagna la table et Leslie prit congé, en promettant de dire au patron qu'elle faisait de l'excellent travail.

Plus tard, dans la chambre de Leslie, Greg et lui partagèrent une « dose » et, encore plus tard, ils s'allongèrent, nus, à même la moquette, chacun suçant le sexe de l'autre ; on aurait dit une de ces formes étranges sans commencement ni fin comme une eau-forte d'Escher, un serpent se mangeant la queue, un véritable rébus humain. Pourtant, malgré l'excitation qu'il éprouvait toujours à faire l'amour avec un inconnu, malgré l'euphorie annihilante de la drogue, Leslie fut incapable de s'abandonner à l'orgasme ; son esprit était obsédé par la pitoyable silhouette de Cynthia McDonald et par la similarité de leurs situations. N'était-il pas comme elle un espion, exilé dans ce monde foncièrement hétérosexuel, obligé de singer les manières de ceux qui l'entouraient, de copier leur façon d'être et de s'habiller ? Mais, à l'encontre de la blonde, lui n'avait aucune porte de secours, aucune patrie vers laquelle repartir, aucun drapeau, ni aucun hymne national (sauf, peut-être, comme il aimait à le dire pour plaisanter, cet endroit au-delà de l'arc-en-ciel, que chante Judy Garland avec *Somewhere over the rainbow*).

Tôt le lendemain matin, Leslie fit une halte au bureau de production — une suite au ranch de Furnace Creek, équipée de machines à écrire électriques, de machines à calculer, d'une photocopieuse et de nombreux téléphones. Un tableau de production, qui ressemblait à un horaire de trains d'une monstrueuse complication, était suspendu au mur et des individus des deux sexes, moulés dans des tee-shirts bleus frappés de l'inévitable « Gare à la toile d'araignée », couraient dans tous les sens, répondant au téléphone, transmettant des messages et tapant des notes de service à la machine.

Leslie alla étudier le tableau : des bandes de carton verticales indiquaient les scènes à tourner, tandis que les colonnes horizontales représentaient chacun des acteurs ; un carré noir à l'intersection des deux lignes précisait que tel acteur intervenait dans telle scène. Lorsqu'il planifiait son tournage, le directeur de production disposait ses lignes verticales de façon à regrouper le plus de carrés noirs possible, réduisant ainsi au minimum le temps que chaque comédien devait passer en extérieur (et, partant, l'argent qu'il percevrait). Au bout d'un très bref examen, Leslie se rendit clairement compte que l'on obligeait effectivement Rebecca à rester sur place sans la moindre nécessité : la colonne horizontale qui représentait son temps de tournage était terminée, à l'exception d'un unique carré noir correspondant à une date distante d'une semaine et demie, et pourtant il n'y avait dans la scène en question aucun acteur dont la présence justifiât cette attente. Désireux de confirmer les résultats de son analyse, Leslie interpella une des jeunes assistantes et lui demanda pourquoi la dernière scène de Rebecca Weiss était ainsi retardée.

« Mack préfère la garder ici pour la torturer, répondit l'assistante, une jolie fille, dans les vingt-cinq ans. Je ne sais vraiment pas comment elle le supporte. C'est un vrai salaud et elle est si gentille. »

Personne, semblait-il, n'ignorait leur liaison.

Leslie reprit la route du cratère d'Ubehebe où il s'attendait à trouver toute l'équipe en plein tournage ; au lieu de quoi, il aperçut les techniciens en train de bavarder dans la plus parfaite oisiveté, quand ils ne jouaient pas au poker

40

autour de tables improvisées, sous le regard passionné des touristes (ce qui prouvait que les gens, même lorsqu'il ne font rien, sont beaucoup plus intéressants à observer que la plus spectaculaire formation rocheuse !) ; parmi ces derniers, Leslie reconnut Cynthia McDonald, fort occupée à prendre des notes sur un bloc sténo.

Rebecca était dans sa caravane, vautrée sur sa chaise longue, en train de siroter un Coca bien froid.

« Joyeuse dinde, mon gros dindon ! lança-t-elle en l'étreignant.

— Quoi ?

— C'est Thanksgiving aujourd'hui, espèce de communiste !

— J'avais complètement oublié !

— Il y a un véritable festin prévu. J'espère que tu as l'intention d'être des nôtres.

— Désolé, mais j'ai promis à Tommy que j'essaierais de rentrer à temps.

— Monstre ! Tu l'aimes plus que moi ! »

Leslie soupira. Pourquoi est-ce que les enfants refusaient d'être sages, alors qu'il avait tant à faire ?

« Je vous aime tous autant les uns que les autres, assura-t-il. Et maintenant, explique-moi pourquoi tu n'es pas en train de tourner.

— Eh bien, voilà. On avait commencé et puis la pellicule s'est coincée. Alors, le chef opérateur a dit : Mack, tu peux me donner deux minutes pour arranger ça ? Et Mack a répondu : Encore un seul retard de ce genre et je laisse tomber le film ! Alors moi, j'ai dit : Tu penses vraiment ce que tu viens de dire ? Parce que, dans ce cas, je m'en vais tout de suite bousiller l'autre caméra. Et puis tous les touristes se sont mis à applaudir, comme hier, tu sais ? Et Mack m'a traité de connasse et de grande gueule — ce qui n'est pas entièrement faux — et il est parti, furieux. »

Leslie s'efforça de ne pas rire, pour ne pas avoir l'air d'encourager les éclats de Rebecca — uniquement parce qu'ils nuisaient à sa carrière — mais il ne put retenir un sourire.

« Où est Gordon, en ce moment ?

— En train de massacrer des lapins. »

Leslie fit la grimace.

« C'est comme ça qu'il se passe les nerfs quand il est à cran », précisa-t-elle.

Elle entraîna Leslie à l'extérieur, abandonnant la fraîcheur de l'air climatisé pour la chaleur caniculaire du dehors ; de là où ils se tenaient , ils dominaient le cratère et elle lui indiqua, au milieu de la vaste étendue de terre fendillée et craquelée, une silhouette solitaire, armée d'un fusil.

Quelques instants plus tard, une détonation rompit le silence environnant, se répercutant contre les montagnes de part et d'autre de la vallée. Leslie écarquilla les yeux pour essayer de distinguer la forme d'un lapin blessé, mais il était trop loin. Le lapin avait dû s'en tirer, se dit-il pour se réconforter.

« Je vais lui parler, annonça-t-il.

— Non, attends que sa colère soit tombée...

— A tout à l'heure », dit-il en l'embrassant sur le front. Il grimpa dans la Lincoln et s'engagea dans le chemin en colimaçon qui descendait jusqu'au fond du cratère. Arrivé en bas, il tomba assez vite sur la jeep de Mack Gordon et se gara derrière, franchissant à pied les quelques mètres qui le séparaient du cinéaste ; celui-ci avait levé son fusil à la hauteur de son œil, pour viser, et les deux canons oscillaient lentement, de droite à gauche et de gauche à droite, fouillant le terrain comme un radar.

« Salut, dit Leslie, en arrivant derrière lui.

— Qu'est-ce que vous voulez ? demanda Mack sans même se retourner.

— Comment est la chasse ?

— Merdique !

— J'aimerais vous parler de ma cliente. Je ne suis pas très satisfait de...

— Chut ! souffla Mack. En voilà un ! »

Un lapin venait en effet de sortir de son trou, à environ cent cinquante mètres d'eux. Leslie remarqua avec intérêt qu'il ne ressemblait en rien au petit lapin en peluche à nez

42

rose qu'il avait câliné dans son enfance. C'était un animal long et mince, au pelage gris tacheté de noir, avec d'immenses oreilles, pour le moment plaquées en arrière contre son crâne ; lorsqu'il bougeait, ce qui ne tarda guère, il était vif comme l'éclair.

« Cette fois, je le tiens, ce petit salopard », chuchota Mack.

Leslie vit blanchir le doigt posé sur la détente, et, au moment où le coup partait, il assena à Gordon une grande claque dans le dos ; la balle partit dans les décors et l'animal disparut, comme dans un tour de passe-passe.

Mack fit volte-face : « A quel jeu de con ?...

— C'était un scorpion, expliqua Leslie en écrasant quelque chose sous son talon. Je crois bien que je l'ai eu. » Il sourit aimablement. « Bon, comme je viens de le dire, je ne suis pas satisfait de la façon dont vous traitez ma cliente.

— Voyez-vous ça ! C'est bien dommage !

— Rebecca est une grande actrice et une jeune femme extrêmement sensible, et elle est absolument incapable de travailler dans une atmosphère pareille. Vous allez me promettre de la traiter avec courtoisie à partir de maintenant. Et vous allez en outre avoir l'obligeance de réorganiser le tournage, de façon à ce qu'elle puisse repartir d'ici dès dimanche. Je suis passé au bureau de production, j'ai bien étudié le tableau, il n'y a vraiment aucune raison pour qu'elle soit coincée ici encore plus d'une semaine pour un tout petit bout de scène. »

Mack le dévisageait d'un regard incrédule : « On m'avait dit que vous étiez un trou du cul, mais je dois dire que vous dépassez mon attente ! » D'un geste négligent, il leva le canon du fusil qu'il tenait contre sa hanche et l'appuya contre le ventre de Leslie. « Ecoutez, mon pote, ici c'est moi le patron et ce n'est pas une tantouze d'Hollywood qui va m'apprendre à faire mon film, vu ?

— Vous êtes dans un drôle de pétrin, répliqua Leslie, parfaitement calme et maître de lui. Vous avez dépassé votre budget d'un demi-million de dollars et le studio songe sérieusement à arrêter les frais. Vous leur faites peur parce que vous picolez et que vous êtes maboul et violent. Vos deux derniers films ont été des fiascos. Si vous loupez celui-ci, vous êtes foutu.

— Vous déconnez ! J'ai plusieurs affaires en vue. Notamment un mini-feuilleton chez CBS, sur la vie de Mark Twain...

— Ils viennent d'engager Walter Pollack.

— Et alors, on s'en fout ! Je suis sur d'autres coups. Le studio me soutient.

— Ils vous font espionner, annonça Leslie, posément.

— Vous déconnez ! Qui ça ?

— On peut s'entendre ?

— On peut s'entendre, on peut s'entendre ? Ah, vous êtes bien tous les mêmes ! » Mack soupira. « Qu'est-ce que vous voulez ?

— Primo, vous réorganisez le tournage pour que Rebecca puisse filer dès dimanche. Secundo, vous la traitez désormais avec les plus grands égards. Tertio, vous mettez fin à votre liaison avec elle.

— Ecoutez, mon pote, c'est elle qui m'a couru derrière. Si vous arrivez à lui faire lâcher prise, c'est à moi que ça rendra service.

— Alors, c'est entendu ? » demanda Leslie en lui tendant la main.

Mack semblait en proie à un conflit intérieur ; il finit par serrer la main tendue, à contrecœur, mais il retira vite la sienne, comme si les mœurs particulières de son interlocuteur risquaient d'être contagieuses.

« Cynthia McDonald, dit Leslie. Elle loge à l'hôtel.

— Je vais lui démolir sa sale gueule, marmonna Mack.

— Puis-je faire une suggestion ? Il s'agit d'une pauvre malheureuse, employée au secrétariat, et que l'on a quasiment forcée à faire ce boulot contre son gré. Elle passe une bonne partie de son temps au bar de l'hôtel. Si vous l'y rencontriez « par hasard » et que vous lui fassiez du charme — sans lui laisser voir que vous êtes au courant de son véritable rôle, bien sûr — elle enverrait des rapports favorables. Par contre, si vous la démasquez ou que vous vous laissez aller à des voies de fait, elle le fera savoir et non seulement le studio arrêtera les frais, mais ils risquent en outre de vous faire un procès ou en tout cas de porter plainte contre vous. Ce serait quand même dommage que votre carrière se termine aussi lamentablement. Certains de vos premiers films étaient merveilleux. »

Tandis que Leslie regagnait sa voiture, Mack lui cria : « Hé, dites donc ! Vous représentez aussi les metteurs en scène ?

— Appelez-moi quand vous serez de retour à Los Angeles, répondit Leslie. On ira déjeuner et on en reparlera. »

Dès qu'il se retrouva dans la caravane de Rebecca, cependant, Leslie se mit à trembler comme une feuille et les jambes lui manquèrent. Rebecca lui versa un premier scotch-and-soda — qu'il avala cul sec — puis un second, mais même la douce chaleur de l'alcool ne parvint pas à lui faire oublier la pression de ce canon de fusil contre son ventre.

Lorsqu'il fut temps pour lui de repartir, Rebecca l'accompagna jusqu'à la Lincoln. Elle tapa du poing sur le capot qui rendit un son sépulcral.

« Pourquoi est-ce que tu conduis une merde pareille ? demanda-t-elle.

— Tu rigoles ou quoi ? » Leslie haussa les sourcils. « C'est la meilleure voiture qui soit ! C'est cent fois mieux qu'une Mercedes !

— Elle me fait penser au Queen Mary, déclara Rebecca. Et en plus, c'est une vraie menace écologique. Je parie que tu bouffes au moins du quarante litres au cent.

— Quand j'ai le vent dans le dos, plaisanta Leslie.

— Sois prudent, mon chéri. » Elle l'embrassa. « Tu es sûr que tu ne peux pas rester pour la dinde ? »

Leslie secoua la tête. « Mais je t'invite à dîner la semaine prochaine.

— Pourquoi ?

— Ne fais pas ta mijaurée ! C'est ton anniversaire.

— J'espérais que tu oublierais.

— Pourquoi ?

— Leslie, cette fois-ci je passe dans les trois. Trente ans !

Tu sais ce que ça veut dire pour une actrice ? C'est le commencement de la fin. Je suis lessivée, finie, au rancart. Je vais pouvoir rester chez moi et attendre d'en avoir soixante pour me lancer dans les rôles de composition.

— Tu pourras apprendre à faire du crochet.

— Tu as un bloc de glace à la place du cœur, tu n'éprouves aucune compassion pour mes souffrances morales.

— C'est bien vrai. Qu'est-ce que tu veux pour ton anniversaire ?

— Une rose, dit-elle sans une seconde d'hésitation.

— Une rose ?

— Une rose. »

Il hocha la tête. « Une rose. »

Il l'embrassa, monta dans sa voiture et démarra.

Leslie atteignit enfin le haut de la crête et son regard plongea dans une petite vallée encerclée par les montagnes, mais cette nuit sans lune refusait de lui livrer le moindre secret. S'agissait-il bien de la destination de l'hélicoptère ? D'un endroit où il pourrait demander à manger, à dormir, à se laver et à téléphoner à Los Angeles ? Même s'il ne trouvait qu'un petit abri rudimentaire avec deux couvertures et un pot d'eau, ce serait déjà une bénédiction.

Il commença à descendre le versant de la montagne, dévalant beaucoup trop vite dans sa hâte, oubliant à quel point ses pauvres muscles étaient vidés de leur force ; il crut avoir un bon appui, mais la pente était raide, son pied glissa et il se mit à rouler. Il chercha à se retenir, à s'agripper aux rochers qui lui restaient entre les mains et au sable qui lui filait entre les doigts. Sa chute s'accéléra, il roulait sur lui-même à présent, cul par-dessus tête ; il dévala ainsi toute la montagne, jusqu'à l'obscurité de l'inconscience.

Non, il n'était pas mort. C'était le soleil du matin qui lui vrillait les yeux, pénétrant jusqu'au fond de son cerveau comme un fil de fer chauffé à blanc. Il n'était plus qu'une marionnette aux fils cassés, gisant dans la poussière. Il tenta de remuer et poussa un gémissement de souffrance. Sa langue était si gonflée qu'elle lui remplissait toute la bouche et l'étouffait. Il entendit un croassement et, au prix d'un gros effort car il avait le soleil dans les yeux, il parvint à distinguer trois vautours qui décrivait de grands cercles au-dessus de lui. Des vautours ! C'était tellement tarte qu'il se mit à rire, mais son rire n'était plus qu'un râle effrayant.

Ma vie est un film de série B et c'est comme ça qu'on meurt dans ces films-là.

Rassemblant ce qui lui restait de forces, il leva la tête. A quinze cents mètres, il aperçut une demeure dans le style palladien, une vaste construction en pierre, véritable miracle d'équilibre, de symétrie, de simplicité et de raffinement ; une volée de marches menait à un portique orné de superbes colonnes grecques. Il y avait deux étages, marqués par deux rangées de hautes fenêtres, un toit de tuile percé de huit lucarnes et de huit conduits de cheminées massifs, avec tout en haut une coupole octogonale surmontée d'un paratonnerre en laiton.

Un homme en livrée de domestique venait à sa rencontre. Ça y est, c'est le paradis des films de série B, songea Leslie, lugubre, et il s'évanouit.

2

Confortablement installée à l'arrière de la grande limousine, les pieds posés sur le strapontin, Rebecca regardait défiler par la fenêtre les princières demeures en stuc de Beverly Hills, environnées de palmiers. Elle ne tarderait plus, à présent, à être de retour dans son accueillante maison de Benedict Canyon, où elle retrouverait tout ce qui constituait le cadre familier de son existence : ses livres, ses disques, ses bijoux de scène anciens, Charlemagne, son merveilleux chat tigré et rondouillard. Elle se faisait même une fête à l'idée de revoir Victoria, sa locataire, malgré les arriérés de loyer qu'elle lui devait et sa fâcheuse manie de vider le frigidaire.

Au cours des cinq dernières années, Rebecca en était venue à considérer Los Angeles comme son port d'attache, mais elle n'en était pas moins née à New York, dans l'Upper West Side. Son père, Aaron Weiss, célèbre sculpteur dont la carrière avait souffert tout au long des années cinquante de ses sympathies gauchisantes, était un homme doué d'une personnalité extrêmement forte. En abattant quelques cloisons et en faisant percer des vasistas, il avait transformé en studio l'étage supérieur de leur maison et Rebecca se rappelait nettement l'avoir regardé sculpter des formes massives dans le marbre opalescent, à grands coups

49

de ciseau, depuis le petit lit d'enfant qu'il lui avait installé dans un coin. De temps en temps, sa mère montait les voir pour faire timidement remarquer à son mari que toute la possière qu'il dégageait n'était peut-être pas très bonne pour la petite, mais Aaron se contentait de rire ; Rebecca était sa fille, sa muse, sa mascotte, il aimait l'avoir avec lui. Ce qui ne l'empêchait pas de n'être jamais vraiment disponible pour elle ; même lorsqu'il lui fabriquait des bijoux en papier d'argent, son esprit était plus concentré sur la matière elle-même, sur la façon dont il pouvait la modeler, sur les formes qui se cachaient derrière, que sur la fillette qui le regardait faire en ouvrant de grands yeux remplis d'adoration. L'enfance de Rebecca fut une succession de promesses paternelles — tous les cadeaux qu'il allait lui faire, tous les endroits où il allait l'emmener — promesses aussitôt oubliées dès qu'il empoignait son ciseau et commençait à faire voler la poussière de marbre. Son égocentrisme était tel qu'à certains moments Rebecca avait l'impression qu'il consommait à lui seul tout l'air de la maison, ne leur laissant, à sa mère et à elle-même, plus rien à respirer.

En 1962, le musée d'Art moderne organisa toute une rétrospective de l'œuvre d'Aaron Weiss, le ramenant au premier plan et saluant en lui un grand artiste américain. Une à une, les commandes commencèrent à affluer : une sculpture pour l'étang-miroir du Lincoln Center, un œuvre pour la cour d'honneur de la Columbia Law School, une petite statue pour le vestibule de la Maison-Blanche (spécialement commandée par Jackie Kennedy), une autre, plus importante, pour la collection de Nelson Rockefeller. Aaron Weiss devint fort riche et installa sa famille dans une ancienne remise à voitures de la Soixante-Troisième Rue, entre Park Avenue et Lexington, dans l'un des quartiers les plus chic de la ville. Les vieux amis communistes, chanteurs folk, syndicalistes, scénaristes figurant sur la liste noire et tutti quanti, cédèrent la place à des collectionneurs d'art et des milliardaires républicains, invités à boire et à manger, sans la moindre trace de mauvaise conscience. Rebecca fréquenta la Brearley School, où elle prit un malin plaisir à choquer les professeurs en disant des horreurs et en faisant les quatre cents coups chaque fois qu'elle le pouvait. En terminale, avec sa meilleure amie, Bunky Collins, elle fut renvoyée pendant une semaine pour avoir ouvertement quitté le bal de l'école en compagnie de deux garçons de Trinity.

Sylvie, sa mère, avait jadis étudié la danse au Sarah Lawrence College (au cours des rares moments où son mari ne réquisitionnait pas ses services pour lui préparer un repas ou lui nettoyer ses outils, elle montait en douce dans sa chambre et enfilait un vieux maillot de danse pour faire quelques entrechats non dénués de grâce) et Rebecca ne voyait pas pour quelle autre raison cet établissement avait accepté de l'accueillir, à la fin de ses études secondaires, en dépit de ses notes désastreuses et de sa réputation de trublion. Pendant les deux premières années, elle se contenta d'arpenter le campus d'un pas rendu incertain par la drogue dont elle se bourrait, très occupée à inventer des excuses plausibles pour expliquer pourquoi ses « contrats » (c'était comme ça qu'on appelait les dissertations à Sarah Lawrence) arrivaient toujours en retard, quand ils arrivaient. Heureusement, le Sarah Lawrence College était un établissement où la dépression nerveuse faisait presque figure de tradition et il suffisait de plaider les « problèmes émotionnels », avec quelques reniflements mouillés de larmes à l'appui, pour se tirer d'affaire. Ce n'était qu'au cours de la troisième année qu'elle avait songé à devenir actrice, après s'être inscrite, sur un coup de tête, aux cours d'histoire du théâtre de Will Roach. Ce dernier était un petit homosexuel toujours tiré à quatre épingles, qui se rasait le crâne et portait, par pure affectation, des lunettes rectangulaires à fine monture métallique. Doué d'un certain génie, passablement fantasque, il discerna les dons exceptionnels de Rebecca dès la toute première fois où elle lui lut un morceau en classe et il se consacra dès lors à sa formation, l'obligeant à renoncer à la drogue (sauf un peu de marijuana de temps en temps), l'aiguillant vers les cours d'art dramatique proprement dits et lui accordant en outre d'innombrables leçons particulières gratuites.

Ce n'était pas un hasard si les deux hommes qui comptaient le plus dans la vie de Rebecca étaient homosexuels. Elle avait l'impression de ne pas pouvoir se fier aux hommes normaux. Les hommes normaux, c'était l'Ordre Etabli, ceux qui détenaient le pouvoir ; or, Rebecca se voyait sous les traits d'une criminelle. Elle aurait été bien en peine de préciser quel était exactement son crime, mais elle sentait qu'il était lié au défi de l'autorité et à sa propre qualité de réprouvée. Il ne fallait pas oublier que l'on pouvait jadis, à la grande époque du music-hall, voir devant les pensions de famille convenables l'écriteau suivant : LES COMMIS VOYAGEURS, ANIMAUX ET ACTEURS NE SONT PAS ADMIS. Dans cet ordre. Et même aujourd'hui, où le show-business brassait tellement d'argent qu'il finissait par se parer d'une aura de respectabilité, pour beaucoup de gens, l'actrice se situait encore juste au-dessus de la prostituée dans l'échelle sociale.

Beaucoup de ses amis homosexuels partageaient ce sentiment d'aliénation et lorsqu'ils se réunissaient tous, ils étaient aussi joyeux qu'un groupe d'expatriés dans un pays étranger, libres de faire les imbéciles, de dépasser les bornes et de se permettre toutes les pitreries. N'ayant aucune position sociale à préserver, ils n'avaient rien à perdre. Quand elle se mettait en colère, son amie Victoria l'accusait de ne fréquenter que des pédés, mais Rebecca protestait que non, que ce n'était pas vrai, car elle aimait beaucoup faire l'amour avec les hommes normaux et ne s'en privait pas. Mais les homosexuels étaient des âmes sœurs.

Sous l'égide de Will Roach, sa vie prit un sens qui lui avait manqué jusque-là. Son mentor ne tarda pas à lui distribuer des seconds plans au Proscenium, un club théâtral du Lower East Side, dont il était le directeur artistique ; et lorsqu'elle eut obtenu son diplôme, il lui donna la vedette de plusieurs pièces. Ce fut ainsi que Leslie la découvrit. A l'époque, il opérait encore à New York et, tous les soirs, il écumait les innombrables petits théâtres et ateliers éclos

52

à travers la ville entière, en quête de jeunes talents à pousser tout doucement vers la maturité et l'épanouissement. Il retourna voir jouer Rebecca trois fois, avant d'aller lui rendre visite en coulisse. Il la trouvait trop bonne pour être vraie et redoutait presque de se fier à son instinct.

Dès ce moment, une féroce rivalité éclata entre Will et Leslie. Roach voulait que Rebecca restât avec lui, pour se consacrer au théâtre expérimental. Quelques-unes des pièces qu'il avait montées avaient été reprises à Broadway et les perspectives étaient donc loin d'être nulles. Leslie, en revanche, voulait la voir accepter les rôles les plus variés, au cinéma comme au théâtre, et même à la télévision, en veillant évidemment à ne participer qu'à des spectacles atteignant un certain niveau de qualité. Il croyait fermement qu'un acteur devait bâtir sa réputation en tirant parti de tous les moyens d'expression disponibles, du moment qu'il évitait soigneusement les trop grandes compromissions artistiques. Malheureusement, la liberté de choix d'un acteur variait en fonction de ses capacités à gagner de l'argent — c'est-à-dire à monopoliser l'attention d'un maximum de spectateurs. Et indéniablement, lorsqu'il s'agissait de toucher un vaste public — parfois même jusqu'à cinquante millions de personnes en même temps — rien ne pouvait rivaliser avec la télévision, mais elle risquait souvent de cantonner un acteur à un seul rôle, en lui supprimant toute occasion de tenter quelque chose de différent, ou alors de le rendre si plein de tics, si lourd, si artificiel, qu'il finissait par être incapable de reconnaître un bon rôle quand on lui en proposait un, sans parler de le jouer.

Rebecca était parfaitement consciente de tous ces risques, mais elle savait que, des risques, elle en prendrait aussi en restant dans la troupe du Proscenium. Dans le meilleur des cas, Roach se servait de ses acteurs comme d'un Stradivarius sur lequel interpréter ses idées ; dans le pire, il les jetait en pâture au public, comme les cibles d'argile d'un tir au pigeon, laissant libre cours à sa rage et à sa frustration (car il estimait n'avoir jamais été apprécié à sa juste valeur). Et si, par hasard, l'un d'eux se faisait un nom en dehors de Proscenium, Roach lui demandait aussitôt de quitter la troupe, prétendant que ses qualités d'interprète étaient désormais gâchées par la « notoriété ».

Si Rebecca avait choisi sa voie actuelle, ce n'était pas par appât du gain ni de la gloire, car ces choses-là ne comptaient guère pour elle. Ce qui comptait, c'était de jouer. Or, le Proscenium, s'il lui offrait indiscutablement une certaine sécurité, tant sur le plan de la qualité du spectacle que sur celui de l'emploi, la lui offrait au prix de l'atrophie et de la stagnation. Elle préféra donc finalement tenter sa chance dans le domaine du spectacle commercial, affronter le monde du cinéma, les imprésarios rapaces, les producteurs mégalomanes, les scénaristes à peine capables d'endosser leurs chèques de fin de mois ; ainsi, bien sûr, que les parasites, flagorneurs, pourvoyeurs de drogue et coiffeurs, espérant s'en sortir, à l'instar de quelques individus chanceux, avec son talent, son corps et son âme intacts.

Elle signa un contrat avec Leslie et, à dater de ce jour, le drôle de petit bonhomme qu'on appelait Will Roach et qui avait découvert l'actrice cachée tout au fond d'elle et l'avait attirée à la surface, lui apprenant comment jeter un filet enchanté pour y capturer son public, refusa de lui parler.

Enfonçant ainsi une nouvelle écharde dans son cœur.

« Mademoiselle Weiss ? »

La limousine s'était arrêtée et le chauffeur lui tenait la porte. « Merci », dit Rebecca en descendant de voiture, les jambes raides après le long trajet.

Ils étaient garés dans West Wanda — une petite rue qui donnait dans Benedict Canyon, suffisamment haut pour échapper au smog, mais néanmoins assez bas pour être accessible au portefeuille de Rebecca — devant le ranch en bois qu'elle habitait. C'était un petit édifice, une bien humble demeure selon les critères de Berverly Hills, une de ces maisons construites par centaines dans tous les « canyons » de la ville au cours des années cinquante, avant que les promoteurs et les émigrés arabes n'eussent fait monter les prix hors de portée du commun des mortels. Navrée par sa sinistre couleur brune, Rebecca avait fait peindre les volets et la porte d'entrée d'un bleu lumineux, comme un œuf de rouge-gorge, et, pour achever d'égayer le tout, elle avait (au grand dam de ses voisins) planté, au milieu du fouillis d'herbes et de cactus qui lui servait de pelouse, un flamant en fer forgé rose vif, grandeur nature, que lui avait offert Leslie pour fêter son emménagement.

Elle inséra sa clef dans la serrure et entra en criant : « Houhou, me voilà ! », tandis que le chauffeur, chargé de ses bagages, remontait pesamment la petite allée à sa suite.

Victoria Dunbarr, moulée dans un collant académique, était allongée par terre dans le living, agitant ses longs bras et ses longues jambes au rythme de l'orgue et des fausses grossesses qui ponctuaient le sempiternel feuilleton télévisé. Elle bondit sur ses pieds et fonça dans l'entrée pour embrasser Rebecca.

« Que je suis heureuse de te voir ! s'écria-t-elle d'un air comblé.

— Oh, moi aussi, moi aussi ! répondit Rebecca.

— J'ai cru qu'ils ne te laisseraient jamais repartir.

— Encore un jour dans le désert et il fallait me ramener dans le fourgon capitonné. »

Le chauffeur s'éclaircit la gorge : « Où faut-il que je pose les bagages, mademoiselle ?

— Oh, excusez-moi, dit Rebecca en lâchant son amie. Laissez donc tout ça ici. »

Elle fouilla dans son vieux sac en perles noires et dénicha un billet de cinq dollars qu'elle lui glissa dans la main. Il la remercia et repartit, laissant les deux jeunes femmes face à face, souriant de toutes leurs dents.

« Tu es superbe, déclara Rebecca. Mais avec toi, c'est toujours le cas. »

C'était d'ailleurs parfaitement exact. Victoria ne mesurait pas loin d'un mètre quatre-vingts et possédait la silhouette et la prestance d'une danseuse de Las Vegas. Elle avait de longs cheveux raides, noirs comme du jais, qui, lorsqu'elle les laissait libres, lui tombaient presque jusqu'aux hanches ; pour le moment, elle les avait tressés en une grosse natte, beaucoup plus commode pour faire sa culture physique.

Son visage était étrangement enfantin, sans la moindre ride, les yeux très écartés, la bouche menue avançant en une moue boudeuse, le nez petit et espiègle. Ce visage de bébé offrait un contraste saisissant avec le reste de son anatomie, avec ses seins plantureux, que tout le monde croyait gonflés au silicone à cause de l'incroyable insolence avec laquelle ils pointaient vers le haut (en fait, ils étaient parfaitement naturels, car Victoria n'avait jamais eu recours à la chirurgie esthétique, sauf la fois où son ex-mari lui avait cassé le nez), sa taille fine, son ventre plat, son postérieur généreux et ses longues jambes fuselées.

« Tu es très en beauté, toi aussi, assura Victoria, à part ces poches que tu as sous les yeux.

— Je sais. J'ai affreusement mal dormi. »

Victoria la fit pivoter pour la mettre face à la lumière et examiner son visage plus attentivement. « Dis donc, on dirait que tu commences à avoir un peu de patte-d'oie.

— C'est à cause du soleil et de l'air sec du désert.

— En tout cas, c'est une chance que tu puisses jouer tous ces rôles de filles marquées par l'existence. Moi, si ma peau était dans l'état de la tienne, je pourrais immédiatement fermer boutique. »

Rebecca s'examina avec inquiétude dans le miroir de l'entrée.

« C'est vraiment aussi terrible que ça ? »

Victoria se mit à rire : « Mais non, voyons, ma chérie, bien sûr que non. Un bon traitement hydratant et il n'y paraîtra plus. J'ai justement acheté une merveilleuse nouvelle crème suédoise...

— Pas maintenant, Vicky, je t'en prie. Où est Charlemagne ? Charlemagne ! Charlemagne ! Il a mangé, finalement ?

— Eh bien, il a absolument refusé de toucher à la pâtée en boîte, alors j'ai essayé les petits pots de bébé, du foie, comme tu m'avais dit. Ça a bien marché pendant deux jours et puis j'ai dû passer aux sardines à l'huile importées. Tu me dois onze dollars. »

Elles gagnèrent lentement le living où un des héros du feuilleton venait d'être frappé d'amnésie. Un ami avait dit un jour à Rebecca que sa maison ressemblait à une boutique de brocanteur, au meilleur sens du terme évidemment, et cette remarque n'était pas dénuée de fondement. Dans un coin du living se dressait un fauteuil de dentiste recouvert d'un châle de soie rouge, pour cacher les accrocs du capitonnage en cuir, et sur une table, juste à côté, était posé un vieux distributeur de boules de chewing-gum dont le globe en verre était rempli de bijoux de scène. D'autres bijoux en verre teinté étaient suspendus devant les fenêtres, car Rebecca aimait la façon dont ils diffusaient la lumière, comme un arc-en-ciel sur le mur d'en face. Il y avait une boîte à lait en fer remplie de plumes de paon, une table basse pour prendre le café, qui n'était autre qu'un ancien support de machine à coudre, et un portemanteau autour duquel étaient drapées des décorations d'arbre de Noël (Rebecca s'en était servie une année pour remplacer l'arbre traditionnel et avait trouvé l'effet si réussi qu'elle l'avait gardé).

« Charlemagne ! » appela-t-elle encore, en regardant derrière le canapé, l'un des rares meubles de la pièce à conserver sa fonction d'origine. « Il me fait la gueule parce que je l'ai laissé tout seul. Jamais il ne me le pardonnera. Oh, mon Dieu, qu'est-ce que je vais faire ? Charlemagne ! Vicky, tu veux bien le guetter au cas où il daignerait apparaître ? Moi, je vais prendre un bain. »

Pour la forme, elle fouilla sa chambre du regard en y entrant, mais Charlemagne ne se montrerait que quand il en aurait envie, puis elle passa dans la salle de bains et ouvrit tout grand le robinet d'eau chaude de la baignoire dans laquelle elle jeta une poignée de sels moussants. Ce bain chaud et parfumé, elle en rêvait depuis le début de la journée, elle y avait pensé tout au long des cinq heures de route depuis la vallée de la Mort.

Elle enleva sa blouse légère en organdi surpiqué de fleurs en dentelle, avant de se débarrasser péniblement de son jean français trop serré, savourant aussitôt la délicieuse sensation de liberté, avec la même volupté que les femmes du siècle dernier lorsqu'elles retiraient leur corset. N'ayant plus sur elle que sa culotte — elle ne portait jamais de soutien-gorge, faute d'avoir une gorge à soutenir —, elle alla se planter devant le grand miroir pour s'examiner d'un œil critique. Etait-elle vraiment aussi décrépite que l'avait laissé entendre Victoria ? Elle s'approcha tout près de la glace, en tirant sur la peau autour de ses yeux. Eh oui, elle avait de la patte-d'oie, c'était flagrant. A trente ans, elle en paraissait plutôt quarante. Elle aurait peut-être intérêt à se faire lifter. Elle avait toujours affiché le plus grand mépris pour la chirurgie esthétique — estimant qu'un bon acteur devait façonner son physique de l'intérieur — mais, à présent, elle songeait sérieusement à réviser son jugement. En y regardant de très, très près, elle distingua aussi de chaque côté de sa bouche ces terribles rides qui ressemblent à des fissures dans le sol en période de sécheresse. Il valait quand même mieux essayer un traitement hydratant d'abord. Elle recula pour examiner le reste. Son épaisse chevelure noire encadrait son visage en éventail, à la façon des reines égyptiennes de l'Antiquité, ce qui lui plaisait beaucoup, mais son corps était désespérément maigre et menu, on aurait dit que le désert l'avait déshydraté. Il semblait si infécond. Elle mit une main sous chacun de ses seins et les souleva pour rehausser son buste. Si elle avait un bébé, songea-t-elle, son corps se gonflerait de lait et de vie, comme une fleur qui s'épanouit. Trente ans. Elle n'avait plus beaucoup de temps devant elle. Si elle ne se faisait pas faire un enfant très bientôt, il serait trop tard. Sa mère lui avait toujours répété que c'était là la seule véritable raison de vivre, ce bonheur unique de donner la vie ; la carrière, c'était bien joli, mais les femmes sans enfant ne pouvaient appréhender qu'une fraction du sens de l'existence.

Rebecca songeait souvent à se faire faire, par un amant de passage, un enfant qu'elle élèverait toute seule et ce, non pas par haine des hommes, mais tout simplement parce qu'elle n'en avait encore jamais rencontré un avec qui elle eut envie d'avoir un enfant — sauf Leslie, évidemment, mais elle le voyait mal lui faire un gosse (même s'ils en parlaient régulièrement, sans jamais toutefois prendre cette éventualité très au sérieux).

Elle se glissa dans l'eau brûlante, s'imaginant complaisamment être ainsi lavée de toute la crasse et la poussière du désert et surtout des injures dont l'avait abreuvée Mack Gordon, ce Mack Gordon qu'elle aimait et méprisait tout à la fois. Pourquoi sa vie n'était-elle qu'une longue suite de conflits ? Ne serait-elle jamais, fût-ce un instant, en paix avec elle-même ? Elle toucha son corps de la façon dont elle aurait voulu être touchée par un homme, allant chercher, au milieu de la toison noire et rêche entre ses jambes, le précieux rubis enfoui entre les replis de chair, pour le réveiller, lui faire transmettre, comme les remous d'une mare, des ondes de plaisir toujours plus étendues à travers son corps tout entier, son être, sa conscience, l'emportant finalement jusqu'à l'extrême bord de la cataracte, là où la mare du moi rejoint l'océan le plus cosmique qui soit, celui de l'expérience, là où la jouissance sexuelle se transforme en lien avec l'éternité.

Cet épisode la laissa vidée de ses forces, sensation qu'elle savoura jusqu'à l'arrivée de Vicky, qui entra après avoir frappé à la porte. Elle avait passé un peignoir rose par-dessus son collant prune.

« C'est bon, ce bain ?

— Délicieux, soupira Rebecca.

— Comment était-il ?

— Qui ça ? questionna Becky.

— Mack Gordon, bien sûr.

— Comment le sais-tu ?

— Tout se sait, voyons, dans notre capitale de la pacotille.

— Non, sans rire.

— Mais c'est toi qui me l'as dit, godiche, dans ta lettre !

— Ah oui, c'est vrai ! » Rebecca éclata de rire. « Un merveilleux salopard, bourré de sex-appeal. J'espère bien ne jamais le revoir.

— Ah bon ? Encore un de cette espèce ?

— Il y en a d'autres ? »

Victoria feignit de réfléchir profondément : « Voyons, les mariés... les tantes et les tordus.

— Tu oublies les Arabes. Tu sais pourquoi les hommes de Los Angeles sont de telles lavettes ?

— Non. Pourquoi ?

— Parce qu'ils ne sont jamais obligés de sortir leur bagnole de sous un tas de neige.

— Nouvelle théorie, tout à fait unique, sur le comportement humain.

— Mais c'est vrai, Vicky, je t'assure. La neige, ça vous forge le caractère d'un bonhomme. Tu n'as jamais rencontré un gars de Chicago ? Ou du New Hampshire ? Ou de Buffalo, dans l'Etat de New York ? Ils ont des caractères admirablement bien trempés.

— Ce que tu me dis là mérite réflexion », assura son amie.

Rebecca sortit de la baignoire, se drapa une serviette en turban autour de la tête et en prit une autre pour se sécher.

« Tu commences à pendre un peu, déclara Victoria en la contemplant les sourcils froncés.

— Victoria, je t'en prie, je ne suis pas d'humeur à...

— Je connais des exercices merveilleux pour remonter la poitrine.

— Ecoute, sois gentille, apporte-moi plutôt mon courrier.

— Bien sûr. Tu n'es pas fâchée que je t'aie dit ça, hein ? Dit que tu pendais ? C'est simplement pour t'aider à rester belle...

— Mais non, voyons. Seulement, avec mes trente ans qui approchent...

— Je comprends parfaitement. C'était une remarque idiote et déplacée. Excuse-moi. Je cours chercher tes lettres avant de proférer une nouvelle ânerie. »

Rebecca enfila un cafetan et s'allongea sur son lit pour lire son courrier. Il y avait trois demandes d'autographe, deux accompagnées de petites cartes blanches à signer et la troisième d'une photo 18×24 extraite du *Pays des rêves perdus* (était-il vrai, comme elle l'avait entendu dire, que l'on pouvait échanger quatre Rebecca Weiss contre une seule

Farah Fawcett-Majors ?), une lettre d'un ancien petit ami resté sur la côte Est et une autre d'une tante dont la fille voulait devenir actrice et comptait venir s'installer à Los Angeles, demandant à Rebecca de bien vouloir la présenter à quelques producteurs influents. Venaient ensuite les habituelles crétineries du Syndicat des Artistes de Cinéma, quelques prospectus publicitaires, une excellente occasion de gagner vingt-cinq mille dollars, et puis des factures, encore des factures, toujours des factures.

Rebecca lança toute la pile en l'air et la laissa retomber autour d'elle. Les factures étaient un sujet particulièrement épineux : c'était Victoria qui était censée régler les charges, en guise de loyer, mais ça faisait déjà un bon moment qu'elle avait arrêté de le faire.

Les deux jeunes femmes avaient fait connaissance plusieurs années auparavant, en tournant ensemble une série télévisée intitulée *Les pêcheuses de perles* ; les héroïnes en étaient trois sœurs qui dirigeaient une affaire de plongée sous-marine à Sainte-Croix, une des Iles Vierges, et à qui il arrivait toutes les semaines des aventures rocambolesques qui n'étaient qu'un prétexte transparent pour exhiber les trois beautés en bikinis et tee-shirts mouillés, non moins transparents, avec une meute de meurtriers sadiques à leurs trousses. Rebecca n'avait jamais rien tourné d'aussi déplorable, ni avant ni depuis, et la série, quoiqu'elle eût duré à peine un an, avait bien failli sonner le glas de sa carrière d'actrice digne de ce nom. Leslie l'avait mise en garde sur tous les tons, il avait même menacé de cesser de la représenter, mais à l'époque Rebecca endurait les rigueurs d'un mois de février glacial — elle n'était pas encore partie s'installer en Californie — et la tentation d'aller passer deux mois sous le soleil des Tropiques, avec un généreux défraiement et un salaire encore plus généreux à la clef, s'était avérée trop alléchante pour elle. Victoria et elle interprétaient deux des héroïnes, avec pour troisième sœur une certaine Stormy Simon qui était ensuite devenue chanteuse pop. C'était après la fin de ce tournage que Rebecca, confrontée à la perspective de retourner saisir les occasions de plus en plus rares de faire carrière sur les scènes new-yorkaises, avait décidé d'émigrer vers la côte Ouest. Le plus gros du magot amassé en tournant la série télévisée lui servit à acheter la maison de Benedict Canyon, dont elle paya même l'hypothèque en totalité, sans vouloir écouter les conseils de son expert-comptable qui lui assurait que les intérêts sur une hypothèque autorisaient un abattement appréciable de l'impôt sur le revenu et permettaient en outre de lutter contre l'inflation. Mais elle avait l'impression que de sa vie elle n'aurait plus jamais une telle somme à sa disposition (c'était d'ailleurs une impression chronique, qui revenait à chaque fois qu'elle touchait un joli paquet) et elle tenait à lui donner une certaine permanence en la transformant en une maison dont elle serait la seule et unique propriétaire, flamant rose compris.

Cela faisait quatre mois qu'elle vivait dans sa nouvelle demeure lorsqu'un soir, très tard, Victoria était venue frapper à sa porte pour lui demander asile. Son mari, un saxophoniste cubain, s'était enivré et lui avait cassé une chaise sur la tête. La peur d'être défigurée et de ne plus jamais trouver d'engagement la rendait hystérique. Rebecca la raccompagna chez elle, dans Hollywood Hills, lui fit sa valise — pendant que le mari écumait et hurlait dans la pièce voisine, finissant même par les menacer toutes les deux avec un couteau — puis elle la ramena à Benedict Canyon. Elle annonça à Victoria qu'elle pouvait occuper la chambre d'amis aussi longtemps qu'elle le voudrait. Non, franchement, ça ne la gênait pas du tout, insista Rebecca, elle était ravie d'avoir Victoria avec elle, elle l'aimait comme une sœur, elle se sentait même plus en sécurité avec quelqu'un d'autre dans la maison, et ainsi de suite. Victoria promit de se chercher un appartement dès qu'elle aurait suffisamment d'argent. Il n'y a pas le feu, assura Rebecca. Et puis les semaines passèrent ; les deux jeunes femmes s'entendaient plutôt bien et finalement Rebecca proposa de s'en tenir de façon semi-permanente à ce *modus vivendi*. D'ici un an, l'une ou l'autre serait certainement mariée ou en ménage (jamais ses prédictions n'auraient été aussi optimistes à présent) et, jusque-là, elles pouvaient très bien partager les frais : par conséquent, en guise de « loyer », Victoria n'aurait qu'à régler les charges, c'est-à-dire l'eau, le gaz et l'électricité. Le marché leur semblait équitable, à l'une comme à l'autre. Pendant quelques mois, Victoria paya donc consciencieusement les factures, puis elle commença à se montrer plus irrégulière ; elle prétendit qu'elle était à court de liquide, ayant dû aider une amie à se payer un avortement, se faire réparer à grand frais le nez (cassé à coups de chaise) par un chirugien esthétique et prêter de l'argent à son mari (désormais ex-) envers qui elle éprouvait un profond sentiment de culpabilité.

Victoria paraissait toujours se débattre dans des problèmes tellement épouvantables que Rebecca n'osait pas les aggraver en lui réclamant son « loyer » ; après tout, elle avait beaucoup plus de travail que son amie et gagnait donc beaucoup plus d'argent. Si les rôles étaient inversés, Victoria ferait exactement la même chose pour elle, du moins aimait-elle à le croire. Et puis cette pauvre Victoria achetait parfois des provisions, elle lui prêtait souvent des vêtements, même si ceux-ci ne lui allaient pratiquement jamais, étant donné leur différence de taille et de gabarit.

Un énorme chat sauta sur les genoux de Rebecca et poussa son petit nez froid sous son menton, en ronronnant avec un bruit de machine à coudre.

« Charlemagne, murmura Rebecca. Tu m'as pardonné de t'avoir quitté ? Il faut bien que quelqu'un aille gagner de quoi payer toutes ces sardines à l'huile, tu sais. »

Charlemagne hocha la tête d'un air compréhensif.

« Tu aurais pu m'écrire, continua Rebecca. Même une carte postale, avec juste la marque de ta patte, ça m'aurait fait plaisir.

— *Miaou.*

— Voilà de quoi te mettre un peu de cœur au ventre, annonça Victoria en arrivant avec deux Margarita.

— Oh, Vicky, tu es un ange — c'est juste ce qu'il me fallait. » Rebecca avala une gorgée. « Mmmm, que c'est bon ! »

« Bien, et maintenant que nous sommes confortablement installées, il va falloir que je t'annonce la nouvelle.

— Quelle nouvelle ?

— Prépare-toi au pire.

— QUELLE NOUVELLE ?

— Leslie a disparu.

— QUOI ?

— Il a disparu. Il n'est jamais revenu de son voyage dans le désert. La police a retrouvé sa voiture en panne sur l'autoroute, mais lui semble s'être volatilisé.

— Non ! s'écria Rebecca. Non, pas Leslie, pas lui, ce n'est pas juste. »

Le monde se transforma brutalement en un puzzle où manquait la pièce maîtresse, le centre s'effondra, les morceaux se détachèrent, s'éparpillant à la dérive dans l'espace. Elle éprouva le besoin physique de se raccrocher à quelque chose, tant était réel le vertige qu'elle ressentait face à un univers privé de Leslie.

« C'est Sheila qui va reprendre l'affaire, continua Victoria d'un ton rassurant. Elle est très compétente, tu sais. Entre-temps, nous sommes censées garder le secret sur cette disparition, pour ne pas risquer de nuire aux pourparlers en cours. »

Si Victoria semblait rien moins qu'inquiète, c'était peut-être parce qu'elle n'aimait guère Leslie. Après *Les pêcheuses de perles*, elle lui avait demandé de s'occuper de sa carrière, mais il avait poliment décliné, prétextant qu'il avait déjà trop de clients. Victoria était persuadée que la vraie raison de son refus était qu'elle n'était pas juive — l'antisémitisme sévissait dans les milieux de l'US Navy au sein desquels elle avait grandi et elle souffrait en outre d'une manie de la persécution qui n'arrangeait rien — mais elle n'en avait jamais parlé à Rebecca.

« Mais il n'y a pas que les affaires, il y a tout ! Leslie, c'est tout ce que j'ai, c'est mon seul ami !

— Moi aussi, je suis ton amie, protesta Victoria.

— Oui, je sais.

— Allons, ne pleure plus, voyons. Embrasse-moi. »

Elles se levèrent et s'étreignirent et, pour une raison inexplicable, le réconfort qu'elle trouvait dans les bras de Victoria arracha à Rebecca un cri de douleur encore plus poignant et un nouveau torrent de larmes.

« Je ne peux pas vivre sans lui, Victoria. Je vais mourir, je vais mourir.

— Ne dis pas de bêtises, tout va s'arranger. Rien ne dit qu'il est mort, il a disparu, voilà tout. Peut-être que quand il est tombé en panne — eh bien, je ne sais pas, moi, peut-être qu'il a fait de l'auto-stop et que c'est un autre pédé qui s'est arrêté. »

Rebecca sauta aussitôt sur cette idée et s'y cramponna.

« Mais oui, bien sûr ! Et le gars a dû l'inviter à une orgie. Je parie qu'ils ont passé tout le week-end à s'envoyer en l'air comme des dingues, oui, c'est la seule explication logique. Après tout, on n'est encore que dimanche, ça ne fait que quatre jours qu'il a disparu. On va sûrement le voir reparaître demain, avec la plus monumentale gueule de bois de sa carrière, tout contrit de nous avoir causé toutes ces angoisses. »

Mais aussitôt, le revers de la médaille lui traversa l'esprit : peut-être aussi Leslie avait-il été ramassé par une voiturée de ranchers en goguette qui, s'étant aperçu qu'il était homosexuel, l'avaient soumis aux pires brutalités avant de l'abandonner, mourant, dans un fossé, pour y crever à petit feu ; cette pensée était si atroce qu'elle n'osa même pas lui donner la moindre prise en la formulant à voix haute, mais préféra changer immédiatement de sujet.

« Il m'a apporté un scénario extraordinaire ; ça s'appelle *L'autre femme*. Il devait me décrocher le rôle principal, un rôle fabuleux qui aurait fait complètement basculer ma carrière. Maintenant, c'est râpé.

— Mais non, Sheila va te le décrocher. Elle est très forte pour négocier ce genre de contrat.

— Non, elle n'arrivera à rien. Sans Leslie, tout est foutu. Je ferais aussi bien de me ficher en l'air.

— Ne dis pas des choses pareilles ! Tu es l'une des meilleures jeunes actrices d'Hollywood. Tu as tant de talent... »

On sonna à la porte d'entrée.

« Qui que ce soit, débarrasse-t'en, dit Rebecca. Je ne suis en état de voir personne.

— Ne t'inquiète pas, je m'en occupe. »

Victoria se dirigea vers l'entrée et Rebecca, enfonçant son visage dans son oreiller, se mit à sangloter. Presque aussitôt, elle entendit la voix de son amie : « Becky, je crois qu'il vaut mieux que tu viennes voir ! »

Merde ! se dit Rebecca. Elle fonça dans la salle de bains, s'aspergea le visage d'eau, se passa une brosse dans les cheveux, adressa une grimace à son reflet aux yeux rouges et gonflés — un coup dur et ce n'était plus quarante ans mais cinquante qu'elle faisait — et se rendit dans le hall d'entrée.

Sylvie et Aaron Weiss se tenaient sur le seuil de la porte, visiblement au comble de la joie. En la voyant arriver, ils s'écrièrent : « Coucou, nous voilà !

— Papa ! glapit Rebecca en se précipitant pour le serrer dans ses bras. Salut, maman ! ajouta-t-elle en embrassant sa mère sur la joue.

— On s'est dit qu'on allait faire une surprise à notre petite souris pour son anniversaire », annonça Aaron. Quand Rebecca était enfant, il l'appelait toujours sa petite souris et le vieux surnom lui revenait chaque fois qu'il était en veine de sentimentalité.

« Mais mon anniversaire n'est que jeudi.

— Ton père devait venir assister à un dîner donné en son honneur. Les Humanistes Juifs de Los Angeles lui ont décerné une récompense pour sa remarquable contribution à l'art juif. Chagall est le seul autre artiste à l'avoir reçue.

— Non, non, non, non, Sylvie, s'exclama Aaron, ils en distribuent des ribambelles, de ces récompenses. Chagall est simplement le premier à l'avoir reçue. » Il parlait très lentement, comme s'il était en train de faire la leçon à une enfant de six ans.

« Oui, mais c'est quand même un très grand honneur », persista Sylvie. C'était une femme petite et élégante, d'une soixantaine d'années, exactement du même gabarit que sa fille. A une certaine époque, on les avait souvent prises pour deux sœurs, mais à présent les lunettes à double foyer cerclées d'écaille et les fils d'argent qui se mêlaient à ses courts cheveux noirs proclamaient que Sylvie avait décidé de vieillir avec grâce, comme il seyait à la digne épouse du grand artiste.

« C'est de la roupie de sansonnet, déclara Aaron. Ni plus ni moins. La seule chose qui compte vraiment, petite souris, c'est ton travail ; ne l'oublie jamais. » Lui aussi était petit, mais solidement charpenté, avec un torse puissant et bombé, d'épaisses touffes de sourcils blancs et un teint rose de bébé. Ses mains, couvertes de cals et de traces laissées par des coups de ciseau intempestifs, étaient osseuses et raffinées. Son pantalon de toile et sa chemise sport frappaient sa fille comme une incongruité, car elle ne pouvait jamais l'imaginer autrement que vêtu de la vaste blouse qu'il portait pour travailler.

« Nous pourrions peut-être entrer, suggéra Sylvie.

— Bien sûr — excuse-moi, maman. Je suis un peu dans les vapes. Je rentre tout juste d'un tournage et je viens de recevoir une mauvaise nouvelle. »

Sa mère pénétra dans la maison, les sourcils froncés. « Rebecca, ma chérie, tu ne gagnes donc pas de quoi t'acheter un mobilier ?

— Figure-toi que tout ce que tu vois là est mon mobilier, riposta sa fille.

— Je voulais dire un vrai mobilier.

— Allons, Syl, interrompit Aaron. Moi, je trouve l'installation de ma petite souris pleine d'imagination. Alors, comme ça, tu termines un film ? Il s'appelle comment ?

— Je préfère ne pas en parler.

— Monsieur Weiss, madame Weiss, puis-je vous apporter à boire ? proposa Victoria.

— Quelle heure est-il ? » Aaron consulta sa montre. « Ma foi, oui, je crois qu'il est suffisamment tard pour prendre un verre.

— Nous étions en train de boire des Margarita », expliqua Victoria. Son peignoir s'était entrouvert et Aaron avait les yeux braqués, sans la moindre fausse honte, sur sa poitrine.

« Non, j'ai horreur des cocktails, déclara-t-il. Donnez-moi plutôt un scotch avec des glaçons.

— A moi aussi », dit Sylvie.

Victoria s'éclipsa en direction de la cuisine. Dès qu'elle eut disparu, Sylvie chuchota : « Tu partages toujours ta maison avec cette... cette fille ?

— C'est de Victoria que tu parles ? Oui, pourquoi pas ?

— Eh bien, elle est si... — Sylvie hésita — si vulgaire. On dirait une strip-teaseuse ou Dieu sait quoi. Je ne voudrais pas qu'elle ait une mauvaise influence sur toi.

— Mais enfin, maman, c'est ma meilleure amie. Et je n'ai quand même plus l'âge de me laisser influencer. Je m'influence toute seule.

— Bien sûr, ma chérie, je sais. Laisse-moi te regarder un peu ! » Sylvie prit sa fille par les épaules et la contempla fixement ; leurs yeux étaient exactement à la même hauteur. « Mon Dieu, que tu as l'air fatiguée ! Et ta peau est terriblement desséchée. Tu n'emploies donc jamais de crème nourrissante ? Tu as les yeux tout gonflés. Ça doit te poser des problèmes dans ton métier, non ? Une actrice se doit quand même, avant tout autre chose, d'être jolie.

— Maman, dit Rebecca, en faisant un gros effort pour se maîtriser, une actrice ne se doit absolument pas d'être jolie. Je sais bien que tu n'éprouves guère de respect envers la façon dont je gagne ma vie, mais tu pourrais au moins...

— Guère de respect ? Mais, ma chérie, qu'est-ce que tu racontes ? J'ai le plus grand respect pour toi et pour ton métier. Aaron et moi avons vu chacun de tes films au moins cinq ou six fois et nous regardons cette lamentable série télévisée à chaque fois qu'elle repasse.

— Si tu as fait cinq mille kilomètres pour critiquer mes moindres faits et gestes, j'aurais préféré que tu...

— Mais enfin, Rebecca, je trouve cette remarque parfaitement désobligeante et déplacée...

— Syl, intervint Aaron en s'avançant entre elles, pourquoi ne vas-tu pas à la cuisine aider Vicky ? Je crois qu'elle est en train de nous préparer des crackers au fromage.

— Aaron, nous ne sommes pas des petites filles, répondit sa femme. Nous n'avons pas besoin de toi pour maintenir l'ordre.

— Comment ça, maintenir l'ordre ? dit-il, perplexe. Je m'inquiète pour mes crackers au fromage, voilà tout. Va donc voir ce qu'elle fabrique. »

Sylvie poussa un soupir avant de disparaître à son tour en direction de la cuisine. Rebecca sourit à Aaron et le serra à nouveau dans ses bras. « Oh, papa, je suis si contente de te voir. J'ai été très malheureuse.

— Ma pauvre petite souris, dit-il avec un sourire débordant d'amour et de compassion. Laisse donc tomber tout ça et reviens à New York avec nous. Nous avons gardé ton ancienne chambre exactement telle qu'elle était quand tu es partie, tu sais.

— Tu es un amour, papa, mais c'est impossible.

— Tout serait exactement comme avant. Je travaillerais le matin et, l'après-midi, nous irions en ville tous les deux ; nous nous arrêterions chez Doubleday's pour remplir notre cabas de livres, et puis nous mangerions une petite croûte au salon de thé russe, avant de nous payer peut-être un petit film quelque part...

— Oh, papa, c'est tellement tentant.

— Eh bien, laisse-toi tenter ! Qu'est-ce qui t'en empêche ?

— Huit ans de psychanalyse. »

Ils éclatèrent de rire. Victoria et Sylvie revinrent de la cuisine, chargées de verres, de crackers au fromage, d'huîtres fumées et de sardines à l'huile. Juste au moment où ils s'asseyaient tous les quatre, le téléphone sonna.

« Ne bougez pas, dit aussitôt Victoria, j'y vais. » Et elle repartit en courant vers la cuisine.

Sylvie se pencha vers sa fille et lui dit à voix basse : « Au fond c'est un amour de fille. Elle a eu une existence tellement difficile. Elle m'a parlé de son ex-mari dans la cuisine. Tu savais qu'il lui avait cassé le nez ?

— J'aimerais beaucoup la sculpter, annonça Aaron. Tu crois qu'elle accepterait de poser pour moi ?

— Oh, papa, tu veux tout simplement voir ses nichons.

— Cette accusation est aussi vulgaire que mensongère, protesta son père avec une feinte sévérité. Je ne pense qu'à mon art. »

Pendant ce temps-là, dans la cuisine, Victoria parlait à Sheila Gold, l'associée de Leslie, qui demandait Rebecca. Victoria lui expliqua que la jeune femme était avec ses parents et qu'elle était désespérée par la disparition de Leslie.

« Alors ne la dérangez pas, dit aussitôt Sheila. Faites-lui simplement passer le message suivant.

— Une seconde ! » Victoria se mit à chercher frénétiquement le crayon et le bloc, qui n'étaient jamais à leur place.

C'était un bloc orné d'une bordure dentelée qui le faisait ressembler à un rouleau de pellicule et en haut de chaque page s'inscrivait une des répliques de Dorothy dans *Le magicien d'Oz*, un de ces immortels euphémismes dont regorge le cinéma hollywoodien : « Toto, j'ai l'impression que nous ne sommes plus au Kansas. » C'était une plaisanterie entre les deux femmes ; chaque fois qu'elles avaient trop bu, ou fumé trop de marijuana, l'une des deux disait à l'autre : « Toto, j'ai l'impression que nous ne sommes plus au Kansas », et aussitôt c'était la crise de fou rire.

« Allez-y, dit Vicky en reprenant l'écouteur.

— Dites à Becky que Billy Rosenblatt l'attend à déjeuner demain à une heure au restaurant La Scala, pour discuter de son rôle dans *L'autre femme*. Qu'elle ne se mette surtout pas martel en tête, il veut juste faire sa connaissance.

— *Demain, une heure, La Scala, déjeuner avec Rosenblatt, ne pas s'en faire.*

— Formidable ! Au revoir, mon chou.

— Qui était-ce ? cria Rebecca depuis le living.

— C'était..., Victoria hésita, tout en arrachant la page du bloc pour la rouler en boule et l'expédier dans la poubelle, un de ces insupportables sondages. Ils voulaient savoir, continua-t-elle en regagnant le living, quelle espèce de déodorant tu utilisais. Je leur ai dit que s'ils avaient le malheur de rappeler, nous les attaquions pour atteinte à la vie privée. Dès que j'ai eu prononcé le mot « attaquer », ils se sont confondus en excuses et ont même offert de nous envoyer gratis une caisse de... je ne sais plus, Ban Roll-on ou quelque chose comme ça. »

Tout le monde se mit à rire.

« Je suis contente que ma fille ait une amie comme vous, assura Sylvie.

— Et moi, je suis contente d'avoir une amie comme elle », renchérit Victoria en pressant la main de Rebecca.

Victoria Dunbarr se rendit jusqu'à Santa Monica dans sa décapotable Jensen Healey rouge, assise sur ses longs cheveux ; elle avait pris cette habitude lorsqu'elle conduisait la capote baissée, car elle en avait trop pour les caser sous un chapeau et, si elle les laissait flotter librement, elle redoutait de les voir se prendre dans un obstacle quelconque et lui briser le cou, à la façon d'Isadora Duncan. (Elle se demandait parfois si son véritable talent ne résidait pas dans la découverte de petits secrets de beauté de ce genre, plutôt que dans la carrière qu'elle avait choisie.) La Jensen avait jadis appartenu à Matt Kern, la vedette masculine des *Pêcheuses de perles* ; il jouait le rôle du chef de la police locale, qui venait généralement en aide aux trois sœurs lorsqu'elles étaient pourchassées par leurs hordes d'assassins déments, ce qui arrivait pratiquement à chaque épisode. Lors du tournage, aux Iles Vierges, Matt avait demandé à Victoria (qui était pratiquement de sa taille) de l'aider à se procurer les robes et les sous-vêtements féminins qu'il aimait porter dans l'intimité (c'était une manie inoffensive, qui lui donnait du plaisir et qui n'empêchait en rien son amour pour sa femme et ses deux filles). De retour à Los Angeles, Victoria lui fit savoir qu'un reporter du *National Enquirer* lui avait offert cinq mille dollars pour raconter tous les petits potins intéressants et croustillants se rapportant à leur séjour sous les Tropiques. Evidemment, elle n'avait aucune envie de le mettre au courant de l'étrange habitude de Matt, ni de lui remettre la photo si rigolote de Matt en Marlène Dietrich qu'elle avait prise au Polaroïd, mais, d'un autre côté, elle avait terriblement besoin de cet argent. Son mari avait déjà perdu pratiquement tout ce qu'elle venait de gagner dans une affaire immobilière véreuse et elle songeait sérieusement à le quitter ; mais, pour le moment, elle n'avait même pas de quoi s'acheter une voiture, elle qui rêvait de la superbe Jensen Healey de Matt... Oh, non, non, elle ne pouvait absolument pas accepter de la prendre, à moins que, ma foi, s'il insistait...

Victoria avait lu tout un livre sur des gens appelés « sociopathes », capables de perpétrer n'importe quel crime ou malhonnêteté sans le moindre remords, et quelquefois, quand les choses allaient mal, elle regrettait de ne pas en être une. Car elle possédait incontestablement une conscience ; elle avait honte d'avoir « persuadé » Matt de lui donner sa voiture. Elle *savait* que c'était mal (alors que, bien souvent, selon l'ouvrage en question, le véritable sociopathe était incapable de distinguer le bien du mal), mais il y avait des moments où elle était bien obligée de mal agir. A cause de son handicap.

Elle ne mentionnait jamais son handicap — les gens n'auraient pas compris — mais il existait bel et bien. Son handicap, c'était son extraordinaire beauté, son incroyable corps. C'était à l'âge de douze ans qu'elle avait commencé à en prendre conscience, lorsqu'au cours d'un seul été elle avait brusquement poussé pour atteindre sa taille actuelle d'un mètre soixante-dix-sept. Ses seins s'étaient mis à gonfler et les garçons de sa classe échangeaient des plaisanteries apeurées à son sujet, tandis que les filles pâlissaient d'envie. Jusque-là, elle avait vécu un peu partout dans le monde, comme tous les gosses d'officiers de marine, suivant son père de port en port. A présent, il était capitaine à la retraite et ils s'étaient définitivement installés à La Jolla, une banlieue endormie de San Diego, à vingt minutes à peine de la frontière mexicaine.

A treize ans, elle était régulièrement invitée à sortir par les garçons des grandes classes, lesquels se fâchaient tout

72

rouge lorsqu'elle refusait ; la seule fois où elle accepta, la nouvelle se propagea si rapidement qu'on aurait pu croire qu'elle avait été annoncée à la télévision. Tous les garçons de la ville semblaient occupés à colporter, derrière son dos, des ragots sur son compte. La Jolla était à l'époque une ville nettement plus petite qu'elle ne l'est aujourd'hui, et chacun était au courant de ce que faisait le voisin, car il n'y avait guère d'autres distractions. Victoria n'avait rien d'une marie-couche-toi-là, mais les garçons décidèrent qu'elle en avait l'air, ou bien peut-être l'idée qu'elle en était une les excitait-elle ; en tout cas, elle n'avait même pas seize ans qu'il existait déjà toute une tradition orale concernant ses exploits sexuels, dont la plupart étaient parfaitement mythiques. Par réaction, elle devint encore plus pudibonde, ce qui ne servit qu'à accroître la colère des garçons qui sortaient avec elle et à exacerber les mensonges qui couraient sur son compte.

Et puis, à seize ans, elle fut victime d'une de ces mésaventures qui transforment radicalement la vie d'un être humain : elle participa à l'élection de Miss Fleur d'Oranger. L'un des trois juges de ce concours de beauté était l'amiral qui régnait sur la base navale. Après l'élection de Victoria — un triomphe dont la délicieuse saveur ne fut jamais égalée par aucun des succès qui suivirent —, il l'invita à fêter sa victoire dans un restaurant français ultrachic de San Diego. Son chauffeur vint la chercher chez elle, comme prévu, mais, au lieu de la déposer au restaurant en question, il l'emmena à l'hôtel Ramada sur l'autoroute Cinq, à la sortie de la ville. Etait-elle vraiment assez naïve pour ne se douter de rien ? L'amiral avait toujours incarné, à ses yeux, le nec plus ultra de la respectabilité ; dans sa hiérarchie personnelle, c'était un être qui se situait juste en dessous de Dieu et voilà qu'elle le voyait ce soir ivre et libidineux. Lorsqu'elle protesta qu'elle était vierge, il lui enjoignit de ne pas faire sa mijaurée ; il avait un fils dans la même classe qu'elle (un jeune garçon boutonneux et craintif) qui lui avait tout raconté, aussi bien ses ébats le soir sur la plage que ceux qui avaient pour cadre le siège arrière des grandes Buick. Elle lui avait promis (avec ses yeux, avec son corps) de lui faire goûter le plaisir charnel et si elle croyait pouvoir se défiler, maintenant qu'elle avait gagné le concours, elle se trompait lourdement. Il la somma une dernière fois d'ôter sa robe du soir. Elle quitta la chambre à toutes jambes, secouée par les sanglots. Un ou deux jours plus tard, elle lut dans le journal local qu'elle avait été disqualifiée pour n'avoir pas respecté les règles du concours. Sa faute n'était pas spécifiée, mais presque aussitôt les rumeurs s'élevèrent de partout : elle avait porté des faux seins sous son costume de bain, elle avait copié le poème que chaque concurrente devait composer pour l'épreuve « culturelle », ou encore, la pire de toutes, elle avait tenté de séduire l'amiral. Et plus elle s'efforçait de se disculper, plus on la harcelait. Ce fut à ce moment-là qu'elle décida de partir s'installer à Los Angeles.

Cet épisode la métamorphosa : elle comprit clairement qu'elle avait souffert à cause de son physique exceptionnel, alors qu'elle se refusait justement à profiter des avantages qu'il pouvait lui donner. Sous la rubrique Avantages, elle ne rangeait absolument pas la jouissance sensuelle qui accompagne l'acte sexuel réussi, car elle était si détachée des choses de la chair qu'elle ne croyait pas à son existence, elle y voyait une invention des magazines féminins et des livres écrits soi-disant pour aider les femmes à s'épanouir ; non, par avantage, elle entendait parvenir à manipuler les hommes pour acquérir toujours plus de puissance. Après la cruelle expérience du concours de beauté, elle se jura bien de profiter de tous ses atouts pour obtenir ce qu'elle voulait et d'ignorer systématiquement les murmures de sa conscience. Pour surmonter un handicap comme le sien, il fallait bien se résoudre à tourner les règlements institués par la société — après tout, il y avait bien des règlements spéciaux pour les aveugles et les paralytiques.

Victoria gara la Jensen, secoua sa longue chevelure et pénétra sans se presser dans le restaurant La Scala, un des repaires favoris du monde du cinéma. La salle à manger était petite, sombre, élégante — des tables en bois anciennes, des bouteilles de chianti dans leur écrin de paille, des banquettes suffisamment isolées pour qu'un producteur n'entendît pas les gens occupés à comploter contre lui à la table voisine.

« M. Rosenblatt est-il arrivé ? » demanda-t-elle au maître d'hôtel.

Il la jaugea au premier coup d'œil, dissimula ses véritables sentiments avec autant de maîtrise qu'un joueur de poker ou tout autre professionnel du mensonge et la pilota jusqu'à une table dans un coin de la salle. Les clients du restaurant — il n'y avait presque que des hommes à l'heure du déjeuner — regardèrent passer, bouche bée, ce mètre quatre-vingts d'éclatante féminité, moulé dans une robe prune, sans manches et décolletée dans le dos, avec ses lèvres humides et brillantes et ses grands yeux aussi innocents que ceux d'une petite fille qui joue à la grande personne.

Billy Rosenblatt buvait un Perrier avec un zeste de citron vert, tout en relisant les notes qu'il prenait pour lui-même sur un petit bloc en cuir où se détachaient les rayures rouge et verte de Gucci, un emblème aussi caractéristique d'Hollywood que le drapeau américain peut l'être de l'armée. Lorsque Victoria vint s'arrêter devant sa table, il se leva, perplexe mais courtois, tout à fait séduit par ce qu'il voyait.

C'était un homme robuste, au teint hâlé, aux muscles durcis par un dur rituel quotidien (un match de tennis, suivi de cinquante longueurs de bassin dans sa piscine olympique). Bien qu'ayant largement dépassé la soixantaine, il conservait une jeunesse et une énergie qui brillaient dans son clair regard bleu. Il y avait dans toute son apparence une certaine vanité que dénotaient ses cheveux argentés, impeccablement coupés, ses ongles soigneusement polis, le blazer qui moulait son torse comme une seconde peau et la bague ornée d'un diamant étincelant. C'était la vanité d'un homme sûr de lui, de ses capacités tant personnelles que professionnelles.

« Vous n'êtes pas Rebecca Weiss... » commença-t-il.

Il était soulagé, car il s'était préparé à affronter une

75

actrice exaltée et géniale — une femme qui, selon tout ce qu'il avait entendu dire, était aussi capricieuse qu'un pur-sang — et voilà qu'il se trouvait en présence de cette voluptueuse créature.

« Je m'appelle Victoria Dunbarr. J'habite avec Becky, je suis sa meilleure amie. Elle vient de subir un terrible choc émotionnel et le docteur lui a ordonné de garder le lit et de se reposer. Je suis venue vous présenter ses excuses.

— Oh, mais ce n'était pas la peine de venir jusqu'ici. Vous auriez pu téléphoner. » Il était toujours debout.

« Eh bien, pour ne rien vous cacher, reprit Victoria en baissant timidement les yeux, j'ai toujours rêvé de vous connaître. J'adore vos films, surtout *La foudre enchaînée* et *Demain ne saura jamais*. Mais mon préféré de tous, c'est *Barracuda*.

— *Barracuda* ! » Billy eut un sourire nostalgique. « Ça ne date pas d'hier. Gable et Bankhead. Asseyez-vous un instant, que je vous raconte une histoire. Mais si, voyons, asseyez-vous. Ah, voilà qui est mieux ! J'avais vingt-sept ans quand j'ai produit *Barracuda* — j'étais le petit prodige d'Hollywood — et j'étais éperdument amoureux de Tallulah. Elle était nettement plus âgée que moi, très expérimentée et elle me trouvait tout au plus amusant. Un jour, je me suis littéralement agenouillé à ses pieds et je lui ai dit : ''Tallulah, permettez-moi de vous offrir quelque chose, n'importe quoi, ce que vous désirez le plus au monde !'' Elle a réfléchi un instant, puis elle m'a répondu : ''Mon petit chéri, si tu tiens absolument à m'offrir quelque chose, achète-moi donc un couteau suisse''. Je lui ai aussitôt acheté le plus superbe couteau suisse que j'ai pu trouver et je le lui ai offert dans un écrin. Elle a ouvert le paquet, m'a remercié par un petit baiser et l'a fourré dans le tiroir du bas de son bureau. Or, lorsqu'elle avait ouvert le tiroir, j'avais remarqué qu'il contenait une bonne cinquantaine ou soixantaine d'autres couteaux, des couteaux suisses exactement semblables au mien. ''Tallulah, dis-je, que comptez-vous faire de tous ces couteaux ?'' Et elle m'a répondu : ''Je ne serai pas toujours jeune et belle, mon chéri, mais je sais bien que, pour avoir un couteau suisse, un garçon de quinze ans est prêt à faire absolument n'importe quoi !'' »

Victoria battit des mains en riant aux éclats. Puis elle se leva, en disant : « Il faut que je file à présent. J'ai été vraiment enchantée de faire votre connaissance. Et je vous en prie, excusez la pauvre Becky, ne lui en tenez pas rigueur si...

— Hé là, pas si vite ! Pourquoi ne déjeuneriez-vous pas avec moi ?

— Oh non, c'est impossible. Je sais bien que vous êtes un homme très occupé.

— Je me suis ménagé deux heures de liberté pour ce déjeuner et j'ai réservé la table. Et par-dessus le marché, le plat du jour est le saumon poché. *Su-bli-me !*

— Non, je suis navrée, dit fermement Victoria, mais je suis déjà prise.

— Alors, dans ce cas...

— Evidemment, je pourrais me libérer.

— Pourquoi n'allez-vous pas téléphoner pendant que je vous commande à boire ?

— Un Margarita, s'il vous plaît », dit-elle en souriant, avant de se diriger vers la cabine téléphonique.

Le saumon poché était à la hauteur des promesses de Billy et la bouteille millésimée qu'il avait commandée pour l'accompagner en rehaussait toute la subtile saveur.

« Vous avez l'air soucieux, constata Victoria.

— Moi ? Soucieux ? Pensez-vous ! » Il réfléchit à ce qu'elle venait de dire et changea brusquement d'avis. « En fait, oui, c'est vrai, je le suis. Regardez-moi ça ! » Il sortit de son porte-documents un exemplaire du *Hollywood Reporter*, l'ouvrit et indiqua à la jeune femme un petit entrefilet entouré de rouge.

Victoria s'empara du magazine et lut à voix haute : « Angela Rosenblatt, ex-épouse du producteur Billy Rosenblatt, vient de vendre son premier roman à Butterfield Press. Selon certaines rumeurs bien informées, il s'agirait d'un roman à clefs plutôt brûlant, dont le principal protagoniste est un producteur hollywoodien qui ne peut s'empêcher de courir après tous les jupons qui passent. » Elle lui rendit la brochure. « Vous l'avez lu ? demanda-t-elle.

— Non, mais j'ai bien l'intention de le faire. Et s'il y a là-dedans le moindre propos diffamatoire, je vais lui coller sur les reins un procès à tout casser !

— Si je comprends bien, le producteur qui ne peut s'empêcher de courir après tous les jupons qui passent, c'est vous ? s'enquit-elle d'un ton innocent.

— Bien sûr que non ! aboya Billy.

— Alors, vous n'avez aucun souci à vous faire, si ?

— Je ne vous ai pas déjà vue quelque part ? demanda-t-il en changeant subitement de sujet.

— J'ai fait une série télévisée, il y a environ deux ans. »
Il fit claquer ses doigts : « *Les pêcheuses de perles*, c'est ça ? Je ne vous avais pas reconnue tout habillée. »

Victoria éclata de rire, bien qu'elle eût déjà entendu plus d'une fois la plaisanterie. « Je suis stupéfaite que vous vous rappeliez.

— Comme a dit un de mes amis, il y avait deux bonnes raisons pour regarder cette émission et elles vous appartenaient toutes les deux. » Aussitôt il hésita et parut mal à l'aise : « Cette remarque n'est pas du meilleur goût.

— Allons donc. Je la trouve très drôle. Il faut être vraiment malade pour être incapable de rire de soi-même de temps en temps.

— Certes, mais vous savez ce que c'est maintenant. Avec toutes ces féministes qui pullulent un peu partout, il vaut mieux y regarder à deux fois avant d'admirer le corps d'une femme. A la moindre boutade, les voilà qui viennent se masser sous vos fenêtres en agitant des banderoles !

— Oh, moi, je ne suis pas comme ça. Je suis restée très vieux jeu, vous savez. J'adore qu'on me fasse des compliments.

— Vous devez être très sûre de vous. »
Victoria acquiesça, sans la moindre fausse modestie : « Oui. Vous comprenez, je sais bien que ce n'est plus qu'une question de temps pour que l'on cesse de voir en moi un tas de chair fraîche et que l'on commence à me considérer

comme une véritable actrice. Tout ce qu'il me faut, c'est un joli rôle, un rôle qui ne fasse de moi ni une putain, ni une maîtresse, ni une idiote, ni une fille qui hait les hommes.

— Et vous vous estimez capable de défendre un tel rôle ? demanda Billy.

— J'en suis certaine, si seulement quelqu'un avait suffisamment de cran pour me donner ma chance.

— Vous êtes une petite sainte nitouche, sourit le producteur. Je sais très bien, moi, ce que vous guignez.

— Quoi ? » Victoria lui adressa un regard étonné.

« Un bout d'essai pour le rôle principal de *L'autre femme*.

— *L'autre femme* ? » Elle réfléchit profondément, les sourcils froncés, bien qu'elle préférât d'ordinaire éviter cette mimique pour ne pas laisser l'empreinte de la réflexion ternir la blancheur immaculée de son front. « Ah oui, c'est le scénario que Becky est en train de lire. Oh non, je ne peux absolument pas faire un bout d'essai, c'est le rôle de Becky. Elle ne rêve que de lui. Et c'est un rôle qui lui ira merveilleusement, avec son drôle de physique de fille complètement paumée. Vous savez, le genre victime de l'existence, au bord du suicide. J'aimerais bien avoir cette gueule, moi. Au moins, les gens me prendraient au sérieux. A vous dire vrai, monsieur Rosenblatt, mon physique est plutôt un handicap qu'un avantage.

— Alors vous ne voulez pas faire de bout d'essai ? » Il avait l'air de jouer au chat et à la souris, mais elle n'en était pas absolument sûre.

« Je — je ne sais pas. C'est peut-être la plus belle occasion de ma carrière. Pensez-vous que ce serait trahir Rebecca, si j'en faisais un ? C'est vraiment ma meilleure amie. Je ne pourrais plus me regarder en face, si je lui causais le moindre chagrin. »

Il considéra sérieusement le problème : « Oui, ça lui ferait sûrement beaucoup de chagrin. Il vaut mieux y renoncer.

— D'un autre côté, continua aussitôt Victoria, ça pourrait servir à consolider notre amitié. La concurrence accroît souvent le respect mutuel. »

Il sentit, sous la table, une pression contre sa cuisse, si légère qu'elle n'était peut-être qu'accidentelle.

« Il vaut mieux que vous fassiez ce bout d'essai, déclara-t-il. Je ne voudrais pour rien au monde risquer de briser une aussi belle amitié.

— Merci. » Elle plongea son regard dans le sien et il sentit le gros orteil de la jeune femme se glisser sous sa jambe de pantalon pour venir caresser la peau sensible de son mollet. A peine commencée, la caresse s'interrompit.

« Il faut vraiment que je file », assura Victoria.

Dehors, sur le trottoir, tout en attendant le portier qui était allé chercher leurs voitures, il dit : « J'ai encore une heure de battement, avant mon prochain rendez-vous. Pourquoi ne montez-vous pas à la maison ? Nous pourrions nous offrir un rapide sauna et nous détendre. Je suis à dix minutes d'ici, à Muhlholland. »

La Jensen de Victoria vint s'arrêter au bord du trottoir et le portier en descendit pour lui tenir la portière, sans couper le moteur. Aussitôt, Billy lui fourra dans la main un billet de cinq dollars. A Hollywood, où chaque homme est jugé selon son portefeuille, il suffit de ne pas régler une addition ou d'oublier un pourboire pour perdre définitivement la face : de longues années passées à insister pour payer la note avaient fait de Billy Rosenblatt un des plus rapides sorteurs de portefeuille de l'Ouest.

Victoria se tenait si près de lui que les bouts de ses seins, rigides et gonflés à force de frotter sans aucune protection contre le tissu de sa robe, effleurèrent la chemise du producteur. Elle murmura : « Non, pas aujourd'hui — c'est trop tôt. Apprenons d'abord à nous connaître, faisons de nos rapports quelque chose de spécial. »

L'espace d'un instant, ses lèvres se posèrent sur celles de Billy et son brillant à lèvres scella ce contact, puis elle bondit derrière son volant et emballa le moteur de sa voiture, avec un sourire de triomphe, avant de démarrer en trombe vers le radieux soleil californien, ses cheveux flottant derrière elle comme une enseigne d'ébène. Lorsqu'elle eut mis trois bons immeubles entre Billy et elle et qu'elle fut sûre qu'il ne pouvait plus la voir, elle se rangea le long du trottoir, se souleva de son siège et, lissant soigneusement ses cheveux, s'assit dessus.

3

Epuisé de froid, de faim et de fatigue, le marchand arriva devant une grande demeure, au plus épais de la forêt. Ayant remercié le ciel de cette heureuse découverte, il se hâta vers le somptueux édifice, quoiqu'il fût bien étonné de n'apercevoir personne alentour. Il pénétra hardiment dans la demeure et se trouva dans une vaste salle où brûlait un bon feu devant lequel une table richement garnie était dressée pour une seule personne. Il s'assit au coin de l'âtre, pour se réchauffer et se reposer, espérant que le maître de maison voudrait bien lui pardonner ce sans-gêne.

Lorsque l'horloge sonna onze heures, il avait si faim qu'il n'y tint plus ; il saisit une volaille dont il ne fit qu'une bouchée et qu'il fit suivre d'un pâté à la viande, de saucisses et de plusieurs verres de vin. S'étant désormais quelque peu enhardi, il se hasarda hors de la salle et parcourut plusieurs splendides appartements, magnifiquement meublés. Il arriva enfin dans une chambre à coucher où il aperçut un excellent lit et, comme il se sentait fort las et qu'il était plus de minuit, il décida que le mieux à faire était de fermer la porte et de se coucher.

Le lendemain matin, le marchand ne s'éveilla qu'à dix heures. Il fut tout étonné d'apercevoir de fort beaux habits à la place des siens, lesquels avaient beaucoup souffert de *ses pérégrinations dans la forêt ; à n'en pas douter, se dit-il, cet endroit est la demeure de quelque magicien qui, ayant vu ma détresse, m'aura pris en pitié. Par la fenêtre de la chambre, il aperçut de ravissantes charmilles autour desquelles s'entremêlaient les plus belles fleurs qu'il se pût voir. Le marchand regagna la vaste salle où il avait soupé la veille au soir et y trouva un pot de chocolat fumant qui semblait l'attendre sur une petite table. Merci, bon magicien, dit-il tout haut, d'avoir songé à mon petit déjeuner ; je vous suis bien obligé de toutes vos bontés.*

Le brave homme but son chocolat, puis il voulut se mettre en quête de sa monture ; mais en passant sous une charmille où grimpaient d'innombrables roses, il se rappela la prière de sa fille Belle et cueillit la plus parfaite de toutes ; elle avait la sombre couleur du sang et son parfum était d'une exquise suavité. Aussitôt un grand vacarme se fit entendre et il vit s'avancer vers lui une bête si effroyable qu'il crut défaillir. Tu es donc bien ingrat, lui reprocha la Bête d'une voix terrible ; je te sauve la vie en t'accueillant dans mon château et, pour m'en remercier, voilà que tu voles mes roses auxquelles je tiens par-dessus tout au monde. Sache qu'il va t'en coûter la vie ! Je t'accorde un quart d'heure pour faire ta paix avec Dieu.

Le marchand tomba à genoux et leva ses deux mains jointes vers le monstre : Seigneur, dit-il, je vous supplie de me pardonner, car vraiment je n'avais nul dessein de vous offenser en cueillant cette rose pour ma fille Belle. Soyez clément, seigneur, j'ai encore deux autres filles à ma charge et je suis lourdement endetté. Epargnez-moi et je ferai tout ce que vous m'ordonnerez.

— Tes services sont sans valeur pour moi, gronda la Bête, mais j'accepte de te laisser partir à une condition...

Leslie se réveilla en proie à une migraine épouvantable et lancinante. En ouvrant les yeux, il ne vit tout d'abord qu'un fouillis de rose, de bleu et de blanc, dont les contours flous se précisèrent peu à peu pour lui révéler une ronde de chérubins dodus, jouant parmi des nuages. Il s'attendait à sentir ses lèvres crevassées, à vif, mais sa langue les trouva au contraire lisses et soigneusement enduites de vaseline. Il était couché entre deux draps de fine toile, dans un énorme lit à baldaquin sur le ciel duquel étaient peints les chérubins. La curiosité fut plus forte que la douleur : se redressant sur un coude, il regarda tout autour de lui. L'acajou des portes et des lambris était orné de dessins finement dorés à la feuille et de prétentieuses pâtisseries et dorures couraient tout autour du plafond, au centre duquel était peint un grand médaillon, dans le goût du ciel de lit, mais plus fouillé. Les chérubins, armés d'arc et de flèches, y étaient expédiés vers la terre et le thème était repris sur les murs, où les petits espiègles envahissaient une vallée sylvestre et décochaient leurs traits en direction de Grecs anciens drapés dans des toges. Le tapis offrait au regard un motif floral fort raffiné, les sièges étaient tendus de velours vert foncé et les pieds de la table en acajou étaient sculptés en forme de griffes de lion.

Leslie s'assit au bord du lit et s'efforça de reprendre ses esprits. Il avait l'habitude de se réveiller dans des chambres inconnues, cela faisait partie de son mode de vie. Mais certainement pas dans une chambre pareille ! Il considéra un bref instant l'idée d'une vie au-delà de la mort, mais la repoussa sans tarder. Si l'âme était effectivement immortelle, c'était quand même pour savourer une béatitude autrement sublime que les joies de la décoration rococo. En plus de quoi, son mal de crâne était là pour lui rappeler, ô combien ! qu'il était encore solidement rattaché à son enveloppe charnelle. Pouvait-il s'agir d'un voyage à travers le temps ? Il songea à un scénario qu'il avait reçu quelques mois auparavant, une aventure de science-fiction où le temps devenait brusquement fou ; les protagonistes se retrouvaient en pleine préhistoire, en train d'en découdre avec des dinosaures et de sympathiser avec une tribu d'hommes des cavernes. L'idée lui avait paru, et lui paraissait toujours, parfaitement invraisemblable. Son instinct — qui, en fin de compte, était toujours l'arbitre suprême de ses décisions — lui disait qu'il n'était ni mort ni sujet à des expériences métaphysiques. Mais alors, quelle était l'explication du mystère ?

Un bruit d'eau courante attira son attention. Il se mit debout, surmonta la vague de vertige qui le submergea aussitôt et s'avança en chancelant vers le bruit qui provenait de derrière une porte entrouverte. Ce ne fut qu'à ce moment-là qu'il remarqua qu'il portait un pyjama en soie perle, parfaitement à sa taille et si léger qu'il avait l'impression d'être nu. A mesure qu'il approchait de la porte, le bruit se transformait en véritable rugissement, au point qu'il hésita à la pousser. Ce qu'il découvrit derrière était si anodin qu'il éclata de rire : il venait d'entrer dans une salle de bains d'une rigueur toute moderne, avec des chromes rutilants, des carreaux noirs, un éclairage indirect et d'immenses miroirs muraux qui reflétaient de toutes parts, en perspective décroissante, un personnage hirsute, adipeux, la mine défaite, en pyjama blanc ; le rugissement était dû, tout simplement, au jet d'eau massant dont était équipée la baignoire remplie d'eau fumante. Autour du lavabo étaient disposés, aussi soigneusement que des instruments chirurgicaux en salle d'opération, un rasoir de sûreté, une bombe de crème à raser (de luxe), une brosse à dents dans son enveloppe de cellophane, de la pâte dentifrice, un peigne en écaille, une brosse à cheveux, une savonnette et deux serviettes à main. En refermant la porte derrière lui, Leslie remarqua un peignoir éponge noir et blanc, suspendu derrière.

Cette porte, il songea un instant à la verrouiller, mais il décida que ce serait idiot. Il n'était manifestement plus maître de son sort et force lui était de supposer que l'être qui l'avait pris en charge, quel qu'il fût, était animé de bonnes intentions à son égard. Il éprouvait néanmoins une peur panique à l'idée de retirer son pyjama et de se mettre dans l'eau. Même en temps normal, les bains lui causaient toujours une certaine appréhension ; il ne pouvait s'empêcher de penser à la scène de la douche dans *Psychose*, à l'eau qui giclait, à l'éclair du couteau, au hurlement de terreur, au sang qui s'écoulait par la bonde. Ce montage s'était incrusté de façon permanente dans le répertoire de son inconscient. Etre nu et mouillé, c'était se trouver en position d'extrême vulnérabilité et, depuis des dizaines d'années, les cinéastes ne s'étaient pas privés d'exploiter cette mine.

D'un autre côté, il lui arrivait souvent de ramener chez lui de parfaits inconnus, des hommes qu'il ne connaissait parfois que depuis quelques minutes, et de se coucher nu à leurs côtés, une habitude qui avait le don d'horrifier Rebecca et tous ses autres amis hétérosexuels. Pourtant, depuis le temps, jamais sa confiance n'avait été trahie. Oh, il avait certes été volé une ou deux fois, insulté aussi à plusieurs reprises, mais jamais il n'avait été attaqué ni forcé à faire quoi que ce fût contre son gré. Or l'idée lui trottait par la tête que ce qui lui arrivait présentement n'était peut-être que le prélude à quelque abracadabrante aventure érotique (qui d'autre qu'un pédéraste serait allé mettre tout cet or dans tous les coins ?) ; il lui semblait que s'il se plongeait docilement dans la baignoire, quinze merveilleux jeunes éphèbes aux boucles d'or allaient surgir incontinent pour lui frotter le dos, sans parler du reste, le laissant pâmé de plaisir.

Aucun éphèbe ne se manifesta malheureusement — ou peut-être était-ce au contraire plutôt heureux, car Leslie était encore dans un tel état d'épuisement qu'il n'aurait pas été bon à grand-chose — mais l'eau artificiellement brassée finit par apaiser toutes ses douleurs et dénouer ses muscles contractés ; il s'abîma progressivement dans une délicieuse torpeur d'où il n'émergea que lorsque sa tête disparut momentanément sous l'eau (dans son rêve il était devenu cascadeur et doublait un de ses clients que son rôle obligeait à descendre les chutes du Niagara dans un tonneau).

Après ce bain régénérateur, il acheva sa toilette et, jugeant acceptable le reflet que lui renvoyait la glace, il regagna la chambre. Le lit avait été fait et ses vêtements, nettoyés et repassés, étaient soigneusement pliés sur le couvre-lit. Ses chaussures de toile étaient disposées côte à côte au pied du lit, mais elles ne seraient plus jamais blanches.

Un lourd chariot à l'ancienne mode, chargé de vaisselle, était rangé le long de la table aux pieds de lion ; Leslie souleva divers couvercles et saliva en apercevant une omelette aux fines herbes, une salade de fruits frais, des croissants chauds et un pot de café noir très fort, à l'européenne. Malgré sa faim de loup, il se força à manger lentement. A mi-omelette, il se demanda subitement ce qu'était devenue sa serviette en cuir et fut pris de panique. Où était-elle passée ? Il se rappelait l'avoir traînée à travers le désert et se l'être coincée sous le bras pour escalader la montagne, bien décidé à s'y cramponner coûte que coûte, car elle contenait deux contrats qu'il devait approuver pour un de ses clients, un très gros chèque pour un autre client, ainsi que son précieux vieux répertoire téléphonique en lambeaux, bourré de numéros qui ne figuraient dans aucun annuaire ; il lui faudrait des mois pour le reconstituer. Et puis, juste au moment où il finissait par se convaincre que ces documents irremplaçables pourraient, s'il le fallait, être remplacés, il remarqua la serviette dans un coin, se précipita et en trouva le contenu rigoureusement intact. Il ne savait toujours pas qui veillait sur lui, mais c'était vraiment quelqu'un de très obligeant.

Pour le moment.

Une fois rassasié et habillé, il se demanda ce qu'il convenait de faire. La seule idée de quitter cette chambre et sa sécurité quasi utérine le remplissait d'effroi, mais il était bien évident qu'en dépit de son merveilleux confort il ne pouvait quand même pas y passer le reste de sa vie. Billy Rosenblatt avait parlé d'inviter Rebecca à déjeuner dès lundi, pour évoquer avec elle le rôle de Jacqueline dans *L'autre femme*, et même si Sheila était parfaitement capable d'organiser cette rencontre, il préférait régler lui-même tous les détails de ce genre.

Il entrebâilla la porte et risqua un œil au-dehors. Rien que d'autres portes, hermétiquement closes ! Quittant sa chambre, il se faufila dans le couloir, tous les sens en éveil.

Plus il se hasardait loin de son refuge, plus l'inquiétude le gagnait ; il s'arrêtait tous les quelques pas, pour écouter, mais il n'entendait que le sourd ronron du climatiseur, comme une note tenue de contrebasse. Il atteignit finalement l'endroit où le couloir faisait un coude et, passant prudemment la tête, il se trouva nez à nez avec un géant en livrée, au front d'anthropoïde compensé par un menton en galoche.

« Qui que vous soyez, bredouilla Leslie, blême de terreur, je vous assure que je n'ai pas fait exprès de salir la salle de bains et que je suis confus de ne pas avoir fait le lit. »

Ces mots lâchés, il fit volte-face et fonça comme un dératé jusqu'à sa chambre dont il claqua la porte avant de s'y adosser, hors d'haleine.

« Ça suffit ! se dit-il sévèrement. Tu te conduis comme un véritable gamin. Cet homme est physiquement anormal, mais ce n'est pas pour ça qu'il te veut du mal. Au contraire, il s'est montré... — Leslie s'interrompit pour reprendre son souffle — il s'est montré d'une hospitalité irréprochable jusqu'à présent. Il a probablement eu aussi peur que toi. Non, on ne peut pas dire qu'il avait l'air effrayé, mais peut-être cachait-il son jeu ! Allons, calme-toi, je t'en prie. »

Quelques minutes s'écoulèrent et Leslie reprit un semblant de sang-froid. Ayant résolu de tenter une nouvelle sortie, il repartit dans le couloir, le cœur battant à tout rompre, pour aller repasser la tête à l'angle du couloir : le géant était toujours là, exactement comme il l'avait laissé. Cette fois, Leslie s'interdit de prendre la fuite, malgré la peur qui lui fouaillait les entrailles et lui martelait la poitrine.

« Où suis-je ? demanda-t-il d'un ton belliqueux, cachant sa crainte sous le masque de l'indignation. Que veulent dire toutes ces manigances ? »

Le géant indiqua sa bouche en secouant la tête. Ses gestes étaient lents et gauches.

« Vous êtes muet, si je comprends bien ? »

L'autre acquiesça, une lueur de tristesse dans le regard. Ses yeux étaient presque entièrement cachés par l'avancée du front et le reste de son visage était bosselé et couturé.

Ses épais cheveux noirs étaient coupés en rond tout autour de son crâne, afin, devina Leslie, d'en dissimuler au mieux la difformité. Il se rappela avoir entendu parler jadis, aux cours de sciences naturelles — c'était même un des rares souvenirs qu'il en eût conservé — d'un mauvais fonctionnement de l'hypophyse, qui entraînait une maladie appelée acromégalie, caractérisée par un dérèglement hormonal provoquant le gigantisme, généralement accompagné d'une difformité du crâne et des extrémités. Leslie jeta en douce un coup d'œil aux mains de son interlocuteur : elles pendaient comme deux morceaux de viande et les doigts étaient incroyablement longs et épais. Il ressentit une profonde compassion, car, après tout, lui aussi était une anomalie de la nature, dont la tare, pour être invisible, cachée qu'elle était tout au fond de lui, n'en était pas moins réelle ; cet homme et lui représentaient en quelque sorte les deux faces, interne et externe, d'un monstrueux mannequin réversible.

« Ecoutez, je dois rentrer au plus tôt à Los Angeles, continua Leslie d'un ton brusque. Je suis en train de négocier des contrats très importants pour mes clients. Alors, si vous voulez bien me dire combien je dois, je vais vous faire un chèque. Je suis désolé, mais je n'ai pratiquement pas de liquide sur moi. »

Sa voix s'éteignit. Son attention venait d'être captée par la plus exquise des musiques, si ténue qu'il crut d'abord avoir été le jouet de son imagination ; mais presque aussitôt, le son lui parvint plus distinctement. C'était un violon qui jouait des phrases mesurées, dont la substance musicale était fort simple, mais en même temps d'une logique confondante, celle qui se rapproche le plus des mathématiques, et qu'on ne peut, tout bien considéré, comparer à rien d'autre qu'à elle-même. Elle le faisait songer à la marche inexorable des nuages à travers un ciel de printemps limpide, de ces nuages dont la forme change constamment, si bien qu'ils sont tantôt agneaux, tantôt lapins ou fauteuils à bascule. La mélodie évolua vers le mineur, évoquant à présent le soleil luisant sur une mer d'ardoise, au crépuscule, sans qu'un souffle de brise vînt troubler l'immobilité irréelle.

« Qu'est-ce que c'est que ça ? » chuchota Leslie.

Le géant sourit et une soudaine chaleur vint éclairer son pauvre visage dévasté. Il fit signe à Leslie de le suivre. Ils arrivèrent devant une porte que le géant ouvrit et aussitôt la musique parut jaillir vers eux, comme si une main venait d'arracher les couches de gaze sous lesquelles elle était enfouie ; le son devint tranchant, brillant, d'une intensité presque insupportable. Leslie pénétra dans une pièce lambrissée ; il y avait un grand fauteuil tendu de velours rouge, un lutrin en bois doré tarabiscoté, un secrétaire ancien et un clavecin qui ressemblait à un petit piano élégant et chichiteux, sur lequel étaient posés une vingtaine de presse-papiers en cristal, certains opaques aux teintes vives, d'autres contenant un véritable kaléidoscope de couleurs, d'autres enfin emprisonnant de vraies fleurs, parfaitement préservées des ravages du temps. Le regard de Leslie s'attarda tout particulièrement sur une rose couleur de sang, dans un globe de cristal gros comme le poing.

Le violoniste lui tournait le dos, le corps bien droit et parfaitement immobile, laissant à ses seules mains le soin de faire vibrer l'instrument. Tout au plus inclinait-il imperceptiblement la tête, de temps en temps, comme pour mieux entendre une phrase. Il portait une veste d'intérieur bordeaux, renforcée aux coudes, un pantalon foncé et des pantoufles. Des fils d'argent se mêlaient à son épaisse chevelure auburn, qu'il portait longue, lui couvrant entièrement les oreilles et descendant très bas sur la nuque.

Subjugué par cette musique, Leslie oublia tout, la précarité de sa situation, la mystérieuse demeure, l'odeur de renfermé de la pièce où il venait d'entrer et la respiration sifflante du géant derrière lui. Lorsque la cadence finale eut retenti et que le violoniste eut baissé son archet, il resta un long moment paralysé, car ie silence lui-même était devenu une précieuse musique. Il finit cependant par s'éclaircir la gorge.

« C'était... *incroyable* !

— Merci », dit le violoniste en se retournant.

Leslie eut un mouvement de recul en apercevant son visage : cireux, dépourvu d'expression, parfaitement lisse, il semblait n'être qu'une espèce de suggestion stylisée du visage humain. Dans la pénombre qui régnait, il lui fallut plusieurs secondes pour comprendre qu'il s'agissait d'un masque.

« N'ayez pas peur, dit le violoniste, tout vous sera expliqué en temps voulu. Cette maison m'appartient et vous êtes mon invité. Personne ne vous fera le moindre mal.

— Je... je vous remercie. Vous avez été extrêmement obligeant.

— Je me présente, Henry Wallace Beeze, troisième du nom.

— Leslie Arnold Horowitz, premier et dernier du nom. »

Leslie tendit la main et Beeze s'en saisit, après un instant d'hésitation. Leslie fut secoué par une brusque révulsion : les deux derniers doigts manquaient et la peau avait cette texture molle et irrégulière propre aux tissus cicatrisés. Cherchant instinctivement à masquer son dégoût, il serra cette main avec une chaleur excessive. Pourvu que Beeze n'ait rien remarqué ! Mais Leslie avait la désagréable impression que si.

« Et voici Samson, continua Beeze, mon serviteur et mon homme de confiance. »

Leslie sourit et inclina courtoisement la tête, mais il préféra ne plus offrir sa main.

« Vous avez sans doute des questions à me poser, dit Beeze.

— Quelques-unes, effectivement, reconnut Leslie.

— Eh bien, je vais y répondre, dans la mesure du possible. Samson, tu veux bien nous laisser ? »

« Où sommes-nous ? demanda Leslie dès qu'ils furent seuls et confortablement installés dans une paire de fauteuils anciens.

— Dans le désert, répondit Beeze, à plusieurs centaines

de kilomètres au sud-ouest de la vallée de la Mort. Je ne peux pas me montrer plus précis, étant donné que la situation exacte de ma... retraite doit rester ignorée. Qu'il me suffise de vous dire que vous vous êtes écarté très loin de votre véhicule, beaucoup plus loin que je ne l'aurais cru possible. Le désert a été clément envers vous, vous savez ; d'habitude, il ne se fait pas faute de punir les étourdis de votre espèce. »

Leslie hocha la tête : « Je dois avouer que ce n'était pas très malin de ma part, mais j'ai aperçu une lumière.

— C'est le projecteur pour l'hélicoptère. Nous l'allumons très brièvement lorsque Samson revient de nuit, comme c'était le cas avant-hier.

— Avant-hier ? Attendez, aujourd'hui, c'est samedi ?

— Dimanche.

— Je ne comprends pas.

— Vous avez dormi un jour entier. Samson a passé le mercredi à Las Vegas, pour faire les provisions et vaquer à certaines autres affaires. En revenant ici, à bord de l'hélicoptère, jeudi soir, il a repéré votre voiture, en panne sur la 127. Il a aussitôt prévenu la police par radio.

— Mais je croyais qu'il était...

— Muet ? Non, mais il est très fier. En raison d'une malformation de son palais, on ne comprend pratiquement pas un mot de ce qu'il dit, alors il préfère garder le silence plutôt que d'endurer l'humiliation de se faire comprendre.

— Je connais pas mal de gens qui feraient bien d'en prendre de la graine !

— Vraiment ? » Beeze avait l'air intrigué. « Pourtant, j'avais toujours cru comprendre que le genre d'affection dont il souffre était extrêmement rare.

— Non, rectifia Leslie, j'ai dit ça pour rire. Enfin, je voulais dire que... Bon, n'insistons pas. Vous me disiez qu'il avait prévenu la police ?

— C'est ça, mais, le temps qu'ils arrivent, vous aviez disparu. Samson a survolé la région à plusieurs reprises, avant de se résigner à abandonner les recherches et à revenir ici. Nous nous sommes demandé si vous n'aviez pas essayé de franchir les montagnes à pied, tombant par hasard sur

93

notre vallée secrète, mais cela ne s'était encore jamais produit et paraissait franchement hors de question. Ce qui n'a pas empêché Samson, tenaillé par l'inquiétude, de passer une nuit presque blanche. Il a écouté tous les messages de la police, pour savoir si on vous avait retrouvé, et il est même monté sur le toit pour observer les montagnes à travers des jumelles très puissantes. Il est reparti faire un dernier tour en hélicoptère, mais malheureusement il n'y avait pas de lune. Sans le mal qu'il s'est donné, vous seriez probablement mort. Voyez-vous, pour certaines choses, il est incroyablement réceptif. Un tenant de l'occultisme vous expliquerait très certainement qu'il est médium. Le lendemain, dès le lever du soleil — alors que je dormais encore —, il a remarqué des vautours qui tournaient en rond dans le ciel, non loin d'ici. Il s'est précipité et il vous a découvert, inconscient, à environ quinze cents mètres de la maison. Il vous a ramené jusqu'ici dans ses bras.

— Bon Dieu! chuchota Leslie. Il a réussi à me porter pendant quinze cents mètres ?

— Il a pansé vos blessures et vous a fait avaler un peu de bouillon. Vous étiez à moitié conscient, vous divaguiez. Vous parliez d'un film pour la télévision et vous lui avez assuré que les vautours, c'était vraiment trop tarte et que vous vouliez des chacals à la place. »

Leslie inclina la tête, avec un sourire.

« Après quoi, le Dr Resnick vous a administré un calmant — ne vous inquiétez surtout pas, c'est un des plus grands médecins du pays — et on vous a mis au lit dans la chambre d'amis, où vous avez dormi près de vingt heures d'affilée. J'aimerais d'ailleurs que le docteur vous examine à nouveau, si ça ne vous ennuie pas.

— Je ne sais comment vous remercier. Et votre ami Samson, également — j'aimerais le dédommager.

— Vous l'offenseriez profondément.

— Mais si je vous donnais une somme à lui remettre ?

— Entre ces murs, assura Beeze, l'argent ne signifie rien. »

Leslie trouva la remarque plutôt étrange, eu égard à

94

l'incroyable luxe qui les environnait de toutes parts, mais il ne fit aucun commentaire. Comme il aimait à le dire, il y avait eu jadis, dans la bonne société, trois grands sujets tabous — l'argent, le sexe et la mort ; à présent, avec les nouvelles tendances libertaires, il n'y avait plus que l'argent.

« Je ne voudrais pour rien au monde vous sembler grossier, mais si nous sommes déjà dimanche, il vaudrait mieux que je regagne Los Angeles sans tarder. J'ai des milliers de choses à faire. J'ai perdu deux jours entiers, la semaine dernière, avec ces fichues vacances.

— J'ai été comme vous, dans le temps, murmura doucement Beeze. Mon travail était toute ma vie. Je me suis aperçu trop tard de tout ce que je négligeais.

— C'est-à-dire ? » demanda poliment Leslie.

Beeze jouait distraitement avec son violon, dont il pinçait les cordes, accordant indéfiniment ses quintes parfaites.

Le silence s'éternisa et ce fut Leslie qui finit par reprendre la parole : « En tout cas, je voudrais bien rentrer à Los Angeles le plus tôt possible. »

Beeze parut sortir d'un rêve : « Comment ? Ah oui, bien sûr. Mais voudriez-vous — vous serait-il possible de passer encore une nuit sous mon toit ? Demain, dès la première heure, Samson vous raccompagnera en hélicoptère, ce qui vous permettra d'être chez vous à neuf heures — dix au plus tard —, je vous le promets. Voyez-vous, vous êtes mon premier invité depuis — oh, je ne sais même plus quand — et je serais vraiment comblé de passer une soirée à bavarder avec vous.

— Je pense que ça ne pose aucun problème », dit aussitôt Leslie. Avait-il jamais su dire non à quelqu'un dont il devinait le besoin sincère ? « Mais vous me promettez que je pourrai rentrer chez moi demain matin ?

— A une condition. Vous devez vous engager à ne jamais parler à personne de ce que vous avez vu ici, à ne jamais parler ni du palais dans le désert, ni du géant muet, ni du violoniste fou.

— Mais je ne vous trouve absolument pas fou. Si ça vous plaît de vivre comme ça...

— C'est juré ?

— Je... euh...

— C'EST JURÉ ?

— Oui, oui, c'est juré ! Je vous donne ma parole de n'en parler à personne. » Quelle barbe ! se dit-il in petto. J'aurais eu un succès fou avec une histoire pareille.

« Je vous semble peut-être un peu maniaque, continua Beeze qui éprouvait manifestement le besoin de s'excuser pour avoir élevé la voix, mais il est, hélas, très facile de le devenir lorsqu'on... lorsqu'on a subi ce que j'ai subi. J'espère vivement que votre conduite future justifiera la confiance que je vous fais.

— Je n'ai jamais manqué à ma parole, assura Leslie. Dans mon métier, c'est une chose qu'on ne peut pas se permettre.

— Je vois. Et quel est ce métier ?

— Je suis l'agent de nombreux acteurs. C'est-à-dire que je découvre des acteurs talentueux et que j'essaie de diriger leur carrière, de leur éviter les énormes bourdes. Et eux, en contrepartie, ne font strictement rien de ce que je leur dis. Non, j'exagère, mais il est certain qu'ils me donnent pas mal de fil à retordre.

— Vous êtes dans le cinéma, alors ?

— Et la télévision, et le théâtre. Lorsque nous étions à New York, Sheila et moi — Sheila, c'est mon associée —, nous nous occupions davantage de théâtre ; à présent que nous sommes à Los Angeles, nous faisons plus de télévision ou de cinéma, même si nous nous chargeons à l'occasion de certains projets de prestige au théâtre, vous voyez le genre, Charlton Heston joue *Macbeth*. A vrai dire, je dois bien avouer que les planches me manquent, mais il est certain que nous trouvons dix fois plus de travail pour nos artistes sur la côte Ouest. » A chaque fois qu'il était question de son émigration en Californie, Leslie était aussitôt sur la défensive. Tout au fond de lui-même, il ne s'y était jamais vraiment résigné et il n'avait jamais pu se débarrasser de

96

l'idée reçue qu'il avait entendu ressasser pendant des années aux médias new-yorkais, à savoir que leur ville était le centre de tout art authentique et honnête et que Los Angeles, sa jumelle maléfique, était un lieu de turpitude et de corruption.

« Je suis absolument enchanté de connaître enfin un homme de cinéma, annonça Beeze.

— Vraiment ? s'étonna Leslie, décontenancé.

— Oh oui ! Figurez-vous que je suis un véritable dingue du septième art. J'ai une salle de projection, ici même, et plus de mille copies de bandes dans ma collection, depuis les premières fantaisies de Méliès jusqu'au dernier film à suspense d'Hitchcock. Mon grand plaisir, dans la vie, c'est de me carrer confortablement dans un siège tendu de velours, de humer à plein nez l'ozone du projecteur et de regarder ces images, qui ne sont en fait rien d'autre que des effets de lumière, le plus pur des véhicules, défiler sur l'écran. Vous connaissez sans doute l'allégorie de la caverne, dans *La République* de Platon ?

— Non, pas vraiment.

— Il nous compare à des hommes qui auraient toujours vécu à l'intérieur d'une caverne, contemplant des effets de lumière projetés, depuis un balcon caché, sur une paroi éloignée, et confondant ces images avec la réalité, sans nous imaginer un seul instant qu'il brille au-dehors un soleil véritable, dont l'éclat est incomparablement plus vif. C'est inouï, vous ne trouvez pas ? Il a prévu nos salles modernes plusieurs siècles avant l'apparition des premiers cinématographes. Mais, bien entendu, dans son idée, cette allégorie visait tout simplement à nous faire comprendre que nous ne devons jamais oublier que nous sommes dans l'obscurité et qu'il existe un ordre supérieur de réalité qui nous appartiendra si nous parvenons à sortir de notre caverne. »

Moi, en tout cas, je demande juste de parvenir à sortir d'ici, songea Leslie par-devers lui.

« Je ne suis pas un créateur, continua Beeze. Jamais je ne serais capable d'inventer une histoire, ni même de la transformer en film ; mais si j'avais la possibilité de faire un vœu, je souhaiterais participer à l'élaboration d'un film. »

Leslie avait déjà rencontré un nombre incalculable de milliardaires qui, après avoir passé une vie entière à se battre pour amasser un maximum de dollars en spéculant à la Bourse ou dans des affaires d'immobilier ou de construction, n'avaient plus ensuite qu'un désir suprême : profiter de cette fortune pour s'amuser un peu, pour se parer d'un séduisant éclat, pour devenir membre de la seule aristocratie que pût revendiquer une démocratie comme la leur, l'aristocratie de la gloire, en investissant dans le cinéma. Depuis quelques années, il se voyait régulièrement offrir de produire un film, mais il n'avait jamais accepté parce que les termes proposés ne le satisfaisaient pas entièrement ; mais avec derrière lui un mécène aussi enthousiaste que Beeze, un mécène, qui plus est, dont les moyens semblaient illimités (combien d'argent avait-il fallu pour construire cette immense demeure dans le désert, en transportant tous les matériaux par avion sur des milliers de kilomètres ?), il se sentait capable de franchir le pas. Il y avait des films formidables à faire, ne fût-ce, par exemple, que de porter à l'écran tous les livres qu'il adorait, avec ses meilleurs acteurs, Rebecca, Charles Grover et Ben Berman, dans les principaux rôles ; il pourrait même engager le metteur en scène de son choix, sans se soucier si cela plaisait au studio ou non, sans se préoccuper un instant de savoir ce qui était « commercial ».

« Si le cinéma vous intéresse, répondit-il, sans rien laisser transparaître de son intérêt, vous devriez venir à Los Angeles. Je vous emmènerai visiter les studios et assister à un tournage. C'est très facile à organiser et c'est vraiment passionnant. Tenez, il y a deux mois, je suis allé à la MGM juste au moment où Spielberg tournait son nouveau film. Ils avaient rempli d'eau un bassin sonorisé et, à un bout, ils avaient construit une maquette parfaitement proportionnée de Pacific Ocean Park, vous savez le vieux parc d'attractions sur la jetée de Santa Monica. C'était incroyable ! Il y avait des petites lumières qui clignotaient à l'arrière-plan, pour imiter les phares des voitures sur l'autoroute de la Côte, et les machinistes agitaient les planches pour faire des vagues.

— C'est Orson Welles, je crois, qui a dit que faire un film, c'était comme de jouer avec le plus grand train électrique du monde.

— C'est possible, reconnut Leslie. En tout cas, si ça vous fait envie, je serai absolument enchanté de vous piloter et de vous présenter à différentes personnalités intéressantes.

— Je ne me montre jamais en public », rétorqua Beeze d'une voix dure et métallique.

Leslie sentait bien qu'il valait mieux éviter d'insister, mais la curiosité l'emporta.

« Pourquoi pas ?

— Il me semble que c'est évident. » Du bout du doigt, le milliardaire tapa son masque qui rendit un son creux et vide.

« Enlevez votre masque. » Leslie, brusquement excité d'aborder ainsi un sujet interdit, sentit les battements de son cœur s'accélérer.

« Monsieur Horowitz... », Beeze hésita. « Monsieur Horowitz, avez-vous la moindre idée de ce à quoi ressemble un visage humain dont les chairs ont été carbonisées et les os écrasés ? Pouvez-vous imaginer des blessures si sévères que les meilleurs chirurgiens esthétiques du pays ont refusé de m'opérer, même pour un million de dollars ? Pouvez-vous imaginer cela ?

— Non, dit doucement Leslie. Comment est-ce arrivé ?

— J'étais le président d'une des plus grandes firmes de produits chimiques des Etats-Unis. Pour me distraire, je pilotais un petit avion. Un jour, à la suite d'une imprudence de ma part, l'avion s'est écrasé. On a réussi à me sortir de l'appareil en flammes et, Dieu sait comment, j'ai survécu. Le monstre que vous avez sous les yeux est le résultat de cet accident. Cependant, les malheurs qui nous frappent comportent généralement une compensation : cette escarmouche avec la mort m'a fait comprendre la véritable valeur de l'existence. Les affaires ont cessé de m'intéresser.

J'ai démissionné et je suis venu vivre dans le désert. Ici, je regarde des films, je fais de la musique, du yoga et j'étudie la philosophie. Ce sont là les choses qui m'intéressent, les choses qui comptent encore. »

Leslie eut l'impression que son hôte était loin de lui avoir dit toute la vérité, mais il n'insista pas, sentant instinctivement que ce qui avait été tu atteignait le milliardaire au plus profond de son être.

« Et maintenant, reprit Beeze, il faut m'excuser, mais je ne suis pas habitué aux longues conversations et elles m'épuisent. Avant de nous séparer, cependant, laissez-moi vous demander s'il y a un film particulier que vous aimeriez voir ce soir. Je possède une des cinémathèques les plus belles et les plus complètes du monde. Et, si par malchance, le film que vous désirez voir ne figure pas dans mes archives, je peux envoyer Samson en chercher une copie. Ça ne causera aucun dérangement, car de toute façon il doit aller en ville faire des provisions. »

Leslie vit là une excellente occasion de faire connaître à Beeze certains de ses clients, au cas où le milliardaire se déciderait un jour à financer un film.

« J'aimerais bien revoir *Le pays des rêves perdus*. C'est une de mes amies qui joue le rôle principal. Vous l'avez vu ?

— Non, mais je me souviens très bien de sa sortie. A lire les critiques, j'ai cru comprendre qu'il s'agissait d'une histoire d'amour, et c'est un genre dont j'ai horreur.

— Ah bon ? N'en parlons plus, alors, dit aimablement Leslie. Regardons autre chose.

— Non, si vous avez envie de voir *Le pays des rêves perdus*, ce sera notre film de la soirée. Il est toujours excellent de faire quelque chose de nouveau, de rompre d'anciennes habitudes. Je suis sûr que cette expérience me sera profitable. »

Leslie était fatigué, lui aussi, mais il ne prit pleinement conscience de l'étendue de sa lassitude qu'en regagnant sa chambre et en s'allongeant pour faire ce qu'il pensait devoir être un petit somme. Lorsque Samson vint le réveiller, il était l'heure du dîner. Pourtant, malgré ces longues heures de sommeil, il se sentait encore plus vaseux qu'avant, les idées moins nettes. Ce fut en suivant le géant jusqu'à la salle à manger qu'il eut son premier véritable aperçu de la demeure ; il comprit aussitôt qu'elle était, sans nul doute, aussi extraordinaire qu'il se l'était imaginé, un véritable musée regorgeant de peintures, sculptures et meubles inestimables, anciens et modernes. Malgré l'indigence de sa culture artistique, il reconnut un Greco dans le hall d'entrée, un taureau en céramique de Picasso et un bonheur-du-jour de Chippendale dans le style chinois.

Il avait décidé, sans trop savoir pourquoi, qu'il était seul dans l'immense maison, avec Beeze et Samson, et il fut donc tout étonné de trouver neuf inconnus assis autour de la longue table de salle à manger, recouverte d'une nappe de fine toile sur laquelle étaient disposés des verres en cristal taillé et une argenterie de prix. Deux places étaient encore vides, probablement pour Beeze et pour lui-même. Sa surprise fut à son comble lorsque Samson, après lui avoir indiqué l'un des deux sièges libres, s'assit pesamment sur l'autre. Leslie, après avoir adressé à l'assemblée un signe de tête collectif, accompagné d'un sourire emprunté, prit place à son tour.

« Bienvenue au sein de notre petite famille », lança une femme menue, au physique d'oiseau, qui devait avoir largement dépassé la soixantaine. Ses cheveux gris étaient relevés en chignon et elle portait le genre de lunettes que Leslie associait automatiquement avec les vieilles femmes qui jouaient au mah-jong. Sa façon de parler révélait, cependant, de la force de caractère, de la sévérité et un intellect de premier ordre. Elle se présenta — Dr Resnick — avant de présenter, dans la foulée, toute la tablée ; à chaque convive, Leslie y allait de son « Ravi de faire votre connaissance », « Enchanté » et autres platitudes d'usage, mais sans retenir un seul nom. Son impression globale fut celle d'un vaste méli-mélo de races et de classes sociales, de croyances et de tempéraments, difficile à réunir en d'autres circonstances autour de la même table. Il y avait là une famille d'Asiatiques distingués, un Hindou fort élégant, un couple âgé qui semblait être des gens de maison ou quelque chose d'approchant, un Français sur le retour et un superbe jeune homme prénommé David. Ce nom-là, en tout cas, il l'avait retenu.

Une grande soupière de gazpacho glacé, accompagné de croûtons à l'ail, était déjà posée sur la table, mais Leslie, aussitôt servi, hésita à commencer son repas.

« Beeze ne va donc pas venir nous rejoindre ? demanda-t-il.

— Il n'a plus de lèvres, répondit le Dr Resnick, et ce qui reste de sa mâchoire ne fonctionne pas convenablement. Il est par conséquent obligé de prendre sa nourriture sous forme liquide, et, pour des raisons évidentes, il préfère rester seul pour le faire. »

Gêné, Leslie reporta son attention sur son assiette. Quand tout le monde eut terminé, le couple âgé desservit et apporta de la salade verte qui fut suivie d'un riz pilaf avec des flageolets dans une sauce au vin et de la courge arrosée d'une sauce dorée et aigrelette.

« Ce repas est absolument délicieux, déclara Leslie. Je n'ai jamais rien mangé de semblable.

— C'est Henri qui a tout fait », expliqua David en indiquant le Français assis à côté de lui. Leslie devina immédiatement qu'ils étaient amants. « C'est un des plus grands chefs du monde.

— Vraiment ? » dit poliment Leslie. Il sourit à David qui lui rendit son sourire. Aussitôt, Henri se rembrunit. Leslie se dit qu'il valait mieux être circonspect, car la méfiance et la jalousie semblaient régner entre les deux hommes.

« Qui sait de quoi Henri serait capable, intervint le Dr Resnick, si Beeze l'autorisait à nous faire des plats de viande.

— Beeze est donc végétarien ? questionna Leslie.

— Eh oui, grâce aux conseils éclairés de notre mystique ami, répondit le docteur en foudroyant l'Hindou du regard.

— Ce soir, vous ne parviendrez pas à me faire sortir de

mes gonds, assura ce dernier, avec un impeccable accent d'Oxford.

— C'est un miracle que nous ne soyons pas tous complètement anémiques, poursuivit le docteur, sans s'adresser à personne en particulier. Eh bien, monsieur Horowitz, si vous nous racontiez un peu ce qui se passe dans le monde. Ça fait bien longtemps que je n'ai pas vu un journal.

— L'inflation devient catastrophique. A Los Angeles, les valeurs immobilières sont en hausse de presque trente pour cent par rapport à l'année dernière.

— Vraiment ?

— C'est quoi, la flation ? demanda la petite fille du couple asiatique à sa mère.

— C'est quand les choses coûtent très cher, Jasmine chérie, lui répondit cette dernière. Allons, mange tes légumes. »

L'Hindou hocha la tête : « C'est le *karma* de votre pays, des prix qui montent à tel point que même un homme riche n'a plus de quoi s'acheter une miche de pain.

— On ne peut guère parler de *karma*, riposta le Dr Resnick en fronçant les sourcils. C'est tout simplement une question de mauvaise gestion fiscale. Si notre président avait le cran d'imposer aux compagnies pétrolières, par exemple, certaines restrictions, eh bien...

— C'est quoi, fiscale ? voulut savoir Jasmine.

— Ça veut dire que ça concerne les finances, ma chérie.

— Et la musculation, c'est quoi ?

— Comment ? demanda sa mère, perplexe.

— Et il faudrait imposer aussi un contrôle des prix et des salaires, qui le rendrait évidemment très impopulaire auprès du public américain.

— La musculation, tu sais.

— Je suis désolée, ma chérie, mais je ne comprends vraiment pas.

— Au lieu de vénérer Dieu, c'est l'argent que vous vénérez, déclara l'Hindou, et Dieu finira par vous prendre votre argent. »

Leslie intervint : « Je crois qu'elle veut parler du cultu-

103

risme, de la culture physique. On dit aussi parfois la musculation.

— Ah, merci. » L'Asiatique lui sourit.

« Voilà bien la pire imbécillité que j'aie jamais entendue de ma vie, clama le Dr Resnick. Vraiment, monsieur Gnesha, je trouve votre manie de tout attribuer à Dieu et de dénier à l'homme la moindre responsabilité parfaitement assommante.

— Je n'avais pas l'intention de semer la zizanie, s'inquiéta Leslie.

— C'est comme ça tous les soirs, déclara tranquillement le jeune Asiatique. C'est leur distraction favorite.

— Vous êtes dans la culture physique ? questionna David depuis l'autre bout de la table.

— Il a plutôt l'air d'être dans l'excès de graisse, marmonna Henri, suffisamment haut pour être entendu de tout le monde.

— Un jour, cher docteur Resnick, s'écria l'Hindou, vous vous apercevrez que Dieu, c'est l'homme — que le brahmine et l'atman ne sont qu'un seul et même être — et que c'est lui qui forge son propre châtiment, qui crée son propre enfer.

— Je vais au gymnase de temps en temps, répondit Leslie. Et vous ? »

Le Dr Resnick restait parfaitement calme : « Je trouve tout à fait étonnant qu'un homme qui se prétend hindou fasse preuve d'un état d'esprit aussi éminemment calviniste envers le péché et le châtiment.

— Oh, moi je passe des heures à soulever des poids, expliqua David. Il n'y a rien à faire ici, en dehors de la cuisine et... »

Henri se tourna brusquement vers lui et aboya : « Et alors ! Si c'est vraiment ce que tu penses, il est temps que tu t'en ailles !

— Maman, c'est quoi, calviniste ?

— Calviniste ? rugit l'Hindou. Je vais vous dire, moi, ce qui est calviniste : c'est votre attitude simpliste, mécanique, fataliste à l'égard de l'univers. Votre compréhension des actes de l'homme est aussi piètre que celle de sa physiologie.

— Le calvinisme, c'était...

— Que je vous dise aussi une autre nouvelle intéressante..., hasarda piteusement Leslie.

— Moi, au moins, je ne crois pas qu'on peut se soigner en avalant des kilomètres de gaze que l'on ressort en tirant dessus !

— Mon cher docteur, cette ingestion d'une bande de soie permet de débarrasser le tube digestif de toute trace de bile...

— De bile ! De bile ! Bienvenue au XIXᵉ siècle, cher ami ! Etes-vous également partisan de la saignée ? Et que pensez-vous de la phrénologie ?

— Comme je disais, il y a une autre nouvelle intéressante, c'est que... »

Et ainsi de suite, jusqu'au fromage et aux fruits qui terminèrent le repas. Ce n'était pas sans rappeler l'extravagant goûter d'*Alice aux pays des merveilles*, mais Leslie se sentait étrangement dans son élément, car l'atmosphère le faisait penser à celle des dîners de son enfance, où son père et sa mère, ses oncles et ses tantes parlaient tous à la fois en criant à tue-tête pour se faire entendre.

Tandis que le couple âgé débarrassait la table, Samson se leva et fit signe à Leslie de le suivre.

Beeze était assis dans l'un des douze grands fauteuils disposés à l'arrière d'une petite salle de projection. Il indiqua à son invité le fauteuil voisin du sien et Samson s'éclipsa discrètement.

Comme toujours, le silence, l'éclairage tamisé et l'atmosphère un peu étouffante déclenchèrent chez Leslie une bouffée de plaisir anticipé, très proche du plaisir sexuel. Depuis sa tendre jeunesse, les salles obscures étaient associées dans son esprit à des souvenirs profondément érotiques. Au tout début de sa puberté, il se rendait tous les dimanches au cinéma Oritani à Hackensack dans le New Jersey, sa ville natale, et il passait la journée entière dans ce temple sombre et poussiéreux de l'onirisme, à dévorer les tablettes de chocolat rituelles, tout en regardant les dessins animés, les actualités, la bande-annonce pour la semaine suivante, la publicité, un film d'horreur et un western. Il y eut même une période glorieuse où la direction de la salle organisait une tombola ; le directeur, M. Curtain, un homme chauve et toujours fatigué, un éternel cigare au coin des lèvres, procédait au tirage en pêchant, dans un aquarium reconverti, l'un des talons des billets vendus. C'étaient ces quelques heures d'évasion qui permettaient au jeune garçon de supporter les six autres jours de la semaine, où il était en butte aux brimades et aux moqueries de ses camarades de classe, parce qu'il était trop gros et manquait de grâce en jouant au base-ball et parce qu'il peinait sur les exercices de lecture, d'orthographe et d'arithmétique.

A l'Oritani, ce n'était pas l'habituelle ouvreuse qui vous indiquait votre place, mais un jeune étudiant de dix-huit ans, un joli brun, aux cheveux gominés à la façon des mauvais garçons. Leslie le vénérait, parce qu'il était adulte, ou presque, parce qu'il portait un rutilant uniforme à gros boutons d'argent, et surtout parce qu'il était l'un des officiants de ce temple des rêves. Un dimanche, peu après son treizième anniversaire, il était assis, comme de coutume, au balcon du cinéma, lorsqu'il vit approcher le rond de lumière vacillante de la lampe électrique. Ricky — tel était le nom du jeune homme — s'assit à côté de Leslie, puis après dix bonnes minutes de silence, il se tourna vers le petit et lui fourra dans la main une demi-douzaine de tablettes de chocolat : « Tiens, je t'ai apporté ça, dit-il. Je sais que tu les aimes, tu en achètes tout le temps. »

Leslie essaya de le remercier, mais il fut incapable d'articuler un mot, tant il était bouleversé par ce qui lui arrivait. Quelques minutes plus tard, lorsque la main de Ricky vint se poser sur sa cuisse, il ne protesta pas. Et lorsqu'au bout de quelques instants elle s'insinua jusqu'à la petite fleur charnue blottie entre ses cuisses, la fleur s'épanouit et se durcit, laissant finalement échapper, comme Leslie put le constater plus tard en examinant ses sous-vêtements dans l'intimité de sa chambre à coucher, un résidu blanc et pois-

106

seux. Il préféra détruire son slip plutôt que de laisser sa mère le voir ; il ne comprenait pas ce que c'était que ce résidu, mais il savait que c'était la preuve d'un plaisir si intense que ses parents ne pouvaient absolument pas l'approuver.

Ce fut ainsi que la fiction cinématographique resta liée dans sa mémoire à la satisfaction érotique. Chaque semaine, il retrouvait son amant secret dans l'obscurité complice de la salle et chaque semaine leurs caresses se faisaient plus audacieuses. Un dimanche, Ricky lui souffla que M. Curtain était absent, qu'il avait la clef de son bureau et qu'ils pouvaient donc y aller pour s'isoler. Ils filèrent comme des voleurs jusqu'à la petite pièce sans fenêtre, et là, au milieu des vieux registres moisis, du bureau en pin, du canapé en cuir antédiluvien, crevé de partout, ils consommèrent enfin leurs désirs.

Leslie se pencha sur le bureau, le pantalon autour des chevilles, pendant que Ricky se démenait dans son dos. Les boutons de métal glacé de l'uniforme effleuraient de temps en temps les fesses nues du gamin et de violents frissons lui parcouraient l'échine. Il avait l'impression qu'un feu couvait dans son bas-ventre et, au moment où il se disait qu'il n'allait plus pouvoir tenir longtemps, que les jambes allaient lui manquer et ses entrailles se déchirer comme un lambeau de tissu, il fut secoué par les spasmes de l'orgasme, le sperme irrépressible jaillit et il y eut un bruit de clef dans la serrure. Presque aussitôt, la voix de M. Curtain s'éleva : « Mais que se passe-t-il donc ici ? » Le vieux M. Curtain avait finalement renoncé à se rendre au congrès des directeurs de salles, à Philadelphie. Ricky fut congédié séance tenante et les parents de Leslie furent mis au courant des turpitudes de leur enfant. Ils le traînèrent sans tarder chez le meilleur psychiatre pour enfants de New York, qui leur assura qu'il s'agissait d'une simple crise passagère. Encore une crise passagère qui semblait devoir s'éterniser, s'était souvent dit Leslie par la suite.

« Bonsoir, monsieur Horowitz, dit Beeze. Je suis ravi de vous apprendre que nous n'avons eu aucun mal à nous procurer une copie du *Pays des rêves perdus*. En fait, j'en avais acheté une sans le savoir, il y a deux ans, en même temps qu'une douzaine d'autres films, mais ce n'est qu'aujourd'hui que je m'en suis aperçu. C'est M. Munckle, mon projectionniste, qui l'a trouvée. J'ai honte d'avouer qu'il connaît ma cinémathèque mieux que moi. Ne m'avez-vous pas dit qu'une de vos amies interprétait le rôle principal ?

— Une amie et cliente. Rebecca Weiss. C'est l'une des meilleures actrices du moment.

— J'en ai entendu parler, mais je n'ai jamais eu le plaisir de la voir.

— Alors vous allez vous régaler, assura Leslie. C'est un de ses meilleurs rôles. Il lui a valu le Prix de la critique new-yorkaise et il aurait même dû lui valoir un Oscar, si tout ça n'était pas une telle cuisine.

— Mais dans ce cas, vous avez dû voir ce film plus d'une fois. Vous êtes sûr d'avoir envie de le revoir ?

— Vous plaisantez ! Je suis de ces gens qui regardent n'importe quoi, du moment que ça bouge sur un écran. Un fanatique ! Dès que j'ai une insomnie, ce qui arrive à peu près toutes les nuits, je file devant ma télé et je regarde les vieux navets.

— Moi aussi, je souffre d'insomnies, avoua Beeze. Mon sommeil est peuplé de cauchemars. Alors, je descends ici pour regarder des films et je me réveille, le menton sur la poitrine, avec un torticolis épouvantable.

— Rien ne vaut une salle de projection privée, déclara Leslie. La vôtre est vraiment un modèle du genre. Je suis sincère, vous savez. D'ailleurs, votre demeure tout entière est proprement fabuleuse.

— Je possède la fine fleur des plus beaux films, disques, livres et œuvres d'art produits par la civilisation. J'ai le yoga pour mon corps et le violon pour mon esprit. J'ai à mon service le meilleur chef de France et je jouis de la compagnie érudite du Dr Resnick et du yogi Gnesha, dont l'antipathie mutuelle donne naissance à une interminable succession de dialogues extrêmement stimulants pour l'intellect. Et puis, de temps en temps, j'ai la chance d'accueillir un invité distingué, dans votre genre.

— Merci, répondit Leslie d'un air modeste.

— Tous mes besoins sont donc satisfaits.

— Tous ?

— Oui, il me semble. Pourquoi ?

— Ma foi, ça ne me regarde pas, mais...

— Parlez franchement, je vous en prie.

— Eh bien, et vos besoins émotionnels ? Un homme ne saurait vivre sans amour, physique ou autre, si ? »

Beeze se mit à rire, d'un rire grinçant et métallique : « Votre attitude est bien sentimentale, monsieur Horowitz. L'amour, c'est un luxe, au même titre que le tabac ou l'alcool, une béquille morale pour nous aider à oublier que la mort ne nous lâche pas d'une semelle. Après mon accident, j'ai été contraint de renoncer à plusieurs de ces luxes, dont l'amour. Vous imaginez, vous, une femme qui se laisserait caresser par cette main-là ? — il brandit sa griffe à trois doigts sous le nez de Leslie et la fit tourner lentement, comme un morceau de viande à la broche — ou qui accepterait d'embrasser un visage sans lèvres ? Eh oui, monsieur Horowitz, je suis la vivante incarnation du vieux croquemitaine des cauchemars d'enfants, le monstre qui sort, à moitié décomposé, d'une tombe béante. L'amour n'est pas pour les gens comme moi. »

Leslie ne répondit pas et garda les yeux baissés, se repentant amèrement d'avoir abordé ce sujet. Heureusement, le téléphone placé entre leurs deux sièges vint faire diversion : « Parfait, monsieur Munckle, dit Beeze dans le micro, vous pouvez commencer immédiatement. »

Pendant que la lumière s'éteignait progressivement, il dit à son compagnon : « Je serais comblé si vous pouviez m'expliquer certains détails techniques et me raconter aussi toutes les anecdotes amusantes que vous vous rappelez. N'hésitez pas à le faire, je vous en prie.

— Eh bien, vous l'ignorez peut-être, mais ce rôle a été le

premier grand rôle de Rebecca au cinéma — et elle ne voulait pas le jouer.

— Comme c'est étrange ! s'étonna Beeze. Pourquoi ? »

Comment expliquer à un homme qui excellait manifestement dans tout ce qu'il entreprenait le désir de rater, la hantise de réussir ? Leslie décida de lui narrer très simplement l'épisode tel qu'il avait eu lieu et de laisser Beeze tirer ses propres conclusions, une excellente politique pour un conteur. Il en avait gardé un souvenir très vif, jusque dans ses moindres détails. Il avait alerté Rebecca par un coup de téléphone et l'avait pressée de venir au plus tôt en Californie (elle habitait encore New York). Ayant réussi à la persuader, il lui envoya un billet d'avion à ses propres frais et vint l'accueillir à l'aéroport international de Los Angeles. Pendant qu'ils regagnaient en voiture l'appartement de Leslie, à West Hollywood, elle lui annonça qu'elle avait changé d'avis et qu'elle ne voulait plus faire le bout d'essai. Leslie, qui s'attendait plus ou moins à un coup de tête de ce genre, essaya de garder son calme.

« Pourquoi pas ? demanda-t-il.

— Je n'aime pas le scénario.

— C'est un scénario merveilleux.

— Ecoute, je vais te dire, la vérité c'est que je n'ai aucune envie de faire du cinéma.

— La semaine dernière, tu en mourais d'envie.

— Je sais, mais j'ai changé d'avis.

— Alors, peux-tu me dire pourquoi tu as cru bon de gaspiller un billet d'avion qui m'a coûté trois cents dollars ?

— Ça m'amusait de visiter le coin, déclara négligemment Rebecca.

— Tu es à tuer ! hurla Leslie, hors de lui. A tuer ! Je me casse le cul pour te décrocher ce contrat, je dépense trois cents dollars pour t'acheter un billet d'avion et, pendant ce temps-là, tu n'as qu'une idée, c'est d'aller t'enterrer dans un théâtre ultrasuperhyperpériphérique ! Tu refuses d'envisager de tourner le moindre film s'il n'est pas susceptible, selon tes prévisions, d'avoir autant de retentissement qu'*Ivan le Terrible, troisième partie.* Franchement, je ne sais pas pourquoi je continue à perdre mon temps avec toi !

— Eh bien, si c'est vraiment le fond de ta pensée, riposta Rebecca sur le même ton, figure-toi que moi, je ne veux ni de ton aide, ni de ta saloperie de billet d'avion, ni de tous tes conseils à la con sur la façon dont je dois mener ma carrière, *ma* carrière, *ma* carrière ! J'en ai ras le bol de t'entendre critiquer tout ce que je fais, uniquement parce que je cherche à conserver mon intégrité...

— Tu ne cherches pas à conserver ton intégrité, tu cherches à être malheureuse, tu te repais de tes malheurs, tu ne rêves que de te détruire chaque fois que tu en as l'occasion.

— Et nianiania, et nianiania ! » Rebecca le singea méchamment. « Attention, les gars, voilà Leslie le Psychiatre qui va vous soigner, sans être affilié à l'ordre des médecins !

— Tu peux toujours te ficher de moi, rétorqua Leslie. Ce que je dis est vrai !

— Et toi, alors ? hurla Rebeca. Ça te va bien de donner des conseils, toi qui n'as jamais été foutu de coucher deux fois de suite avec le même type. Moi, au moins, j'ai de vrais rapports avec les gens. Toi, tu ne connais que deux choses, travailler et baiser, travailler et baiser, tra...

— Ta gueule ! rugit Leslie. Tu n'es qu'une conne et un monstre d'égoïsme ! Tiens, je préfère te ramener directement à l'aéroport ! »

Aveuglé par les larmes, il décrivit un ample demi-tour sur le boulevard La Cienega, emboutit le côté d'une fort belle voiture de sport, emplafonna en reculant une vétuste camionnette chargée de volailles vivantes dans des cageots et regarda avec horreur lesdits cageots dégringoler du véhicule et enfouir sa propre voiture sous un déluge de poulets glapissant à qui mieux mieux, qui les contemplaient fixement de leurs petits yeux ronds à travers le pare-brise, tandis que le chauffeur de la camionnette, un Chicano ivre de rage, trépignait à deux pas d'eux en menaçant de leur démolir le portrait. « Nom de Dieu ! » chuchota Leslie. Puis, il fut terrassé par le fou rire. Rebecca le serra dans ses bras en disant : « Oh Leslie, j'ai honte de t'avoir dit toutes ces vacheries ! Tu es bon et merveilleux, et la grande chance de ma vie, c'est de t'avoir rencontré. Je ferai tout ce que tu veux, y compris ce film à la con ! » Et c'était ainsi qu'elle avait accepté le rôle principal du *Pays des rêves perdus*, son film le plus réussi à ce jour. La prime d'assurance automobile de Leslie était montée de façon vertigineuse, au point de l'obliger à circuler pendant un temps en voiture de louage, mais il était si heureux pour sa cliente qu'il s'en fichait.

Beeze, cependant, semblait n'écouter que d'une oreille : « C'est elle ? demanda-t-il à Leslie en voyant apparaître un personnage sur l'écran.

— Oui, c'est elle, dit Leslie. Seulement, maintenant, elle a quelques années de plus et ses cheveux sont tout frisés.

— Qu'elle est belle ! chuchota Beeze.

— Si on aime ce genre de physique, convint Leslie. Malheureusement, bien souvent les responsables du casting la trouvent trop spéciale et ne lui confient que des rôles de composition. Moi, j'aimerais qu'elle joue davantage de rôles d'ingénue, ne serait-ce que pour faire la preuve de l'étendue incroyable de sa palette. A vrai dire, elle peut jouer n'importe quoi. C'est une actrice extraordinaire.

— C'est la plus belle femme que j'aie jamais vue !

— C'est très gentil. Je le lui dirai. Elle sera extrêmement flattée.

— Etes-vous..., Beeze hésita, son amant ?

— Non, mes goûts sont quelque peu différents.

— C'est bien ce qu'il me semblait. Elle a beaucoup d'amants ?

— Quelques-uns, répondit Leslie. Avec des hauts et des bas. Par moments, je me dis que certaines personnes sont faites pour vivre seules. » (C'était la conclusion à laquelle Rebecca et lui arrivaient régulièrement, à chaque fois qu'ils évoquaient leurs désastreux rapports sentimentaux.)

« Peut-être n'a-t-elle pas encore rencontré l'homme de sa vie ?

— L'homme de sa vie ? répéta Leslie, sidéré d'entendre un tel cliché dans la bouche de son cynique amphitryon.

— Vous ne croyez donc pas que chaque homme possède, quelque part sur terre, sa moitié idéale, qui n'attend que d'être trouvée ? Et que lorsqu'elle l'est, leur bonheur mutuel est assuré ?

— Je crois que seuls ceux qui ont effectivement trouvé cette moitié le croient.

— C'est une idée très ancienne, vous savez, monsieur Horowitz. Vous connaissez, je pense, l'extraordinaire traité de Platon sur l'amour, *Le banquet* ?

— Non.

— Eh bien, dans cet ouvrage, l'un des convives, Aristophane, le dramaturge, émet l'hypothèse que l'homme était jadis une "bête à deux dos"...

— J'ai déjà entendu cette expression, en effet.

— Et que Dieu, dans sa perversité, a séparé cette bête en deux êtres complémentaires, contraints d'errer éternellement sur la terre, en quête de leur moitié manquante...

— C'est une fort belle idée.

— Par ailleurs, le yogi Gnesha me dit que dans la mythologie indienne les amants célèbres sont censés se réincarner à de multiples reprises. Lors de certaines existences, ils sont réunis dans un même bonheur, alors qu'ils en passent d'autres à se chercher en vain ; parfois, ils ne se retrouvent que dans leur vieillesse et ils s'en réjouissent, tout en regrettant les années de bonheur perdues ; il arrive aussi qu'ils se trouvent dès leur jeunesse, mais qu'une mort cruelle et prématurée vienne les arracher aux bras l'un de l'autre ; il existe enfin une dernière version, que je trouve la plus triste de toutes, dans laquelle ce sont uniquement les obstacles qu'eux-mêmes ont dressés qui les séparent l'un de l'autre.

— Effectivement, c'est ce qu'il y a de pire, convint Leslie.

— Peut-être est-ce d'ailleurs une des raisons pour lesquelles l'homme naît et renaît ainsi de nombreuse fois, passant de vie en vie : pour retrouver sa moitié idéale, la moitié qui lui manque, et parfaire progressivement l'amour qui les unit jusqu'à ce qu'il devienne un sentiment aussi beau que

113

sacré, capable de les hisser hors de notre inexorable cycle de malheur et de faire d'eux les égaux de Dieu. Qu'en pensez-vous, monsieur Horowitz ?

— Ce que je pense ? Je pense que c'est une notion bien romantique pour un homme qui fait profession de dédaigner l'amour. »

Beeze fit entendre son rire glaçant : « Excellent, monsieur Horowitz, vraiment très bien répondu ! A présent, parlez-moi un peu de cette scène. » Il faisait allusion au film, presque oublié, qui continuait à défiler sous leurs yeux. « Au début, on a l'impression que la caméra est au sol et puis ensuite dans les airs et pourtant je ne discerne aucune coupure. Comment est-ce possible ?

— Grâce à une caméra portable, tout simplement, expliqua Leslie. D'abord, on filme au ras du sol, et puis l'opérateur recule, sans arrêter sa caméra, et prend place sur un siège rattaché à un hélicoptère. On l'y arrime, toujours sans arrêter la caméra, l'hélicoptère s'élève dans les airs et le tour est joué.

— Passionnant ! s'exclama Beeze. Tout à fait passionnant ! »

Ils bavardèrent ainsi à bâtons rompus jusqu'à minuit, abordant une infinité de sujets. Finalement, Leslie prétexta sa fatigue pour regagner sa chambre, s'arrêtant au passage dans la bibliothèque de Beeze pour y prendre *Histoire de deux villes* de Dickens (dont on voulait faire un remake avec un de ses clients), afin de lutter contre l'insomnie qu'il redoutait toujours lorsqu'il dormait seul.

Il venait tout juste de se mettre au lit lorsqu'on frappa à sa porte et que David entra, en peignoir de soie bleue, porteur d'un plateau où étaient rangées toutes sortes de glaces et de friandises : il y avait un grand saladier en argent, rempli de boules de glace à divers parfums, trois bols pleins de sauce au chocolat, de sauce au caramel et de coulis de fraise, plusieurs soucoupes contenant des marrons glacés, de la guimauve, des noix hachées et des cerises au marasquin, et une bombe de crème Chantilly.

« J'ai pensé que vous auriez peut-être envie d'une petite

gourmandise, annonça le jeune homme en posant le plateau sur une table qu'il tira à côté du lit. C'est parfois bien difficile de s'endormir dans un lit auquel on n'est pas habitué.

— Surtout quand on y est tout seul », renchérit Leslie, en posant son livre un peu à regret, car la première phrase avait déjà captivé son attention ; à présent, il le savait, il n'irait jamais au-delà. Il se résigna, cependant sans trop de difficulté, en détaillant le physique exceptionnel de son visiteur ; il avait presque l'air d'un Arabe, décida-t-il, avec sa chevelure et sa moustache de jais et ses yeux noirs étincelants. Son peignoir était ouvert jusqu'à la ceinture et Leslie apercevait une vaste étendue de muscles pectoraux poilus et fermes à souhait — il avait dû prendre du fer tout récemment pour les faire ressortir à ce point.

« J'ai la passion des glaces, avoua Leslie.

— Je le savais. Alors, dites-moi vite ce qui vous ferait plaisir et je vais vous le préparer.

— Commençons par un peu de glace vanille.

— Ah, un puriste. J'aime ça ! »

David s'assit au bord du lit, laissant son peignoir s'ouvrir complètement. Son pénis était à la verticale, frémissant d'excitation, arqué au point de presque toucher la peau du ventre. Sans changer de position — il s'était assis juste à côté du plateau —, il prit deux boules de glace vanille et les disposa de chaque côté de son membre.

« Trouvez-vous excessif de les napper de sauce au chocolat *et* de caramel ? s'enquit Leslie avec inquiétude.

— Peut-être un tout petit peu. Mais l'excès n'est-il pas justement la marque du génie ? »

Il versa soigneusement la sauce au chocolat chaude sur une boule et le caramel sur l'autre.

« Mmmm, j'en salive d'avance, murmura Leslie. Bon, et maintenant si nous mettions un peu de marrons glacés et de guimauve ?

— Alors là, je vous arrête. L'un ou l'autre, mais pas les deux ! Les marrons glacés viennent de chez Fauchon, à Paris. La guimauve est faite à la maison, mais n'oubliez pas

115

que pour certains une bonne coupe de glace doit se distinguer avant tout par sa simplicité. »

Leslie remarqua que le jeune homme commençait à claquer des dents et il se résigna à abréger les préliminaires, pour l'épargner, même s'il y prenait, quant à lui, un plaisir extrême.

« De la guimauve, des noix, de la chantilly et une cerise », énonça-t-il d'une traite.

Pendant que David s'occupait d'installer les deux premiers ingrédients, Leslie s'empara de la bombe de crème Chantilly et recouvrit la petite partie du pénis qui dépassait encore d'un nuage blanc mousseux, qui adhérait suffisamment pour lui permettre de couronner cette extraordinaire création culinaire d'une cerise au marasquin. Après quoi il se mit à manger, sans plus de façons. Plus tard, ce fut son tour de se transformer en coupe de glace et de se faire savourer par David. Il était près de trois heures du matin lorsqu'ils passèrent enfin ensemble sous la douche. Après quoi, le jeune aide cuisinier fila en douce, abandonnant son complice épuisé et jurant ses grands dieux qu'il allait se mettre au régime dès son retour à Los Angeles.

Leslie dormit d'un sommeil profond et sans rêves. Lorsqu'il ouvrit enfin les yeux, la pendule indiquait neuf heures et il se dépêcha de s'habiller, l'esprit monopolisé par une foule de petits détails dont il devrait s'occuper dès son arrivée au bureau : coups de téléphone, contrats, rendez-vous, projections. A mesure qu'il réfléchissait, un nombre toujours croissant d'obligations lui revenaient à l'esprit et, au bout d'un moment, sa tête finit par lui faire l'effet d'une corbeille à papiers bourrée de messages urgents. Il ne fallait pas non plus oublier Tommy qui ne lui pardonnerait sûrement jamais d'avoir raté le dîner du Thanksgiving, sans même téléphoner pour s'excuser. Dire que c'était sa première liaison durable (trois semaines mardi) depuis bien longtemps, avec un garçon dont il appréciait vraiment la compagnie, un garçon qui semblait avoir de l'affection pour lui et qui aurait peut-être été prêt à partager son existence jusqu'au purgatoire homosexuel de l'âge mûr. Et mainte-

116

nant, tout était fichu ! Tommy allait couper les ponts. Et s'il rentrait en expliquant qu'il était tombé malade ? Ça faciliterait quand même bien les choses. Il pourrait insister sur la terrible épreuve qu'avait été pour lui cette nuit passée tout seul dans le désert, et glisser habilement sur la journée dans la luxueuse demeure de Beeze. Peut-être que Tommy se laisserait suffisamment apitoyer pour lui pardonner.

Leslie songea soudain à la conversation sur l'amour et la réincarnation qu'il avait eue la veille au soir. Tommy et lui avaient-ils été amants dans une vie antérieure ? Il s'amusa un instant à imaginer leurs amours transposées dans le cadre de l'Angleterre médiévale, ou de la Rome antique, ou de l'Egypte des pharaons. Il se demanda s'ils avaient pu former, dans le passé, un couple hétérosexuel (qui était la femme, lui ou Tommy ?) et si Dieu les avait à présent réincarnés dans deux corps d'homme pour voir jusqu'à quel point ils seraient capables de lutter contre l'adversité. Leur homosexualité était-elle un châtiment pour quelque crime commis jadis, pour avoir, par exemple, adoré quelque veau d'or ? Ou bien était-ce le résultat de trop nombreuses réincarnations dans un sexe toujours identique, si bien que l'âme finissait par s'en dégoûter ? Ou alors, au contraire, d'une trop constante alternance qui finissait par la déboussoler ?

Lorsqu'il sortit de la salle de bains, son petit déjeuner l'attendait sur le chariot, mais au lieu des mets si délicatement préparés de la veille, il resta sans voix devant deux œufs calcinés qui sentaient le soufre, deux objets carrés carbonisés qui avaient dû naguère être des toasts et un café huileux et nauséabond. Sa perplexité fut cependant de courte durée et la vérité se fit presque aussitôt jour dans son esprit : Henri, soupçonnant David de l'avoir trompé la veille au soir, n'avait trouvé que ce moyen pour insulter son rival. Leslie repoussa le chariot, empoigna sa serviette en prévision de son prochain départ et s'en fut retrouver Beeze.

La porte du salon de musique était ouverte et Beeze, le dos tourné, jouait comme s'il n'existait rien d'autre au monde que la musique. Son archet faisait jaillir des cordes un tourbillon d'arpèges, avec une dextérité telle qu'on avait l'impression d'entendre plusieurs instruments. Leslie s'était demandé comment le milliardaire pouvait jouer aussi merveilleusement avec sa main mutilée et ce nouvel intermède lui permit de constater que cette main était celle qui tenait l'archet et que l'autre, celle dont les doigts agiles pressaient les cordes, avait été épargnée par les flammes. Il se demanda à quel point le reste de ce corps avait gardé forme humaine.

Lorsqu'il eut achevé son mouvement, Beeze se retourna : « Bonjour, monsieur Horowitz. Quel dommage que vous repartiez déjà ! Vous allez me manquer.

— Moi aussi », marmonna poliment Leslie, alors qu'il comptait intérieurement les instants qui le séparaient de son départ. Il se faisait l'effet d'un animal de laboratoire, dans cette maison, un rat blanc dans sa cage, bien nourri, bien soigné, mais sans le moindre contrôle sur sa destinée.

« J'aimerais faire parvenir un cadeau à Mlle Weiss, annonça Beeze, pour la remercier des instants de plaisir qu'elle m'a procurés hier soir. Etant donné que vous ne devez parler de moi à personne, il est bien entendu que le donateur de ce cadeau restera anonyme. Vous lui direz simplement qu'un homme que vous avez rencontré dans le désert avait envie de le lui offrir. Rien d'autre. Et maintenant choisissez le cadeau, s'il vous plaît, monsieur Horowitz.

— Je vous demande pardon ?

— Choisissez un cadeau pour elle. Un des objets que vous avez vus ici depuis votre arrivée, n'importe lequel.

— Vous parlez sérieusement ?

— Je dis exactement ce que je pense, monsieur Horowitz. »

Leslie jeta un regard perplexe autour de lui, observant tous les trésors qui décoraient la pièce, tableaux précieux et objets d'art. Il songea au taureau en céramique de Picasso, au Greco du hall d'entrée et la tête se mit à lui tourner. Puis il se rappela qu'un cadeau entraînait obligatoire-

ment une dette de reconnaissance, quelle que fût la générosité du donateur, et que le cadeau en question était en
outre destiné à Rebecca qui n'aimait pas s'encombrer d'objets de prix. Dès qu'elle en possédait un, elle vivait dans la
hantise qu'on le lui volât ou qu'il fût détruit dans un incendie, une inondation ou un tremblement de terre. Elle pré-
férerait sûrement un objet qui n'aurait pas l'air de sortir
tout droit d'un musée, un objet dont la valeur serait plutôt
d'ordre sentimental. Un *tsatske*, comme ils disaient pour
s'amuser, lorsqu'ils sortaient faire des courses ensemble ;
c'était un mot yiddish pour désigner un petit bibelot qui
pouvait aller d'une jolie statuette de Hummel à une boîte
à musique en forme de Snoopy.

Apporte-moi une rose, avait dit Rebecca.

« Eh bien, je choisis ce presse-papiers », dit Leslie en soulevant une des vingt et quelques boules de cristal posées sur
le clavecin. Une rose rouge d'une absolue perfection était
emprisonnée à l'intérieur. « Rebecca a une passion pour les
roses.

— Vous pouvez choisir tout ce que je possède, intervint
Beeze, mais pas ça. Je ne peux pas vous expliquer pourquoi,
mais cet objet a pour moi une signification spéciale. »

A contrecœur, Leslie reposa son choix au milieu du par-
terre de cristal et chercha autre chose du regard. A présent,
il s'en fichait : s'il ne pouvait pas rapporter à son amie le
cadeau parfait, autant lui rapporter n'importe quelle
babiole. Ah, qu'il avait hâte de quitter cette demeure, de fuir
ce fou qui lui offrait tous les trésors qu'il possédait, mais
qui refusait de se séparer d'un malheureux presse-papiers.

Il finit par indiquer l'objet le plus insignifiant de la pièce,
un minuscule tableau, grand comme une carte postale, qui
représentait un moulin à vent, un ruisseau et quelques
vaches.

« Ça.

— Ah, un paysage de Van Hijn, un artiste hollandais du
XIXᵉ que l'on s'accorde à considérer comme l'un des plus
grands maîtres de la miniature. Un collectionneur de Dal-
las m'en a offert cent trente mille dollars.

— Bon, alors n'en parlons plus. » Leslie commençait à en avoir plus qu'assez de ce petit jeu ; il sentait même la moutarde lui monter au nez. Il avait l'impression que Beeze se moquait de lui et cherchait à l'humilier. Il lui tardait de regagner son bureau et de s'asseoir derrière sa table, dans un univers où lui-même et tous les gens qu'il côtoyait savaient qu'il était un homme important, un homme avec lequel il fallait compter.

« Pas du tout, protesta Beeze. Je tiens absolument à ce que vous l'emportiez. Il ne signifie rien pour moi — tous ces objets me sont également indifférents. Samson, va l'empaqueter pour M. Horowitz. »

Le géant, qui était entré derrière Leslie, s'avança, décrocha le tableau du mur et l'emporta.

« Vous êtes prêt à partir ? demanda Beeze.

— Le plus tôt sera le mieux.

— Attendez-moi un instant, je vais voir si l'hélicoptère est là. »

Ce ne fut que lorsque Beeze eut, lui aussi, quitté la pièce que Leslie se laissa aller à sonder toute l'étendue de sa colère. Le milliardaire avait manifestement cherché à l'offenser en lui donnant ce Van Hijn après s'être vanté de la somme qu'il en avait refusé ; qui pis est, en proclamant bien haut que l'argent ne comptait pas pour lui, il avait clairement sous-entendu qu'il comptait en revanche beaucoup pour son invité. Ce dernier était bien obligé de lui faire bonne figure — son retour à Los Angeles dépendait en effet du bon vouloir du milliardaire — mais il n'en était pas moins ulcéré et ce fut ce qui l'incita à se venger. Regardant soigneusement tout autour de lui, pour s'assurer que personne ne l'observait, il fourra le presse-papiers tant convoité dans sa serviette, fit claquer le fermoir et brouilla les chiffres de la combinaison. Il y avait tant d'autres presse-papiers presque identiques sur le clavecin que Beeze ne remarquerait sa disparition que longtemps après son départ. Il éprouvait exactement les symptômes ressentis à l'âge de douze ans, un jour où il avait voulu faire un peu de « fauche » chez Woolworth (tous les autres gosses en faisaient et il espérait se faire bien voir de ses camarades) : sous le coup de l'excitation, le sang lui monta aux joues, en même temps qu'une peur panique le glaçait ; il avait à la fois envie de perdre la tête et de se sauver en courant, mais aussi de rester pour avouer sa faute.

« Monsieur Horowitz ? » appela Beeze depuis la porte.

Leslie fit volte-face en tressaillant. Instinctivement, il scruta le visage de son hôte, pour y déceler la connaissance de sa faute, avant de se rappeler qu'il s'agissait d'un masque.

Attrapant sa serviette, il suivit Beeze le long de l'ample escalier qui reliait le premier étage au vaste hall d'entrée qu'ils traversèrent pour gagner la grande porte donnant sur le parc ; leurs pas résonnaient sur le sol de marbre, amplifiés par le haut plafond voûté. Leslie aurait aimé prendre congé de David, mais aucun des habitants de la maison n'était visible.

Beeze ouvrit la porte et son invité fut aveuglé par l'éclat du soleil ; il ferma les yeux, mais les contours de l'immense porte restèrent dessinés en violet dans son esprit. S'abritant derrière sa main et clignant les yeux, il aperçut un hélicoptère perché, telle une gigantesque libellule d'argent, à une centaine de mètres de la maison. Samson, déjà assis dans la mince bulle de plexiglas, attendait son passager.

« Il est temps de nous séparer, dit Beeze. Je ne dois pas m'aventurer au-delà de cette porte.

— Merci pour tout. J'espère que vous changerez d'avis et que vous viendrez à Los Angeles. Je suis sûr que ça vous plairait. » Leslie tenta d'insuffler à sa voix une note factice de sincérité, tout en faisant des efforts désespérés pour réprimer le tremblement qui risquait de le trahir.

Aucun des deux hommes ne tendit la main à l'autre.

« Au revoir, dit Beeze.

— Au revoir. »

Leslie commença à descendre les quelques marches du perron, s'attendant à tout moment à sentir une main se poser lourdement sur son épaule et le tirer rudement en arrière, tandis qu'une voix accusatrice s'écrierait : « *Jeune homme, qu'est-ce donc que j'aperçois sous votre veste ? Un plumier ? L'avez-vous payé ? »*

Il descendit une nouvelle marche. Il avait l'impression de sentir une plaque glacée sur sa nuque, là où était posé le regard de Beeze.

« Jeune homme, savez-vous que c'est très grave de voler ? Je devrais appeler la police, mais je vais d'abord me mettre en rapport avec vos parents. »

Une autre marche, une autre encore. Le désert s'étendait à perte de vue, les plaines asséchées, parsemées de buissons, les montagnes se chauffant au soleil comme des lézards.

« Horowitz ? Vous n'êtes quand même pas le fils de Nate Horowitz, le quincaillier de Cedar Lane ? Jeune homme, je crains que votre père ne soit amèrement déçu par votre conduite... »

La dernière marche était franchie ; à présent il foulait la terre battue et s'avançait en diagonale vers l'hélicoptère, en faisant des efforts surhumains pour ne pas se mettre à courir.

Il se hissa sur le siège à côté de Samson, posa sa serviette sur ses genoux et déclara : « Je suis excité comme une puce, vous savez. Je ne suis encore jamais monté en hélicoptère. »

Samson le regarda fixement, son visage difforme totalement inexpressif. Puis il mit le moteur en route.

Ruck-a-ruck-a-ruck-a...

Ce n'est pas possible, songea Leslie. Je vais effectivement m'en tirer...

RUCKITA, RUCKITA, RUCKITA, RUCKITA...

Rebecca va être absolument soufflée, quand je lui raconterai toute cette histoire et elle sera folle de joie d'avoir ce presse-papiers...

Rrrmmmmmmmm...

Les pales se mirent à tourner à pleine vitesse et ne formèrent bientôt plus qu'un brouillard flou au-dessus de leurs têtes. Leslie attacha sa ceinture et attendit que le vaisseau d'argent, léger comme une bulle, s'éloignât en flottant dans le ciel azuré.

122

Il y eut un vrombissement du côté du tableau de bord et Samson porta un instant les écouteurs à ses oreilles, brusquement attentif ; puis, avec un coup d'œil à son passager, il coupa le moteur. Tenaillé par de sombres pressentiments, Leslie regarda l'ombre de la grande hélice ralentir et s'arrêter. L'appareil semblait soudain aussi lourd et immuable qu'un bloc de granit.

« Qu'est-ce qu'on attend ? » demanda nerveusement Leslie.

Samson se tourna vers lui et leva une de ses énormes mains dans un geste sans équivoque. Il fallait redescendre.

« Non, glapit Leslie dont la voix commençait à se fêler. Ramenez-moi à Los Angeles. »

Nouveau geste impératif.

« Non ! hurla Leslie. Non, je ne veux pas ! »

Avec une aisance dérisoire, Samson détacha la ceinture de son passager et le jeta à bas de l'hélicoptère avec une telle violence qu'il roula à plus de trois mètres après avoir touché le sol. Il resta allongé dans la poussière, une douleur cuisante au côté droit, cherchant à s'éclaircir les esprits, à assimiler ce qui venait de se passer. Sans lui laisser le temps de comprendre, le géant se dressa devant lui, le toisant du haut de sa taille brusquement colossale, le visage encore plus défiguré que de coutume par une colère vengeresse. Il lui intima, toujours par geste, l'ordre de se relever, mais Leslie, qui était un être plutôt douillet, secoua la tête en geignant. Samson tendit un battoir, le prit au collet et le mit debout d'une secousse aussi facilement qu'un homme normal soulève un chaton par la peau du cou. Il tordit le bras de Leslie derrière son dos, si brutalement que la douleur lui vrilla tout le membre du coude à l'épaule, et moitié poussant, moitié portant son prisonnier, le remonta jusqu'au salon où Beeze attendait.

« Où l'avez-vous mis ? » demanda aussitôt ce dernier.

La voix de Leslie était étouffée par les larmes : « Votre foutu gorille m'a cassé le bras.

— Où l'avez-vous mis ?

— Pourquoi ne me fichez-vous pas la paix ? Vous aviez dit que j'étais libre de rentrer à Los Angeles !

— OÙ L'AVEZ-VOUS MIS ? explosa Beeze.

— Je ne sais rien, rien, rien, rien !

— Fouille-le ! » ordonna Beeze en reprenant le contrôle de lui-même.

Samson s'agenouilla et fouilla Leslie d'une main experte, puis il se releva en secouant la tête.

« La serviette, lança Beeze. Va me la chercher ! »

Le géant disparut.

« Alors, vous prétendez que je peux vous faire confiance, persifla le milliardaire à l'adresse de la silhouette recroquevillée de douleur sur le plancher. Vous voudriez que je vous laisse rentrer à Los Angeles, pour que vous puissiez vous répandre en ragots sur le monstre sans visage, qui vit dans le désert et qui passe ses journées à regarder des films et à scier du bois sur son crincrin...

— Je n'aurais rien dit à personne, j'ai *promis*...

— Que vaut la parole d'un voleur ?

— Je n'ai pas volé. »

Ils restèrent un instant silencieux, puis Leslie reprit : « Votre gorille m'a cassé le bras. J'ai besoin d'un médecin. »

Au moment où Beeze ouvrait la bouche pour répondre, ils entendirent le pas pesant de Samson dans l'escalier. Presque aussitôt, il rentra dans la pièce et laissa tomber la serviette entre les bras de Leslie.

Ce dernier tripota un moment la serrure, puis il gémit : « Je — je suis si traumatisé que j'ai oublié la combinaison. »

Sur un signe de Beeze, Samson lui arracha la serviette des mains, prit un côté dans chacune de ses énormes pattes et l'ouvrit en deux, avec autant de facilité que s'il s'était agi d'une enveloppe.

« Non, attendez ! cria Leslie. Ne l'abîmez pas, je vous en prie ! »

C'était un cadeau de Noël de tous ses clients, un superbe objet en peau et or, frappé à ses initiales. Samson fourra la main à l'intérieur et en sortit le presse-papiers qu'il tendit à son maître. Celui-ci le prit avec précaution, comme il aurait pris un œuf.

« Faut-il que je sois bête pour vous faire confiance ! Mais ça faisait si longtemps que je n'avais pas accueilli un étranger que j'avais fini par oublier toute l'étendue de la duplicité humaine. »

Il parlait de l'humanité comme si lui-même appartenait à une race à part.

« Si seulement vous pouviez comprendre ce que cet objet aurait représenté pour Rebecca ! geignit Leslie.

— Comprendre, dites-vous ! Mais je comprends très bien ! Je comprends que vous étiez sur le point de mourir et que je vous ai sauvé et soigné, et que c'est là votre façon de me remercier pour mon hospitalité. Et bien, dorénavant, monsieur Horowitz, vous ne sortirez plus d'ici, vous y restez jusqu'au jour de votre mort. Samson, enferme-le dans la cave ! »

Le géant traîna le prisonnier au rez-de-chaussée, puis lui fit descendre un autre escalier, taillé dans un grès couleur de sang séché, avant de le propulser à travers une série de caves, dont le plafond était soutenu par une charpente en bois où dormaient des chauves-souris ; les ampoules qui pendaient au bout de fils nus vous brûlaient la rétine. Ces caves contenaient le générateur d'air conditionné, une énorme machine grinçante, et plusieurs citernes servant à refroidir et purifier l'eau qui montait des sources chaudes, loin au-dessous de la surface. Ils arrivèrent enfin devant une lourde porte de chêne, renforcée de ferrures, que Samson ouvrit au moyen d'une énorme vieille clef. Il poussa violemment Leslie à l'intérieur et claqua la porte derrière lui, l'enfermant dans des ténèbres si profondes que seuls les aveugles pourraient en avoir une idée.

Le prisonnier resta longtemps étendu, terrifié, n'osant pas bouger ni même proférer un son. Il finit par s'endormir. Lorsqu'il reprit conscience, l'atmosphère humide et glacée de l'endroit avait ranimé toutes ses douleurs, en les exacerbant, et son bras était si enflé qu'il ne pouvait plus s'en servir. L'obscurité était toujours totale, impénétrable. Il découvrit, à tâtons, que le sol était recouvert de grandes dalles carrées, des ardoises probablement, que le mur en grès s'effritait sous les doigts (peut-être le sous-sol allait-il brusquement s'effondrer et l'ensevelir vivant ?) et que la vaste pièce était encombrée de grands casiers en fer où étaient couchées des bouteilles poussiéreuses, recouvertes d'un fin entrelacs de toiles d'araignée. Il eut un rire nerveux. Du vin, du vin, à perte de vue, et pas une goutte à boire, comme dans le poème ! L'alcool aurait pourtant atténué la douleur et l'aurait aidé à passer le temps. Si seulement il avait un tire-bouchon sur lui, ou tout simplement un couteau suisse ! A quelle actrice se rapportait donc cette anecdote, la dame qui était censée avoir un tiroir entier rempli de couteaux suisses ?

Un bruit — la clef dans la serrure ! La porte s'ouvrit et la silhouette d'un homme masqué se découpa sur le seuil.

« Je vous en prie, bredouilla aussitôt Leslie, il faut que je voie un médecin, pour mon bras.

— Vous ne verrez personne ! déclara Beeze.

— Vous êtes dingue ! Vous êtes complètement dingue ! Une espèce de mégalomane paranoïaque ! Eh bien laissez-moi vous dire une bonne chose : vous ne pouvez pas impunément enfermer les gens dans votre cave ! Il y a des lois, vous savez. Je suis un homme très influent, j'ai des amis qui ont le bras long et qui vont se mettre à ma recherche. Ils retrouveront ma voiture, et puis ils viendront voir ici...

— Non ! trancha Beeze avec une telle certitude que tous les espoirs de Leslie furent aussitôt anéantis. Personne ne peut trouver cette demeure si je ne le veux pas !

— Je l'ai bien trouvée, moi !

— C'était la volonté de Dieu.

— Vous êtes vraiment fou à lier. Vous devriez vous faire interner, vous savez. Vous avez besoin d'aide !

— C'est plutôt vous qui en avez besoin, en l'occurrence.

— Ça, c'est bien vrai ! Regardez mon bras, comme il est enflé. La gangrène va s'y mettre et il faudra m'amputer !

— Ce n'était pas de ça que je voulais parler. Votre bras est foulé, tout simplement.

126

— Mais j'ai atrocement mal...

— Tâchez donc de souffrir en silence !

— Si vous me laissez rentrer à Los Angeles, je vous jure que je ne parlerai de vous à personne. Je vous le jure sur la Bible ! Laissez-moi partir, je vous en prie. Je ferai tout ce que vous voudrez !

— Peut-être...

— Oui ?

— Peut-être y a-t-il effectivement un moyen. Vous pourrez partir, monsieur Horowitz...

— Oui ?

— A condition que Rebecca Weiss vienne prendre votre place. »

Leslie était trop abasourdi par ce décret pour répondre.

« Si elle est en mon pouvoir, continua Beeze, je pourrai être certain que vous ne manquerez pas à votre parole.

— Je préfère mourir que de la laisser venir ici !

— Vous ne croyez pas si bien dire ! » rétorqua Beeze et il ressortit, en claquant la porte derrière lui.

4

En quittant le restaurant, Billy Rosenblatt regagna directement son bureau, l'esprit accaparé par ce déjeuner avec Victoria Dunbarr. Des actrices, il en avait connu beaucoup, mais jamais il n'avait encore rencontré un tel mélange de duplicité et de sexualité au service d'une ambition forcenée. Physiquement, il avait très envie d'elle. Intellectuellement — et chez Billy, l'esprit et le corps allaient rarement de pair dans leurs désirs —, il savait pertinemment qu'il était loin d'être prêt à tout pour le plaisir de la posséder. Il était, par exemple, hors de question qu'il lui donnât le rôle de Jacqueline dans *L'autre femme*, même si elle acceptait de se soumettre à ses caprices les plus débridés. Rien que par sa taille, elle serait physiquement ridicule dans le rôle. Par contre, si elle était effectivement bonne comédienne, elle pourrait peut-être interpréter le personnage de la maîtresse. Elle avait affirmé qu'elle ne voulait plus jouer ce genre de rôle, mais ça, Billy ne s'en inquiétait guère. Il lui ferait faire un bout d'essai pour Jacqueline, comme promis, puis il négocierait, ce qu'il faisait toujours avec les acteurs qui manifestaient des prétentions vraiment excessives et, pour finir, ils sortiraient de là, lui sexuellement comblé et elle professionnellement satisfaite.

Non, si Billy avait du mouron à se faire, ce n'était certes

pas à cause de cette jolie donzelle, mais bien plutôt à cause de ce maudit roman que son ex-femme avait écrit sur lui. A chaque fois qu'il y pensait, il en avait des sueurs froides. Il n'y avait donc pas de loi interdisant à une épouse de révéler les secrets de son mari ? Mentalement, il se répéta les paroles rituelles prononcées par les deux époux au cours de la cérémonie du mariage : *Aimer, honorer et obéir... jusqu'à ce que la mort nous sépare...* Non, il n'y était vraiment pas question de discrétion. La seule chose qu'une femme n'avait pas le droit de faire, c'était de témoigner contre son mari, ça il le savait, parce que c'était la ficelle utilisée dans le temps par d'innombrables navets policiers pour redonner un peu de piment à l'intrigue. Peut-être un de ses avocats les plus retors parviendrait-il à manipuler la loi et à faire interdire la publication. S'il avait su, vingt ans auparavant, que le jour viendrait où la société ferait un pont d'or aux femmes prêtes à baver sur leur mari, il aurait veillé à se montrer nettement plus poli et moins bavard.

Il pénétra dans l'enceinte des studios Burbank, salua le garde d'un signe de tête et se gara devant le bâtiment réservé à la production, auquel il ne manquait qu'une enseigne au néon indiquant CHAMBRES LIBRES pour faire un motel très acceptable. Ses bureaux étaient situés au deuxième étage.

Il fut accueilli par sa secrétaire, Florence McGee, plus connue sous le nom de Flossy, qui jubilait. Elle était quasiment parvenue à se procurer un exemplaire du manuscrit d'Angela. En parcourant le magazine réservé aux anciennes élèves du Barnard College, elle avait appris qu'une de ses ex-condisciples, Harriet Oliver, était l'adjointe d'un directeur de collection chez Butterfield Press, la maison d'édition new-yorkaise qui avait acheté le livre d'Angela. Flossy avait immédiatement téléphoné à son amie et, après s'être mutuellement raconté leur vie depuis qu'elles s'étaient perdues de vue, elle avait demandé à Harriet de lui envoyer une photocopie du roman. Certains bruits couraient à Hollywood concernant ses extraordinaires possibilités cinématographiques et son patron, un producteur très important qui, pour le moment, préférait conserver l'anonymat, avait grande envie d'y jeter un coup d'œil en douce, avant tout le monde. S'il décidait d'acheter les droits, le résultat serait une grandiose superproduction et tout le mérite en reviendrait bien sûr à Harriet. Celle-ci, transportée de joie à l'idée de réussir un coup fumant, avait promis de mettre une photocopie à la poste l'après-midi même.

« Un trait de génie pareil, ça vaut une augmentation de dix dollars par mois, déclara Billy en apprenant la nouvelle.

— Merci ! s'exclama Flossy.

— A dater de l'arrivée du manuscrit.

— Grrr ! » riposta la secrétaire. C'était une petite personne menue et osseuse, à la tignasse rousse et bouclée, avec le teint laiteux qui accompagne d'ordinaire cette couleur de cheveux et une peau qui se constellait de taches de rousseur dès qu'elle s'aventurait au soleil. Elle avait aussi de grands yeux bleus, des dents qui se chevauchaient et des fossettes. Billy l'avait engagée, malgré de fort modestes compétences dactylographiques et une écriture illisible, parce que ça faisait belle lurette qu'il n'avait pas rencontré une fille aussi futée et débrouillarde. Elle lui était même si utile qu'il ne lui avait jamais fait la moindre avance, honneur que bien peu des jeunes femmes qu'il côtoyait pouvaient se flatter de partager.

« Comment ça s'est passé, ce déjeuner avec Rebecca Weiss ?

— Elle n'est pas venue, annonça Billy en parcourant la liste des coups de téléphone reçus en son absence. J'ai déjeuné, à la place, avec une autre actrice du nom de Victoria Dunbarr. » Et il mit Flossy au courant de cette intéressante entrevue, ne lui taisant que les détails d'une nature par trop intime.

« J'ai bien l'impression, conclut-il, que Rebecca n'a pas seulement reçu mon invitation. Essayons un peu d'éclaircir ce mystère. Vous avez pris contact avec Horowitz, si je ne m'abuse ?

— Non, avec Sheila, son associée.

— Mais je vous avais dit de parler directement à Horowitz !

— J'ai essayé, mais il n'y a pas eu moyen. Il n'est pas en ville, à ce qu'il paraît, mais je dois dire que toutes les explications qu'elle m'a données m'ont paru assez loufoques.

— Ah oui ? Notez que c'est un bureau plutôt loufoque, déclara Billy. J'aimerais autant ne pas travailler avec eux, mais comme par un fait exprès, ce sont toujours eux qui représentent les artistes que je veux. Laissez-moi vous donner un bon conseil, Floss. Evitez les pédés, dans la mesure du possible. Ce sont des gens déséquilibrés sur lesquels on ne peut pas compter. Ils ne pensent qu'à leurs petites coucheries.

— Ce n'est pas du tout comme vous, évidemment.

— Votre augmentation est diminuée de moitié, insolente. Donc, vous avez parlé à Sheila et, pour une raison connue d'elle seule, c'est à Victoria qu'elle a transmis le message. Pensez-vous qu'elle ait une dent contre Rebecca ?

— Ou alors, elle pensait à autre chose et elle s'est trompé de nom en prenant le message. Ça m'est déjà arrivé de faire ça.

— Oui, mais nous oublions une chose. C'est que Victoria n'est pas leur cliente.

— C'est vrai. » Flossy réfléchit un instant, puis elle fit claquer ses doigts. « J'y suis ! Elles habitent ensemble, n'est-ce pas ? Bon, alors Sheila appelle, Rebecca est sous la douche ou que sais-je, c'est donc Victoria qui prend le message, mais au lieu de le transmettre, comme elle l'a promis... »

Billy acquiesça : « Exactement. Demandez-moi Rebecca Weiss au téléphone et, cette fois-ci, assurez-vous que c'est bien elle.

— D'accord, patron.

— Et puis ensuite, vous m'appellerez l'agent de Victoria pour que je puisse organiser son bout d'essai.

— Vous allez quand même la laisser auditionner, après ce qu'elle vient de faire ?

— Floss, supposez un instant que cette petite Dunbarr s'avère être la nouvelle Garbo. Ce serait quand même un peu bête de passer à côté sous prétexte que nous la soup-çonnons d'un vilain petit coup fourré, non ? Si je refusais de travailler avec tous les gens qui ont fait des vacheries à leurs amis, je me sentirais bien seul.

— Mais il faudrait quand même découvrir qui a menti.

— Pour quoi faire ? demanda raisonnablement Billy. Si c'est Victoria, elle sera trop vexée de se savoir démasquée pour accepter mes offres de travail. Si c'est Sheila Gold, elle se vengera en nous mettant des bâtons dans les roues cha-que fois que nous voudrons engager un de ses clients. Et puis, c'est peut-être Rebecca elle-même qui a tout mani-gancé. J'ai déjà vu des choses bien plus bizarres que ça, dans le domaine de l'autosabotage. Non, Floss, laissez-moi vous donner un bon conseil : je ne suis pas arrivé là où j'en suis aujourd'hui en mettant à nu toutes les intrigues dont j'ai eu vent. » Il se mit à rire. « Dieu seul sait que j'ai assez à faire avec les miennes ! La seule chose qui compte, c'est...

— De produire le meilleur film dont je suis capable ! » termina Flossy à sa place, ayant déjà souvent eu l'occasion d'entendre cet axiome.

« La leçon commence à porter ses fruits ! déclara Billy. Et maintenant, appelez-moi Rebecca Weiss. »

Rebecca était si nerveuse qu'elle passa bien deux minu-tes à essayer de faire démarrer sa voiture avec la clef de la porte d'entrée. C'était le jour de son bout d'essai, le premier depuis pas mal d'années. Elle avait horreur des bouts d'es-sai, probablement parce qu'elle y était si mauvaise. Le fait de savoir que ce n'était pas pour de vrai l'empêchait de se livrer à fond, comme elle le faisait sur scène ou en cours de tournage. En plus de quoi, l'idée d'être jugée la hérissait : ça lui rappelait l'école et réveillait toute la haine de l'auto-rité qui avait fait d'elle jadis une élève aussi déplorable et un tel problème sur le plan disciplinaire. Toutes ces émo-tions étaient en outre exacerbées par l'arrivée inopinée de ses parents, auprès de qui elle redevenait instantanément la petite fille de douze ans incapable de se débrouiller seule et comptant sur papa pour tout lui mâcher, ce qui avait le don de la mettre hors d'elle. Et comme si tout ça ne suffisait pas, elle avait reçu, au sujet de ce fameux bout d'essai, un extravagant coup de fil de Billy Rosenblatt qui lui avait posé tout un tas de questions détournées, sans queue ni tête, à propos d'un déjeuner dont elle ignorait tout ; elle n'arrivait pas à comprendre où il avait voulu en venir. (Si seulement Leslie était là, il lui aurait tout expliqué, car lui était toujours capable de percer à jour les manœuvres machiavéliques qui se cachaient derrière les mots, mais cela ferait demain une semaine qu'il avait disparu et, à chaque jour qui passait, les chances de le retrouver vivant semblaient de plus en plus rares.) Le coup le plus dur, cependant, avait été la révélation que Vicky, elle aussi, avait été pressentie pour le rôle de Jacqueline. Non pas qu'elle en voulût à son amie de tenter sa chance, au contraire, mais elles avaient des types si dissemblables que cette rivalité inattendue ne pouvait s'expliquer que par un caprice du producteur ; or, s'il y avait une chose que Rebecca abominait, c'était que l'on fasse joujou avec elle. En tant qu'actrice, c'était une mésaventure qui ne lui arrivait que trop souvent : on la contactait pour un rôle, après quoi il s'avérait que le metteur en scène voulait tout simplement l'inviter à dîner, ou bien qu'il ne la convoquait que pour faire plaisir à un gros ponte des studios, alors que le rôle était déjà distribué depuis plusieurs semaines. Privée de la protection de Leslie, elle se sentait affreusement vulnérable, aussi nue et sans défense qu'un poussin à peine sorti de l'œuf.

Elle retrouva dans les bureaux de Billy Rosenblatt cinq autres actrices faisant antichambre, qui en lisant, qui en tricotant, qui en étudiant un scénario ; toutes étaient de vieilles connaissances. Il y eut un échange général de sourires et d'exclamations facétieuses : « Allons bon, toi aussi ! » ou : « Dites donc, on ne m'avait pas dit que c'était une assemblée plénière ! » ou encore : « Ma parole, ils ont ouvert les prisons ! » Tout cela sur un ton ultra-amical et bon enfant, pour bien montrer qu'entre grandes actrices les chamailleries n'étaient pas de mise. Rebecca donna son nom

134

à la réceptionniste et s'assit, en tâchant de jauger ses riva-
les. Il y avait là Mlle W., qui, tout comme elle-même, avait
tourné un merveilleux premier film et dont les trois tentatives ultérieures avaient été autant de désastres ; Mlle X.,
à qui sa magistrale interprétation du rôle de Susan B.
Anthony avait valu la couverture de *Time* et qui n'avait,
depuis, plus tourné un seul film tant son succès lui avait
fait peur ; Mlle Y., une jeune femme d'une beauté radieuse,
qui avait joué beaucoup de rôles intéressants avant sa
dépression nerveuse et qui, selon le magazine *Variety*, était
à présent suffisamment rétablie pour tenter de revenir au
premier plan ; Mlle Z., étourdissante actrice comique, mais
qui réussissait beaucoup moins bien dans un registre plus
dramatique ; et bien entendu Victoria, qui était loin d'être
mauvaise, la bougresse, et qui était en outre assez séduisante pour inciter la plupart des hommes à faire n'importe
quoi pour elle, y compris lui donner un rôle pour lequel elle
n'était absolument pas faite.

Prises en bloc, les jeunes femmes assises dans la pièce —
à l'exception de Victoria — réunissaient les noms lès plus
célèbres des cinq dernières années ; et pourtant,
aujourd'hui, toutes étaient « d'anciennes gloires » (si tant
est que l'on pût parler de gloire dans le cas d'un phénomène
aussi fugitif). Et ce, non pas parce qu'elles étaient techni-
quement mauvaises actrices ni parce qu'elles manquaient
de personnalité, mais plutôt à cause d'un curieux désinté-
rêt du public. Dans les années trente et quarante, le nombre de grandes vedettes féminines et masculines avait été
sensiblement le même, alors qu'à l'heure actuelle, dans la
liste des vingt acteurs les plus commerciaux établie par
Variety, il n'y avait en tout et pour tout que deux femmes.
Au fond de ses temples obscurs, l'Amérique avait cessé de
vénérer le sexe faible.

La réceptionniste appela Victoria.

« Merde ! » lui souffla Rebecca. Elle ne put s'empêcher
de remarquer combien son amie avait l'air jeune et innocente, dans une robe toute simple, en coton imprimé, qui
atténuait sa provocante féminité. Rebecca regretta aussitôt

de ne pas avoir mis elle aussi un robe imprimée, au lieu d'un jean et d'un chemisier de soie. Elle avait l'impression d'être fichue comme l'as de pique, au point qu'elle faillit tout laisser tomber et rentrer chez elle.

« Je ne sais vraiment pas pourquoi je fais ce bout d'essai, chuchota Victoria. C'est toi qui auras le rôle, il est fait pour toi. Et en plus, tu es la meilleure de nous toutes. C'est vraiment dommage que tu aies ce truc à la peau, juste aujourd'hui !

— Quel truc à la peau ?

— Eh bien, cette espèce de plaque d'urticaire.

— Quelle plaque ? » Rebecca fouilla dans son sac d'une main fébrile et en sortit un petit miroir de poche.

« Bah, ne t'inquiète pas trop, la réconforta Victoria. Essaie donc d'y appliquer le contenu d'une ampoule de Vitamine C. A tout à l'heure ! »

Rebecca scruta son reflet dans le miroir, mais elle eut beau chercher, elle ne put, et pour cause, déceler aucune plaque d'urticaire.

Victoria fut amèrement déçue par l'austérité du bureau de Billy Rosenblatt. Elle s'était attendue à découvrir le luxe effréné du Hollywood de légende, au lieu de quoi elle se retrouva dans une pièce parfaitement ordinaire, dont les fenêtres donnaient sur un parking : dans un coin, un bureau recouvert de Formica, devant un mur nu ; pas une seule photo de stars serrant Billy Rosenblatt dans leurs bras, pas la moindre plaque commémorative décernée par les associations spécialisées, par l'ombre d'un de ces Oscars négligemment posé de façon à être visible de tous les coins de la pièce. En face du bureau, on avait aménagé un vague « plateau », avec pour tous accessoires, une chaise, une table et une coupe à champagne en cristal teinté, couleur de rubis. Une caméra de télévision portable, posée sur un pied, était reliée à un magnétoscope ; Victoria trouva menaçante sa silencieuse efficacité japonaise. Billy Rosenblatt lui

136

présenta les trois hommes qui s'étaient levés à son entrée, ainsi que la jeune femme qui était restée assise.

Il y avait d'abord Harry Harris, le directeur technique, un chauve d'une soixantaine d'années, avec un nez en pied de marmite et des yeux chassieux, perpétuellement éclairés par une lueur salace.

« Harry et moi travaillons ensemble depuis le bon vieux temps, expliqua Billy.

— Hé oui ! s'esclaffa Harry. Il me doit tant d'argent qu'il ne peut pas se permettre de me renvoyer. »

(Rires polis, mais sans enthousiasme.)

Ensuite, Joe Saltzberger, le metteur en scène, quarante-cinq ans, grand, dégingandé, juvénile, avec des cheveux bouclés et des lunettes qui lui conservaient son air d'intellectuel new-yorkais, alors qu'il vivait en Californie depuis des années.

« Vicky, je suis enchanté de vous connaître. »

Et puis Stanislaw Kovacik, qui avait généreusement accepté de s'occuper de l'enregistrement des bouts d'essai, un grand bonhomme qui ressemblait à un ours, avec une épaisse barbe noire et un sourire espiègle.

« Stanislaw sera notre directeur de la photographie, annonça Billy, s'il n'a pas trop d'autres engagements quand nous commencerons à tourner.

— Voyons, Billy, protesta l'autre, tu sais bien que je les annulerai tous pour te faire plaisir.

— Et voici Flossy McGee, compléta Billy, en indiquant la jeune femme rousse munie d'un bloc-notes. C'est mon bras droit. Sans elle, je suis fichu. Et maintenant, Vicky, si vous nous parliez un peu de vous-même ? »

Tout le monde se rassit, tandis que Vicky allait se placer au centre du plateau. La caméra était braquée sur elle, comme un regard d'aveugle.

« Eh bien, commença-t-elle, je suis née à Hawaii, mais j'ai vécu un peu partout dans le monde, parce que mon père était dans la Marine.

— *Je suis d'venu marin*, entonna Harris, d'une voix aussi forte que fausse, *pour aller voir le monde...*

— Exactement, dit poliment Vicky, mais lui, c'était un vrai marin. J'avais neuf ans quand nous nous sommes installés à La Jolla. J'ai toujours eu le goût du théâtre et je m'amusais déjà à monter des spectacles dans notre garage, en engageant tous les gosses du voisinage, vous savez. A l'université — au Capistrano Junior College —, je dirigeais la société théâtrale et je faisais du café-théâtre l'été. D'habitude, les étudiants n'avaient droit qu'à de petits rôles, mais moi j'ai eu l'occasion d'interpréter Stupefyin' Jones dans *Li'l Abner*. Je crois, cependant, que ma grande chance a été de gagner le titre de Miss Fleur d'Oranger, car certaines des personnes qui s'étaient occupées de la publicité du concours de beauté m'ont beaucoup aidée quand je suis venue en Californie. Mais il a quand même fallu que j'aille tirer pas mal de cordons de sonnette avant de décrocher le rôle de Betty-Lou dans *Les pêcheurs de perles*.

— C'était la série télévisée sur les trois sœurs qui dirigeaient une affaire de plongée sous-marine, précisa Billy.

— C'est ça.

— Et des trois, déclara Harris, plaisantin en diable, c'était vous qui étiez le plus joliment dans la peau de votre personnage. »

Personne ne rit, sauf Victoria qui répondit gentiment : « Hé oui, c'est d'ailleurs mon gros problème. On m'a beaucoup vue, à l'occasion de cette série, mais...

— Si on vous avait vue davantage, intervint l'irrépressible Harris, c'était carrément l'attentat à la pudeur.

— Harry, je t'en prie, dit Saltzberger.

— Pardon », s'excusa le coupable, et il se tut, penaud.

Victoria reprit sans démonter : « Comme je disais, on m'a beaucoup vue, à ce moment-là, mais les gens se sont laissés obnubiler par mon physique. Personne n'a plus voulu me prendre au sérieux en tant qu'actrice. C'est exactement le genre de situation qui a poussé Marilyn Monroe au suicide. J'espère que je serai plus forte.

— C'est justement pour ça que nous vous donnons votre chance aujourd'hui, déclara Billy. Joe, veux-tu lui expliquer la scène ?

— Vous êtes Jacqueline, commença Saltzberger d'un ton las (au cours des deux derniers jours, il avait expliqué la même scène à quatorze autres actrices), une femme d'affaires de trente-cinq ans. Votre réussite professionnelle est extraordinaire mais votre vie privée est un véritable désastre. Dans la scène que vous allez jouer, votre mari vient de vous plaquer et vous vous retrouvez toute seule dans l'énorme maison que vous aviez achetée pour lui faire plaisir, espérant que ça l'inciterait à rester avec vous. Vous êtes amère, furieuse — mais pas vaincue. Puisque c'est comme ça, vous allez vivre votre vie et qu'il aille se faire voir ! Vous avez des questions à me poser ?

— Non, répondit Victoria.

— Très bien. Alors, nous sommes prêts quand vous voudrez. Moteur.

— Bout d'essai n° 15, dit Flossy d'une voix forte, à l'intention du micro. Victoria Dunbarr, première prise. »

Et elle le nota sur son bloc-notes. Le silence se fit. Tout le monde attendait.

Victoria s'assit et ferma les yeux, pour mieux se concentrer, comme elle le faisait naguère aux cours d'art dramatique, respirant profondément pour lutter contre toute tension susceptible de bloquer le déferlement de ses émotions.

Au milieu de la nuit, elle s'était faufilée dans la chambre de Rebecca pour lui « emprunter » le scénario, s'enfermant dans les waters jusqu'aux premières lueurs de l'aube afin d'apprendre le rôle par cœur. Elle avait besoin de tous les coups de pouce possibles et imaginables pour réussir son audition, et elle serait sûrement très avantagée si elle n'était pas constamment obligée de consulter le scénario. Elle se détendit complètement, remontant le cours du temps, recréant mentalement tous les « souvenirs » qui pourraient lui être utiles pour composer le personnage de Jacqueline et notamment un incident au bal de fin d'année du lycée, au cours duquel son cavalier lui avait fait une scène odieuse parce qu'elle refusait de coucher avec lui ; la mésaventure avait été plutôt ridicule, mais elle avait réellement souffert. Presque aussitôt, elle ouvrit les yeux et chuchota :

« Le salaud, *le salaud*, tous des salauds, tous autant qu'ils sont, avec leurs pauvres petits ego fragiles et leur manie de jouer les surhommes ! » Elle rejeta la tête en arrière et l'ample ondulation de sa longue chevelure vint souligner cette accusation ; c'était un mouvement qu'elle avait passé des heures à mettre au point devant sa glace. « Qu'on m'en montre un seul qui ne soit pas un petit poupon à la recherche d'une maman pour lui changer ses couches, qu'on m'en montre un seul qui ne soit pas un père abusif, à la recherche d'une fille à tyranniser. » Elle jeta autour d'elle un regard inquisiteur, comme si elle défiait quelqu'un de lui répondre. N'entendant rien venir, elle secoua la tête, écœurée. « Eh bien, en tout cas, je n'ai pas l'intention de pleurer sur son départ. Ah non, alors ! Je vais plutôt fêter ça ! » Elle sourit, enchantée par cette idée. « Où est le champagne ? » Elle fouilla dans un placard imaginaire, trouva une bouteille de champagne non moins imaginaire, feignit de faire sauter le bouchon, d'être surprise par le jaillissement du liquide et d'avoir toutes les peines du monde à le rattraper dans sa coupe, avant d'en avaler une gorgée en riant de plaisir. « A ma liberté, au bonheur d'être délivrée des hommes ! » Son sourire s'évanouit pour laisser place à une expression cynique et désabusée. « Bah, à quoi bon ? Ça trompe qui, toutes ces simagrées ? Les hommes, j'en ai besoin, je ne peux pas me passer d'eux. » Une note un peu plus chaleureuse à présent. « Ils ont beau jouer les durs, ils ont beau pleurnicher, il me faut leurs bras, la nuit, pour me protéger des cauchemars, et leurs brusques accès de tendresse à la table du petit déjeuner. » Elle soupira et adressa la dernière réplique à la coupe qu'elle tenait à la main. « Dieu doit quand même être un sacré plaisantin pour avoir créé deux sexes dont l'un est l'homme et l'autre la femme. »

« C'était vraiment excellent, Victoria, lui lança Billy et elle lut dans ses yeux qu'il était sincère.

— Epatant ! » renchérit Joe Saltzberger.

Elle discerna dans sa voix une note de surprise qui la remplit d'un brusque sentiment de triomphe. Elle leur avait montré de quoi elle était capable ! Il avait suffi qu'on lui donnât sa chance et elle s'était aussitôt montrée à la hauteur, exactement comme elle l'avait prédit. Elle eut soudain la certitude qu'elle allait obtenir ce rôle, même si elle n'en avait pas du tout le physique. Après tout, personne n'ignorait que, du point de vue dramatique, il était souvent extrêmement payant de distribuer les gens à contre-emploi.

Billy Rosenblatt se leva : « Merci beaucoup, Vicky. Nous prendrons certainement notre décision dans les jours qui viennent.

— Merci, répondit-elle, merci à tous pour m'avoir donné ma chance. » Elle sourit à la ronde, son regard s'attardant avec insistance sur Harris, puis elle se dirigea lentement vers la porte, ne pouvant se résigner à sortir sans tenter un dernier geste pour assurer sa victoire.

Billy se tourna vers sa secrétaire : « A qui le tour, maintenant ? » Flossy consulta sa liste : « Rebecca Weiss.

— Appelez-la, alors. Et remettez un peu d'eau dans la coupe à champagne.

— Je vais le faire, ne bougez pas ! » s'écria Victoria et, sans laisser à quiconque le temps d'intervenir, elle saisit la coupe et se précipita vers le petit vestiaire attenant au bureau. « De toute façon, j'ai besoin de me rafraîchir un peu », assura-t-elle en refermant la porte derrière elle.

Elle mit le verrou, courut jusqu'au lavabo et ouvrit tout grand l'armoire à pharmacie accrochée au-dessus ; un plan encore très flou prenait naissance dans son esprit. Elle allait mettre quelque chose dans cette eau. Incolore, il fallait un produit incolore. De l'eau oxygénée ? Non, c'était toxique. Elle ne voulait quand même pas tuer Becky, simplement la déconcerter. Ah, du bain de bouche, voilà qui ferait parfaitement l'affaire. Dans le flacon, le liquide avait une teinte ambrée, mais la petite quantité qu'elle versa dans la coupe paraissait incolore, d'autant plus que le verre était teinté ; c'était une parfaite rose rouge, à longue tige, une rose rouge, rouge-rouge pour Rebecca. Elle rajouta encore quelques gouttes. Et puis merde ! se dit-elle. Et d'un geste résolu, elle remplit la coupe jusqu'au bord de bain de bouche. Après quoi, elle actionna la chasse d'eau — ah, et puis

141

elle allait aussi rabattre le siège, ça ferait bien dans le tableau — et elle fit couler l'eau du lavabo. Lorsqu'elle ressortit, Rebecca était déjà au centre du « plateau » improvisé, en train de parler de ses expériences théâtrales. Victoria courut à pas feutrés jusqu'à la table, y posa la coupe, adressa un sourire éblouissant à son amie, et continua sa course sur la pointe des pieds jusqu'à la porte, montrant bien par sa célérité et sa discrétion qu'elle avait eu son tour, et que maintenant c'était celui de Rebecca. Il n'était pas question qu'elle empiétât sur les quelques instants dévolus à celle-ci.

Maintenant qu'elle était enfin dans le bain, face à son petit public, prête à leur jouer sa scène, Rebecca se sentait beaucoup mieux. Au fond, c'était comme chez le dentiste, il était beaucoup plus pénible d'attendre que de passer à la roulette. Ça la requinquait de sentir une caméra braquée sur elle, comme si l'engin lui envoyait des rayons régénérateurs, détruisant le doute de soi qui la rongeait comme un cancer.

« Vous avez des questions à me poser ? questionna Joe Saltzberger, après lui avoir situé l'action.

— Non, merci.

— Très bien. Alors, nous sommes prêts quand vous voudrez. Moteur.

— Bout d'essai n° 16, annonça Flossy. Rebecca Weiss, première prise », et elle griffonna sur son bloc.

Tout le monde attendit en silence. Malgré toutes ses protestations, malgré son fameux projet de regagner New York pour se remettre au théâtre expérimental, toutes les pensées de Rebecca étaient polarisées sur L'autre femme depuis que Leslie lui avait laissé le scénario et qu'elle avait veillé jusqu'à trois heures du matin pour le lire. Cette nuit-là, dans la vallée de la Mort, Jacqueline Hollis avait pris vie et depuis, chaque fois que Rebecca prenait place à table pour manger, Jacqueline s'y asseyait avec elle, et lorsqu'elle allait se coucher, Jacqueline était allongée à ses côtés dans l'obscurité. Elles étaient plus unies que des sœurs jumel-

142

les, parce qu'elles étaient pour ainsi dire une seule et même personne, intelligente, masochiste, ambitieuse, pétrie de talent, rebelle, autodestructrice, incapable d'entretenir des rapports durables avec un homme. Le rôle lui collait à la peau, de façon aussi naturelle qu'une suite de Bach colle à la main gauche d'un violoniste. Rebecca Weiss s'était assise devant la petite table, mais lorsqu'elle releva la tête, Jacqueline Hollis avait pris sa place.

« Le salaud ! jeta-t-elle, d'une voix frémissante de rage. LE SALAUD ! Tous des salauds, tous ces beaux messieurs, avec leurs pauvres petits ego fragiles et leur manie de jouer les surhommes ! Qu'on m'en montre un seul qui ne soit pas un petit poupon à la recherche d'une maman pour lui changer ses couches, un seul qui ne soit pas un père abusif à la recherche d'une fille à tyranniser. » Elle secoua la tête. « Eh bien, je n'ai pas l'intention de pleurer sur son départ — oh, que non ! Je vais même fêter ça ! Où est le champagne ? » Sa rage se transforma en détermination, elle était bien résolue à boire son bonheur jusqu'à la lie, avec autant de véhémence que Juliette son poison. Elle dénicha une bouteille imaginaire dans un placard imaginaire, parvint à faire sauter le bouchon après plusieurs tentatives — en se coupant le doigt — et remplit sa coupe (le seul accessoire véritable de la petite pantomime) à ras bord. « A ma liberté ! » s'écria-t-elle en brandissant sa coupe à bout de bras. « Au bonheur d'être délivrée des hommes ! » Et elle avala d'un trait le contenu de la coupe. Elle hésita un centième de seconde, peut-être, avant de poursuivre son monologue, les flammes de sa colère s'éteignant brusquement, ne laissant derrière elles que les cendres noires de la résignation. « Bah, à quoi bon ? J'ai besoin des hommes, je ne peux pas me passer d'eux ! » Sa voix s'adoucit, devint mélodieuse. « Ils ont beau jouer les durs, ils ont beau pleurnicher, il me faut quand même leur bras, la nuit, pour me protéger des cauchemars, et leurs brusques accès de tendresse à la table du petit déjeuner. » Elle se rassit à sa table, posant avec philosophie sa tête dans sa main. « Dieu doit quand même être un sacré plaisantin, constata-t-elle, d'un ton léger, pour avoir créé deux sexes dont l'un est l'homme et l'autre la femme. » Puis elle se mit à pleurer et laissa lentement glisser son visage dans ses mains, reprenant sa position initiale.

Il y eut un long silence tendu, puis Joe Saltzberger se mit à applaudir et tous les autres l'imitèrent.

Rebecca se leva brusquement, en demandant : « Où sont les toilettes ?

— La porte à gauche, répondit Flossy qui, étant un peu plus observatrice que les autres, ajouta : Ça ne va pas ?

— Si, si, très bien, merci. »

La comédienne se précipita dans le vestiaire, claqua la porte derrière elle et, se penchant au-dessus de la lunette des waters, fut secouée par de violentes nausées. Quelqu'un avait mis du bain de bouche dans la coupe de champagne et seule son exceptionnelle concentration lui avait évité de se mettre à vomir en plein milieu de son bout d'essai. Lorsque le malaise fut passé, elle s'allongea par terre, la joue contre le sol carrelé, et pleura à chaudes larmes jusqu'à ce que Flossy vînt frapper à la porte pour lui demander si elle avait besoin d'elle.

Billy Rosenblatt remonta lentement Mulholland Drive, admirant loin au-dessus de lui, dans la vallée, les lumières qui formaient un réseau bien net clignotant dans le smog. Puis il tourna, engageant sa voiture dans un petit chemin au macadam fissuré, qui montait de plus en plus haut en serpentant. Il s'arrêta enfin devant une grande grille en bois couronnée de fil de fer barbelé, qui s'ouvrit lorsqu'il appuya sur un petit dispositif collé au pare-soleil de sa voiture, ce qui lui permit de pénétrer dans une modeste cour, partiellement enclose, qui semblait posée sur le toit du monde. A sa droite, la lune se reflétait dans l'eau limpide d'une immense piscine ; à sa gauche, un garage pouvant contenir jusqu'à quatre voitures et un petit pavillon d'amis étaient reliés par un passage couvert à la maison principale. Aucun des trois édifices ne comportait d'étage ; ils étaient tous en bois peint en blanc, avec de tous côtés d'énormes baies vitrées permettant de profiter au maximum de la superbe vue ; des bouquets éclatants de bougainvillées roses et rouges grimpaient le long des murs et encombraient les gouttières. Pour beaucoup de gens, l'endroit aurait fait figure de véritable palais, mais Billy, lui, avait l'impression d'arriver dans une modeste chaumière. Cinq ans auparavant, il habitait à Bel Air une princière demeure de vingt-six pièces, avec deux jardiniers pour entretenir le vaste parc et quatre employés de maison ; aujourd'hui, il en était réduit à ce train de misère, six malheureuses pièces et un seul serviteur, Edo, son valet japonais. Lui, Billy Rosenblatt, dont chaque film, ou presque, avait réalisé un profit ! Telles étaient les vicissitudes du mariage sous le régime de la communauté. Si jamais il se remariait un jour, il veillerait à ce que la cérémonie eût lieu au Nevada.

Au moment où il fouillait dans ses poches à la recherche de sa clef, Edo ouvrit la porte d'entrée, s'inclina et lui prit son veston et sa serviette. C'était un petit homme d'une cinquantaine d'années, au visage poupin, avec un nez épaté et des yeux presque enfouis sous deux lourds plis de peau ; on aurait dit que ses traits s'étaient donné le mot pour être le moins saillants possible, afin de ne pas nuire à la concentration de son employeur. Il était si discret, remplissait si parfaitement ses multiples fonctions que Billy se demandait parfois s'il avait affaire à un homme véritable ou bien à quelque extraordinaire robot mis au point par la firme Sony.

« Avant que vous entriez, monsieur, annonça le Japonais — il était en fait né aux Etats-Unis et parlait parfaitement l'anglais — je me permets de vous signaler qu'une jeune personne vous attend dans le living. Elle est arrivée il y a une heure et m'a certifié qu'elle était une de vos très chères amies.

— Et je suppose, Edo, qu'elle est fort jolie — sans quoi vous lui auriez dit que ne rentrais pas ce soir. »

Edo acquiesça et l'ombre d'un fugitif sourire glissa sur ses lèvres : « Je suis de ceux qui estiment que l'homme doit toujours essayer de s'environner de beauté.

— Que deviendrais-je sans vous ? » dit Billy.

Il entra sans se presser dans son living, où il trouva Victoria Dunbarr, étendue de tout son long, comme une chatte, sur un des canapés de velours noir, en train de lire un épais volume. Elle portait une robe beige, dans une matière synthétique mince et soyeuse, taillée un peu comme une combinaison, avec de fines bretelles et des incrustations de dentelle ; ses cheveux dénoués lui couvraient le dos, comme un châle. Un spot éclairé, juste au-dessus d'elle, devait à peine lui permettre de distinguer ce qu'elle lisait, car on avait baissé le variateur jusqu'à l'intensité la plus faible ; la seule autre source de clarté était une bûche qui brûlait dans la cheminée et dont le chaud reflet faisait rougeoyer les douze Oscars disséminés tout autour de la pièce. Derrière la jeune femme s'ouvrait une vaste baie qui ressemblait à un patchwork bordé de lumière.

« Salut ! lança-t-elle d'une voix veloutée qui tranchait sur le crépitement du feu.

— Bonsoir, Victoria. Quelle excellente surprise !

— J'ai eu brusquement envie de profiter de votre offre.

— Laquelle ?

— Le sauna. »

Il s'assit sur le canapé en face d'elle.

« C'est bien, ce livre ? » s'enquit-il.

Elle haussa les épaules. « Il paraît que c'est un roman sur Hollywood, mais ça n'a rien à voir avec le Hollywood que je connais.

— Que croyez-vous qu'il adviendrait si quelqu'un s'avisait de décrire notre ville telle qu'elle est réellement ? »

Victoria réfléchit longuement : « Eh bien, à vrai dire, je ne sais pas si beaucoup de gens s'intéresseraient à une bande de gamins narcissiques qui ne pensent qu'à se faire des crasses. Mais, en revanche, c'est le seul endroit encore un peu magique de notre planète et tout le monde est fasciné par ce qui est magique, vous ne croyez pas ? »

Comme Billy ne répondait pas, elle continua : « J'ai l'impression que vous êtes toujours soucieux à l'idée de ce que votre femme a pu écrire.

— Soucieux ? Vous voulez dire que je suis mortifié, oui !

146

Je risque de devenir la risée de toute notre corporation. Tenez, Vicky, si je vous disais que je n'en dors plus. Nuit après nuit, je reste là à me morfondre, en me rappelant tous les événements embarrassants survenus au cours de nos années de mariage et en me demandant desquels elle a choisi de parler. C'est l'enfer, Vicky, l'enfer pur et simple !

— Vous avez tort de vous tracasser. Si c'est une femme honnête, elle dira tout simplement que vous êtes bel homme, distingué et plein de charme. Et probablement le plus grand producteur de tous les temps. »

Edo entra, porteur d'un plat rempli de crudités qu'il posa sur la table de verre, entre les deux canapés, en même temps qu'un dry Martini pour Billy et un nouveau Margarita pour Victoria.

« Qu'est-ce qu'il y a pour le dîner ? demanda le maître de maison.

— De la soupe à l'oignon, un poulet farci au riz sauvage, une salade verte et des fraises.

— Ça vous va ? demanda Billy à son invitée.

— Formidable !

— Mettez un autre couvert, Edo. Mlle Dunbarr dînera avec moi.

— Il est déjà mis, Monsieur », répondit doucement Edo, en se permettant un bref sourire.

Pendant le repas, la conversation roula sur toutes sortes d'acteurs, sur les producteurs avec qui ils étaient en cheville, les salaires qu'ils touchaient, le succès de leur dernier film et l'avenir promis à leur prochain ; et lorsque le sujet fut enfin épuisé, ils passèrent à qui couchait avec qui et pour combien de temps encore. C'étaient là les deux mamelles auxquelles s'alimentaient inlassablement les conversations hollywoodiennes.

Lorsqu'ils eurent pris le café, Billy lança : « Vous avez toujours envie d'un sauna ? »

Victoria sourit et inclina la tête.

Le producteur appela son domestique pour lui demander de préparer le sauna. Edo lui répondit que c'était déjà fait et lui demanda la permission de se retirer.

Billy escorta son invitée jusqu'à un petit vestiaire équipé de tout un assortiment de serviettes et de peignoirs éponge ; elle le remercia d'un air un peu guindé, et s'y enferma pour se changer. Billy se déshabilla rapidement et se dirigea, tout nu, vers le sauna qui donnait dans sa chambre, s'arrêtant un instant en apercevant son reflet dans le miroir.

Il était ravi de constater qu'il avait su conserver la silhouette mince et musclée de sa jeunesse ; c'était la récompense de toutes ces longues heures assommantes dans la piscine, de tous ces douloureux tennis-elbows, de tous les desserts qu'il s'était refusés. Mais, en y regardant de plus près, il vit que la peau de son ventre pendait un peu et que son sexe, qui jadis aurait pointé vers le ciel à l'idée de ce qui l'attendait, était à présent presque en berne et à peine raidi par le désir. Brusquement, il eut l'impression de distinguer le squelette sous l'enveloppe de chair, les organes dans leur cage d'os blancs et cassants qui allaient se détériorant, la boule rouge d'un muscle cardiaque de plus en plus fatigué, les kilomètres de veines et d'artères usées jusqu'à la corde par l'inlassable passage du sang. Une pensée lui traversa l'esprit : en dépit de tous les films qu'il avait à son actif, en dépit de toutes les femmes avec qui il avait couché, cette belle mécanique commençait à être sérieusement usée, il allait mourir et mourir bientôt. Selon les croyances matérialistes qui étaient les siennes, la mort c'était l'annihilation, l'interruption de toute conscience, si absolue qu'il n'osait même pas y songer. Mais à peine le spectre de la mort venait-il de s'insinuer en lui qu'il en était impitoyablement chassé par les sentinelles chargées de veiller sur sa tranquillité d'esprit, lesquelles introduisirent à sa place des rêves de films encore à faire, de recettes colossales et de la femme merveilleuse qu'il allait posséder dans un instant. En moins d'une minute, l'ordre était rétabli et Billy Rosenblatt était redevenu lui-même, culotté et confiant, prêt à tout.

Le sauna n'était guère plus qu'un grand placard, entièrement doublé de séquoia naturel, avec un seau métallique rempli de pierres chauffées électriquement qui portaient la

148

chaleur sèche ambiante à une température de soixante-quinze degrés. Billy s'assit sur le banc, une serviette pudiquement installée sur les genoux. Au bout de quelques minutes, la sueur lui dégoulinait des aisselles et ses cheveux trempés lui collaient au front. La porte s'ouvrit et Victoria fit son entrée, drapée dans une serviette éponge. Elle s'était natté les cheveux et les avait roulés au sommet de son crâne, dégageant complètement son cou et ses épaules, pour permettre à Billy d'admirer leur rare perfection. Ses jambes étaient fines et satinées et ses pieds d'une remarquable délicatesse. Elle s'assit à côté de lui, arrangeant elle aussi très convenablement sa serviette, de façon à masquer son entrejambe, et lui sourit.

« C'est divin, soupira-t-elle.

— Ça m'aide beaucoup à me détendre, convint-il.

— Pauvre chou, vous êtes sans arrêt sous pression. »

Elle baissa les yeux vers la serviette posée sur les genoux de Billy, où commençait à s'ériger une véritable petite tente, et son sourire s'élargit.

« Dites donc, déclara le producteur, vous êtes bien belle en serviette éponge !

— Je suis encore mieux sans », riposta Victoria en la laissant tomber.

Elle se redressa, cambrant les reins et rejetant les épaules en arrière, les seins dressés avec une arrogance difficile à croire.

Billy sentit son pouls s'accélérer et la tente sur ses genoux prit des allures de chapiteau de cirque.

« Je sais ce que vous vous demandez, reprit la jeune femme. Personne ne veut croire qu'ils sont vrais. Vous savez à quoi ressemblent les implants au silicone sous les doigts, durs comme des cailloux ? »

Billy hocha la tête. Il avait fait l'amour avec des femmes à la poitrine artificiellement gonflée et il avait toujours eu la vague impression d'être floué ; les seins étaient énormes, certes, mais les glandes étaient généralement d'une rigidité insupportable et refusaient d'obéir aux lois de la pesanteur.

« Eh bien, tâtez les miens, lui dit-elle. Allez-y, vous verrez ! »

Ainsi interpellé, Billy se sentit soudain l'âme d'un adolescent timoré. Il tendit la main et caressa l'exquise douceur de la poitrine offerte.

« Continuez, ronronna-t-elle, ne soyez pas timide. »

Il prit carrément tout le sein dans sa main et le pressa doucement ; il cédait sous les doigts, comme un oreiller de fin duvet, pour reprendre aussitôt sa forme, avec une merveilleuse élasticité.

« Ooohh ! gémit-elle. Recommencez ! »

Il trouva le bout du sein et, le saisissant entre le pouce et l'index, tira légèrement dessus.

« Oh, que c'est bon ! » haleta-t-elle.

Il le fit rouler sous ses doigts, comme s'il s'agissait d'une petite boulette de terre glaise à laquelle il cherchait à donner forme, et il le sentit se durcir progressivement. Au bout d'un moment, le mamelon tout entier était rouge et gonflé.

Jusque-là Victoria était restée assise un peu à l'écart, les bras le long du corps, les yeux fermés, oscillant légèrement de droite à gauche, avec des petits gémissements étouffés. Soudain elle ouvrit les yeux et, avec un sourire en coin, elle fit allonger son compagnon sur le banc, avec des gestes de mère couchant son enfant.

« Détendez-vous, souffla-t-elle, en s'agenouillant par terre à côté de lui. Oubliez tous vos soucis. Allons, fermez les yeux. Voilà ! »

Billy sentit s'envoler la serviette trempée de sueur et entendit un soupir d'admiration. Des lèvres humides et douces se refermèrent sur l'extrémité de son membre, tandis qu'une main légère venait envelopper ses testicules.

« Avant d'aller plus loin, dit-il, son sens de l'humour triomphant de son désir, vous feriez peut-être mieux de me demander à qui j'ai donné le rôle. »

Aussitôt, les lèvres lâchèrent prise. Il ouvrit les yeux et aperçut Victoria, debout, aussi loin de lui que le permettait l'exiguïté des lieux, fixant sur lui un regard où la colère le disputait au chagrin.

150

« Alors, vous croyez que c'est uniquement pour ça ? jeta-t-elle. Vous me prenez pour une de ces starlettes idiotes, à gros tétons, qui couchent avec le producteur pour avoir un rôle ?

— Jamais je ne dirais que vous êtes idiote ! » protesta Billy.

Victoria saisit la serviette qui était restée sur le banc, se drapa dedans et sortit d'un pas de reine outragée, en claquant la porte derrière elle — tentative frustrée par le système pneumatique dont celle-ci était équipée.

Billy attrapa au vol sa propre serviette et suivit la jeune femme dans la chambre à coucher en s'écriant : « Mais non, voyons, attendez une seconde. »

Elle se retourna pour lui cracher sa réponse au visage : « Si c'est là tout ce que vous pensez de moi, je n'en veux pas, de votre saleté de rôle ! Vous croyez vraiment que je cours derrière ? Je suis une actrice professionnelle, vous savez, et une rudement bonne actrice, par-dessus le marché ! Et je possède une bonne dose d'intégrité et d'amour-propre — en dépit des malotrus de votre espèce ! »

Sa voix chevrotait, ses yeux étaient embués de larmes, on aurait dit une petite fille surprise à mentir, étrangement touchante. La vague colère qu'avait éprouvée Billy se dissipa instantanément.

« Allons, calmez-vous, dit-il. Avant de vous emporter comme ça, laissez-moi vous dire une bonne chose. Je vous avoue franchement que je vous ai trouvée excellente cet après-midi. Et Saltzberger aussi. Quant à Harris, il est déjà fou de vous.

— C'est vrai ?

— Nous avons tous été très impressionnés.

— Alors, c'est moi qui ai le rôle ?

— C'est vous qui avez le rôle — de Lydia, la maîtresse. C'est un rôle formidable, bourré de possibilités et beaucoup plus profond qu'il n'y paraît. C'est même le genre de rôle qui pourrait vous valoir un Oscar pour le *meilleur second rôle féminin*.

— Mais je n'en veux pas de Lydia, je veux Jacqueline.

— Ça ne vous irait absolument pas. D'abord, vous êtes trop grande...

— On pourrait percher mon partenaire sur une caisse, comme Alan Ladd dans le temps.

— Et puis, vous êtes trop belle...

— Ce n'est pas obligé, je peux m'enlaidir...

— Et de toute façon, Rebecca Weiss est si merveilleuse que nous n'avons pas envisagé un seul instant de prendre quelqu'un d'autre.

— Laissez-moi faire un nouveau bout d'essai ! » Elle se rapprocha pour le supplier, elle le touchait presque. « Je peux faire encore mieux, je vous le jure !

— Non, Victoria ! Ma décision est prise et il n'y a plus à revenir dessus. C'est Rebecca Weiss qui jouera Jacqueline. Et nous serions tous enchantés si vous acceptiez le rôle de Lydia. »

Elle secoua la tête, les yeux obstinément baissés.

« Je vais vous raconter une petite histoire qui concerne ma famille, déclara-t-il en s'asseyant sur le lit et en lui faisant signe de s'asseoir à côté de lui. J'ai quatre sœurs, deux plus âgées que moi et deux plus jeunes. La plus jeune de toutes s'appelle Ruth et, comme c'est la benjamine de la famille, elle a toujours été un peu la chouchoute de mes parents. Amy, qui a deux ans de plus que Ruthie, ne pouvait pas supporter de la voir toujours faire l'intéressante et elle essayait par tous les moyens de lui causer des ennuis : quand Ruthie a commencé à avoir des petits flirts, Amy a tout fait pour les lui faucher ; quand Ruthie faisait des bêtises, Amy s'arrangeait pour que maman le sache, et ainsi de suite. Et puis un jour, Ruthie avait seize ans, on s'est aperçu qu'elle était tuberculeuse.

— Oh, je suis désolée ! s'exclama Victoria.

— Ne le soyez pas. Elle s'en est remise et aujourd'hui elle habite Palm Springs, elle possède un portefeuille d'actions en Bourse tout ce qu'il y a de dodu et douze petits-enfants qui l'adorent. Mais quand elle est tombée malade, l'Amérique était en plein milieu de la grande dépression et mes parents n'avaient pas un sou vaillant. Il me semble que c'était hier ! Bon, toujours est-il qu'un soir, en rentrant très tard du travail — j'étais marchand d'habits ambulant...

— Vous avez fait ça ? s'écria Victoria incrédule.

— Oh, j'ai même fait bien pire, assura-t-il en riant. Donc, en rentrant, un soir très tard, à la maison, j'ai trouvé Amy, assise toute seule dans la cuisine, dans le noir, en train de pleurer comme une madeleine. Je lui ai demandé ce qui n'allait pas et elle m'a répondu : *Moi aussi, je veux être tuberculeuse.* Eh bien, je crois que pour vous, c'est un peu la même chose. Rebecca c'est votre petite sœur trop gâtée et vous aussi, vous voulez être tuberculeuse. »

Elle sourit à Billy et lui prit la main : « Vous êtes très gentil. Pardonnez-moi de m'être conduite comme une chipie, mais il y a des moments où je finis par perdre les pédales. C'est si dur d'être actrice et de se voir constamment rejetée, sans rien pouvoir tenter pour se défendre. Billy, laissez-moi vous demander une dernière chose et puis je vous promets qu'on n'en parlera plus.

— D'accord.

— Si Rebecca refuse le rôle — ou s'il lui arrive quelque chose, accepterez-vous de repenser à moi pour Jacqueline ? »

Billy soupira, mais sans cesser de sourire.

« J'ai peur que vous l'assassiniez, si je réponds oui. »

Victoria se mit à rire : « Oh, voyons, je ne suis quand même pas odieuse à ce point, si ?

— Bon, d'accord. Si elle n'en veut pas, ou s'il lui arrive quelque chose, nous y repenserons. Je dis bien, *nous y repenserons.* Je ne vous promets rien, c'est entendu ?

— Vous êtes très gentil », répéta-t-elle en posant ses lèvres sur celles de Billy. Les serviettes tombèrent et presque aussitôt ils roulèrent sur le lit, étroitement enlacés. Victoria, excitée au-delà de tout à l'idée qu'elle finirait peut-être par souffler le rôle à Rebecca, supplia Billy de la pénétrer ; comme rien ne venait, elle avança une main investigatrice et s'aperçut que son pénis, épuisé par les péripéties du sauna, un peu plus tôt, ne parvenait pas à rester suffisamment rigide, malgré tous les efforts qu'elle déploya en s'aidant des lèvres et des doigts. Gentleman jusqu'au bout des ongles, Billy la fit allonger sur le dos et s'efforça de la mener à l'orgasme en mordillant le bouton de rose entre ses jambes. Elle lui demanda d'introduire un doigt, ce qu'il fit ; puis un autre, et il eut bientôt enfoncé la main entière, sans parvenir à la satisfaire.

Elle murmura un nom d'homme et Billy crut d'abord que, dans le feu de la passion, elle le confondait avec un autre amant : puis il comprit à qui elle faisait allusion, le plus gros ponte d'Hollywood, un tout petit bonhomme, froid au toucher, avec un visage presque informe et une peau qui luisait d'un éclat doré. Il courut jusqu'au living, attrapa l'Oscar posé sur la cheminée (justement celui du Meilleur Film de 1946, pour *Barracuda*) et regagna la chambre au plus vite pour le glisser la tête la première entre les lèvres humides de ce sexe inassouvi. Eperonné par les supplications hystériques de sa partenaire, il l'enfonça de plus en plus profondément, malgré sa crainte de lui faire mal. La statuette était enfouie presque jusqu'au socle lorsque Victoria se mit enfin à jouir, hurlant et frissonnant de plaisir, avant de mollir subitement comme une chiffe, épuisée, comblée, moulue.

5

A quoi me servirait-il de t'avoir pour esclave ? gronda la Bête. Je consens à te laisser partir à une condition, c'est que la plus jolie de tes trois filles, celle qu'on nomme Belle, vienne subir ton châtiment à ta place. Si elle refuse, c'est toi qui reviendras ici dans trois mois pour périr. Il est inutile de tenter de me tromper, car mon pouvoir est tel que je te retrouverai où que tu te caches, même dans les contrées les plus éloignées, et je saurai te ramener dans mon palais.

Le marchand n'avait nulle intention de sacrifier sa fille préférée au vilain monstre, mais il songea que puisqu'il devait périr, quoi qu'il advînt, il ferait aussi bien de profiter du répit qui lui était offert pour avoir le bonheur de la revoir une dernière fois.

La Bête lui annonça alors qu'il pouvait partir et le marchand alla chercher son cheval à l'écurie, quittant cet endroit miraculeux le cœur aussi lourd de tristesse qu'il avait été gonflé de joie à son arrivée. De lui-même, le cheval prit un sentier à travers bois et, au bout de quelques heures, le marchand s'arrêtait devant chez lui. Ses filles s'empressèrent de descendre à sa rencontre, mais au lieu de leur rendre joyeusement les témoignages de tendresse dont elles l'accablaient, il les regarda tristement, en tenant à la main la rose pleine d'épines qu'il avait cueillie dans le jardin de la Bête, et il éclata en sanglots. Tiens, Belle, dit-il à sa plus jeune fille, prends cette rose, mais empresse-toi d'oublier qu'elle va coûter la vie à ton malheureux père. Il leur narra alors sa fatale mésaventure. A ces mots, les deux sœurs aînées se répandirent en cris lamentables et abreuvèrent d'injures leur sœur cadette, lui imputant le triste sort promis à leur père. Mais la Belle, pour sa part, ne versa point de larmes.

Regardez-la, s'écrièrent ses sœurs, voyez, elle n'a pas un pleur à verser, alors que c'est elle qui est cause du trépas de notre père ! Il n'y a pas lieu de pleurer, répondit tranquillement la Belle, car notre père ne mourra pas. J'irai plutôt me livrer à la cruauté de ce monstre, sereine à l'idée que ma mort donne la vie à mon père et lui prouve mon amour.

Quoique charmé par la tendresse et la générosité de ton offre, ma chère Belle, dit le brave homme, je ne puis l'accepter ; je suis déjà vieux et n'ai plus que quelques années à vivre. Si je déplore mon trépas, c'est uniquement à cause de vous, mes chères enfants.

Belle sourit sans répondre, mais cette nuit-là, pendant que sa famille dormait à poings fermés, elle partit pour la forêt enchantée d'où son père était revenu le jour même, prête à affronter le sort qui lui était réservé, si terrible fût-il.

Pour Leslie, les périodes de veille alternaient avec les périodes de sommeil, dans une obscurité toujours aussi absolue, aussi permanente. Il ne portait jamais de montre, car cela l'angoissait de savoir l'heure et il était généralement bien assez angoissé comme ça ; mais à présent, il aurait donné n'importe quoi pour avoir à sa disposition la réconfortante clarté d'un cadran lumineux, tant pour rompre ces implacables ténèbres que pour savoir l'heure.

Pour autant qu'il pût en juger, cela devait faire deux jours qu'il était prisonnier dans cette cave, peut-être même trois. Trois jours sans rien manger, sans rien boire, sans parler à quiconque, sans même apercevoir figure humaine, trois jours sans le moindre soutien moral, sinon l'idée qu'il était sans doute en train de perdre du poids. Jamais il n'aurait cru qu'il possédait une telle faculté de souffrir, et pourtant il se sentait prêt à endurer bien davantage encore. Oui, il était prêt à accepter la mort plutôt que de livrer Rebecca à ce monstre, à ce dément.

Des pas.

Un bruit de clef dans la serrure.

Terrifié, il sentit les battements de son cœur s'accélérer, et il s'arma de tout son courage pour ce nouvel affrontement avec Beeze, mais, à sa grande surprise, ce fut une autre voix qui lui parla dans l'obscurité.

« Leslie ? N'aie pas peur, c'est moi, David.

— Comment es-tu entré ici ? » balbutia Leslie en se mettant péniblement debout. La moindre pression sur son bras blessé lui donnait envie de hurler.

« C'est moi qui suis sommelier, ici, alors j'ai forcément la charge des clefs de la cave. »

Il leva un doigt d'où pendait la clef en question, au bout d'une chaîne ; Leslie entrevit son éclat doré à la faible lueur qui provenait du dehors.

« Quel jour sommes-nous ? Ça fait longtemps que je suis enfermé là-dedans ?

— Dix ou douze heures. Il est deux heures du matin, le mercredi 28 novembre.

— C'est tout ? » Leslie semblait déçu. « Ça alors, c'est vraiment bizarre. J'étais certain...

— Ecoute, interrompit David, nous n'avons pas le temps de parler. Beeze dort — ce qui ne lui arrive presque jamais — mais d'ici une heure, deux tout au plus, il sera réveillé. Et à ce moment-là, il vaudra mieux que tu sois à des kilomètres d'ici. Tu peux marcher ?

— Je ne peux pas faire trente kilomètres, ça non !

— Mais non, deux cents mètres seulement.

— Ah, oui, évidemment.

— Alors suis-moi. »

Il y eut un déclic dans la main de David et le pinceau lumineux d'une lampe de poche leur éclaira le chemin. Leslie suivit son guide hors du cellier, à travers tout un dédale de caves que la lampe parait d'un éclat jaunâtre irréel, projetant sur les murs leurs propres ombres démesurées, qui semblaient les pourchasser de cave en cave, comme deux esprits émanant de Beeze et de son factotum, vigilants malgré leur sommeil.

« Ce Beeze est fou à lier », chuchota Leslie d'un ton venimeux, et son chuchotis se répercuta sur les murs, chassant de leur refuge au milieu des poutres une centaine de chauves-souris.

« Il n'est pas comme nous, répondit David avec circonspection, mais il n'est pas dingue. Il appartient à une autre variété, si tu veux, un peu comme le loup est différent du chien. Henri le connaît depuis des années, et il dit qu'il a toujours été comme ça, même avant son accident.

— Où est-ce qu'on va ?

— Il y a une jeep dans une de ces caves. Beeze la garde en secours au cas où il arriverait quelque chose à l'hélicoptère. Tiens, encore un exemple de sa singularité. N'importe qui d'autre aurait fait construire un garage rattaché à la maison, mais Beeze, lui, ne voulait pas nuire à la symétrie de l'édifice, alors il a fait venir une équipe de terrassiers — les yeux bandés — pour creuser encore une autre cave sous la maison, avec une rampe permettant de remonter à la surface et une porte dérobée ; on se croirait dans un film de James Bond. C'est une chance pour nous, remarque, car s'il avait fallu remonter dans la maison, je ne crois pas que nous nous en serions tirés. Beeze a l'oreille aussi fine qu'un chat. »

Ils atteignirent un embranchement, avec un tunnel partant de chaque côté, et David hésita, indécis.

« Merde, je ne sais plus lequel c'est. Je crois que c'est celui de droite. »

Au moment où Leslie était en train de se dire que son ami avait fait le mauvais choix et qu'ils étaient perdus sans recours, condamnés à errer à l'aveuglette, pour être finalement retrouvés par Beeze qui aurait tout loisir de se moquer d'eux avant de les torturer et de les mettre à mort, le tunnel déboucha dans une nouvelle cave et le faisceau lumineux de la lampe leur révéla une jeep et une camion-

158

nette, en plus d'une cuve à essence de deux mille litres et de divers crics, pompes à air, distributeurs d'allumage et tout l'équipement courant d'un garage.

« Tu sais conduire ces engins ? demanda David en aidant Leslie à grimper dans la jeep.

— A Los Angeles, tous les gars ont des jeeps ou des Land-rovers.

— Vraiment ? demanda David intéressé.

— Oui, c'est le nouveau style macho-homo, c'est le grand chic, tu vois le genre : cheveux en brosse, chemise à épaulettes et camionnette découverte.

— C'est vrai ? » David soupira. « Ce que j'aimerais voir ça !

— Mais tu viens avec moi, non ?

— Non.

— Comment ça, non ? Mais tu ne peux pas rester ici. Quand Beeze s'apercevra que tu m'as aidé à fuir, il te tuera.

— Mais non, pas du tout. Pour lui, nous sommes de véritables jouets. Il nous punira tout aussi bien de façon terrible pour des fautes vénielles, mais en revanche il nous pardonnera de lui avoir complètement désobéi. Le seul crime vraiment impardonnable, c'est de parler de Beeze en dehors de cette maison.

— J'aimerais mieux que tu viennes avec moi, dit Leslie en posant la main sur son épaule. Je pourrais t'aider à trouver du travail à Los Angeles. Je te dois la vie, tu sais.

— Tu me la devras, à condition de partir d'ici immédiatement.

— Pourquoi ne veux-tu pas venir ? insista Leslie. Je ne partirai pas d'ici tant que tu ne m'auras pas dit pourquoi.

— A cause d'Henri. Je ne peux pas l'abandonner ici. Nous avons vécu trop de choses ensemble.

— Dès mon retour à Los Angeles, je me mets en rapport avec la police. Je ne serai pas tranquille tant que je ne vous saurai pas en sécurité, Henri et toi.

— C'est inutile, déclara David. Personne ne peut rien contre Beeze. Tu verras.

159

— N'en sois pas si sûr. Je ne suis peut-être pas aussi riche que lui, mais j'ai quelques amis assez puissants. »

David ne releva même pas cette vantardise.

« Il vaut mieux que tu files, tu n'as vraiment pas beaucoup de temps. Tu verras une étoile très brillante à l'horizon. C'est Vénus. Si tu te diriges droit sur elle, tu finiras par tomber sur un col dans les montagnes, une simple piste en terre battue qu'empruntaient les prospecteurs. Du haut du col, tu apercevras les lumières de la 127. Cache la jeep au pied des montagnes et fais de l'auto-stop, sinon Samson risque de te repérer quand il te poursuivra en hélicoptère. Je suis sûr que tu n'auras aucun mal à trouver un camionneur pour te ramasser.

— Je ne me sentirai pas en sécurité tant que je ne serai pas chez moi, à Los Angeles », assura Leslie. Il remarqua soudain une expression bizarre sur le visage de son compagnon. « Qu'est-ce qu'il y a ?

— Je crois qu'il vaut mieux que je te mette au courant, pour que tu sois prêt à tout, quoi qu'il arrive. Ecoute, quand je suis arrivé ici, Beeze employait un jardinier, un certain Simon Hall. Ils ne s'entendaient pas du tout, tous les deux, et, au fil des semaines, leurs rapports n'ont pas cessé de se détériorer. Finalement, après une algarade particulièrement virulente, à propos de Dieu sait quelle broutille, Simon a fourré de quoi boire et manger dans un sac à dos et il est parti en claquant la porte, jurant ses grands dieux que Beeze ne l'emporterait pas au paradis et qu'il le dénoncerait aux journaux et à la radio. Beeze n'a rien fait pour le retenir, il l'a regardé disparaître sans s'émouvoir, comme si c'était le genre de scène qui arrivait tous les jours. A l'époque, j'avais un transistor que je gardais caché dans ma valise (il a disparu depuis, Beeze est devenu beaucoup plus strict sur le chapitre des contacts avec le monde extérieur). Quelques jours plus tard, j'étais en train d'écouter une des stations de Las Vegas — c'est tout ce qu'on arrive à capter par ici — et le gars des informations a annoncé qu'on avait découvert dans une chambre d'hôtel un homme encore

160

conscient mais presque vidé de son sang, car on lui avait arraché la langue. Il s'appelait Simon Hall.

— Bon Dieu ! murmura Leslie.

— Tu seras peut-être parfaitement en sécurité à Los Angeles, mais tu as quand même intérêt à te rappeler que toutes les grandes villes possèdent une pègre où les tueurs à gages ne manquent pas. Beeze a des agents dans le monde entier, des fonds illimités et un sens moral aussi différent du nôtre que peut l'être celui d'un martien. Et maintenant, pars, je t'en prie ! Nous avons perdu beaucoup trop de temps à parler.

— Merci, dit simplement Leslie, en se penchant hors de l'habitacle pour prendre le visage de David dans ses mains et l'embrasser. Nous nous reverrons. »

Le jeune homme ne répondit pas. Il se dirigea vers une boîte grise fixée au mur, l'ouvrit et poussa sur un bouton. L'obscurité fut brusquement fendue par une longue fissure qui s'élargit progressivement, pour révéler un paysage constellé de buissons de sauge et un ciel étoilé. A l'horizon, Vénus brillait comme une lampe.

Sans allumer les phares — après toutes ces heures passées dans l'obscurité totale, sa vue lui paraissait extraordinairement acérée — Leslie mit le contact. Le moteur toussa, puis se mit à tourner. Il mit la manette qui commandait les quatre roues motrices en position basse, en prévision du terrain accidenté qui l'attendait, et, avec un dernier signe à David, il s'engagea sur la rampe qui menait au monde extérieur.

Des coups frappés à la porte de l'appartement réveillèrent Tommy Troy, le tirant d'un rêve merveilleux : il était redevenu patineur et glissait le long d'une interminable surface lisse comme un miroir, qui semblait suspendue entre ciel et terre, improvisant un superbe solo au son du cinquième concerto brandebourgeois. Ses jetés étaient absolument impeccables, ses pirouettes dignes d'un derviche tourneur et, chaque fois qu'il sautait, la terre s'éloignait et rapetis-

161

sait de façon spectaculaire. Brusquement, la musique fut interrompue par un roulement de tonnerre, il se mit à pleuvoir, la glace fondit, engluant ses lames et le faisant tomber. Il ouvrit les yeux pour s'apercevoir que le tonnerre était en fait quelqu'un qui frappait comme un sourd à sa porte. Il bondit hors du lit de Leslie, enfila son peignoir et dévala l'escalier intérieur en criant : « Voilà, voilà, j'arrive ! Laissez-moi le temps, bon Dieu ! »

En traversant le living, il remarqua que la pendule posée sur la cheminée indiquait dix heures et sa colère tomba quelque peu. Il avait eu tant de mal à ouvrir les yeux et se sentait si vaseux qu'il avait cru qu'il était plus près de six ou sept heures. C'était sa faute, d'ailleurs, il n'avait qu'à pas se coucher si tard. Il avait passé la majeure partie de la nuit dehors à exercer son métier secret, celui dont il n'osait même pas parler à Leslie, convaincu que son ami ne comprendrait pas. Lorsque Leslie était là, Tommy ne pratiquait le « métier » en question que le jeudi soir où il était censé suivre des cours d'art dramatique. Mais à présent que Leslie avait disparu, il travaillait tous les soirs, dans l'espoir qu'au retour de son compagnon — et Tommy était sûr qu'il reviendrait, car l'idée de le perdre était insupportable —, il en aurait sa claque et serait prêt à prendre une retraite anticipée et à concentrer toute son attention sur le métier d'acteur, une profession que Leslie approuvait de tout cœur.

En regardant par le judas, il aperçut un hideux vieillard — rendu plus hideux encore par la perspective déformante — le cheveux peigné, mais atrocement huileux, les joues mangées par une épaisse barbe grise naissante, une pommette fendue par le genre de blessure qu'on récolte au cours d'une querelle de bistrot. Son costume, un coquet modèle de l'Armée du Salut, était agrémenté de taches de gras et de croûtes de vomis séché.

« Allez-vous-en, cria Tommy. Je n'ai pas d'argent.

— C'est vous, Billy Boy ? hurla le vieillard.

— Allez-vous en ou j'appelle la police.

— J'ai un petit mot pour Billy Boy », expliqua le visiteur

et Tommy se demanda brusquement s'il n'était pas en train de dire « Billy Troy », au lieu de « Tommy Troy », car il était évident que l'alcool avait considérablement altéré ses facultés mentales et son élocution.

Il finit par mettre la chaîne de sécurité et entrebâiller la porte.

« Quel genre de petit mot ? »

Le vieillard sortit un morceau de papier de sa poche et le déplia pour scruter la signature en louchant.

« C'est signé Les-ter... » ânonna-t-il.

Tommy eut un rapide aperçu de l'écriture, des pattes de mouche indéchiffrables qui ne pouvaient avoir été tracées que par Leslie. Il voulut s'emparer du billet, le cœur battant à tout rompre, mais le clochard le mit hors de portée, avec un sourire rusé.

« Je suis un pauvre vieux bonhomme, vous savez. Dans le temps, j'étais cascadeur chez Republic, mais j'ai eu des ennuis de dos. Je doublais Bill Elliott, et puis Sunset Carson, et puis Rocky Lane ; j'ai même doublé le Duke une fois. Vous n'avez pas vu *Les cavaliers de la nuit* ? C'était moi qui tombais du haut d'une falaise de vingt-cinq mètres. C'est même là que mes ennuis de dos ont commencé. Ça me fait un mal de chien, vous savez, alors je suis obligé de prendre du bourbon. Vous m'avez l'air d'un brave garçon, qui viendra volontiers en aide à un pauvre vieux bonhomme, en lui refilant un ou deux dollars pour s'acheter une bouteille de Jim Beam. Je ne voudrais pas vous embêter avec mes problèmes, mais j'ai une fille qui est mariée à...

— Ça va, ça va. »

Tommy referma la porte, remonta en courant jusqu'à la chambre, prit son portefeuille dans sa poche-revolver, redescendit quatre à quatre et glissa un billet de dix dollars par l'entrebâillement de la porte.

« Ah, c'est gentil, ça ! » dit le vieux en fourrant l'argent dans sa chaussette (Tommy entrevit une bande de peau violacée, tendue sur l'os comme un parchemin), mais au lieu de lui donner le papier il continua : « Et puis, tenez, si j'avais encore dix autres dollars, je pourrais m'acheter un billet pour Long Beach. Je connais une fille là-bas qui veut bien me polir le chinois pour dix dollars. Il n'y a que ça pour calmer mes douleurs, vous savez, une bouteille de Beam et une fille pour me polir le chinois. Et, tenez-vous bien, le chinois, je ne me le suis pas fait polir... »

Brusquement, Tommy craqua ; il ouvrit la porte à la volée, arracha le billet des mains du vieux et le déplia. Ses mains tremblaient tellement qu'il n'arrivait pas à lire.

Tommy,

Je me cache dans la vieille maison de Laurel Canyon. Il y a quelqu'un qui veut ma peau, je t'expliquerai tout quand je te verrai. Viens me retrouver à deux heures du matin et amène Rebecca Weiss avec toi. Assure-toi bien que tu n'es pas suivi et ne dis à personne où je suis, ni même que tu me sais en vie. Apporte à manger, je t'embrasse,

Leslie.

Le vieux clochard lui sourit : « Alors, ça vaut bien une bouteille de Beam, non ? »

Au milieu de la nuit, Tommy, avec Rebecca à ses côtés, gagna subrepticement la maison de Laurel Canyon. C'était une vieille bâtisse en bois, à deux étages, datant des années trente, avec une véranda, des décorations tarabiscotées, un toit à pignons. Au départ, elle avait dû être fort charmante ; à présent, après des années d'abandon, elle ressemblait plutôt à une maison hantée dans un film, avec sa véranda défoncée, ses volets pendant dans tous les sens, ses fenêtres cassées par des gamins et sa peinture pelée comme une peau de lépreux. C'était un des lieux où les homosexuels se retrouvaient pour célébrer un rite qui n'appartient qu'à eux, celui des brusques flambées d'accouplements anonymes. C'était, comme ils disaient dans leur jargon, un étal de viande ; il était peu connu, nettement moins couru que la grotte sous la jetée de Santa Monica, ou les vallées de

Greenstone Park, ou les petites allées de Bierce Place, mais ça n'en était pas moins un étal de viande. Certaines nuits, les hommes y défilaient, en un véritable ballet d'ombres indistinctes, se trouvant à tâtons, connaissant un bref instant d'extase et continuant leur chemin sans même échanger une parole.

La vieille maison était un des premiers endroits qu'avait connus Tommy à Los Angeles, après avoir fui la troupe des Folies sur Glace. Fui était le mot qu'il aimait employer, parce qu'il le faisait penser à son idole, Barychnikov, fuyant la troupe du Kirov pour passer à l'Ouest. Tommy avait commencé la danse classique à l'âge de huit ans (sa mère, professeur de danse à Omaha, avait jadis failli danser avec le New York City Center), mais un accident de voiture consécutif à la bacchanale effrénée qui avait marqué son succès au baccalauréat avait entraîné une raideur irréversible de la hanche gauche. Sachant qu'il ne pouvait plus désormais devenir un grand danseur, il s'était rabattu sur ses secondes amours, le patinage artistique, où le niveau chorégraphique était nettement moins relevé. A l'occasion d'une visite à New York, il avait réussi à se faire engager dans la troupe des Folies sur Glace. Après deux années de tournée et une liaison particulièrement néfaste avec un autre danseur, il avait donc déserté. Lorsque la troupe était arrivée à Los Angeles, une ville dont il avait toujours rêvé, il avait discrètement rendu ses costumes et disparu dans les rues.

Il ne savait ni où aller ni quoi faire et, pour la première fois de sa vie, il se sentait si libre de toute espèce de responsabilité qu'il esquissa un petit pas seul sur le trottoir. Une voiture vint se ranger à sa hauteur, conduite par un homme d'un certain âge, avec une pipe et des rouflaquettes grisonnantes, qui lui proposa de l'emmener faire un tour.

N'y va pas, lui enjoignit une conscience qui s'exprimait avec un fort accent du Nebraska, *tu sais ce qui arrive aux garçons qui montent en voiture avec des inconnus. On te retrouvera dans un fossé, atrocement mutilé.*

165

« Va te faire voir ! murmura Tommy. Moi, j'ai envie qu'il me ramène chez lui.

— Comment ? demanda l'automobiliste.

— Rien. J'essayais juste de me débarrasser de quelqu'un que je croyais avoir laissé à Omaha. »

L'homme regarda tout autour d'eux : « Je ne vois personne.

— Je crois qu'il a fini par déguerpir, déclara Tommy en grimpant dans la voiture.

— Comment t'appelles-tu ? » questionna le conducteur en démarrant.

Tommy hésita. Maintenant qu'il était déserteur, il lui fallait une nouvelle identité pour aller à sa nouvelle vie.

« Tommy », répondit-il en pensant à Tom Sawyer qui avait été un des héros préférés de son enfance (Tom et Huck n'était pas uniquement de bons copains, si ?), symbole de toutes les aventures de jeunesse que lui-même ne connaîtrait jamais, accaparé comme il l'était par la danse classique. Et « Troy », en hommage à Troy Donahue, dont il était tombé éperdument amoureux après avoir vu un de ses films.

Ce pseudonyme, manifestement improvisé, arracha un sourire au conducteur : « Tu vas peut-être trouver ma requête étrange, dit-il, mais je voudrais te regarder faire l'amour avec d'autres hommes. Beaucoup d'autres hommes. »

C'est un détraqué, clama la voix du Nebraska, qui ressemblait étrangement à celle du père de Tommy. *Il va te faire avoir des ennuis avec la police. Ta famille en aura vent et tu deviendras le scandale de ton quartier.*

« D'accord, répondit Tommy. Je suis partant.

— Dans ce cas, on va aller à la vieille maison de Laurel Canyon. Elle n'est pas encore trop connue et ce sont les plus jolis garçons qui la fréquentent. Tu y seras comme un poisson dans l'eau. »

Ce fut ainsi que le jeune danseur fit connaissance avec les milieux homosexuels de Los Angeles. Pendant que l'automobiliste restait dehors pour regarder, Tommy franchit courageusement le seuil. Il crut d'abord que l'endroit était vide, puis son regard s'accoutuma à l'obscurité, des ombres se dessinèrent dans les coins et les encadrements de portes, des hommes qui s'embrassaient et se caressaient, s'amenant mutuellement à la jouissance par tous les moyens dont ils disposaient ; il eut l'impression de voir soudain s'animer une frise grecque. Il pilota l'un des participants jusqu'à la fenêtre pour permettre à son compagnon de profiter au mieux du spectacle. Cela ne fit qu'ajouter à l'excitation générale et bientôt ils étaient une bonne douzaine à s'accoupler devant la fenêtre, s'exhibant à l'intention du voyeur qui les observait de l'autre côté de la vitre en se masturbant. Ultérieurement, l'automobiliste raccompagna Tommy là où il l'avait ramassé et, en se penchant pour l'embrasser, il lui glissa la main dans la braguette. Tommy sentit un papier contre son sexe. Il regarda, c'était un billet de cinquante dollars.

« Hé, dites donc... » commença-t-il, mais l'automobiliste se contenta de sourire et s'éloigna.

Le lendemain, Tommy pensa sans répit à tout cet argent, à la fois honteux et troublé d'en tirer un tel plaisir. Force lui était de conclure que lui, qui depuis sa tendre enfance n'avait cessé de faire des complexes d'infériorité, lui qui était un danseur de troisième zone et un patineur artistique des plus moyens, paraissait être en revanche un giton de première classe, presque à son corps défendant. Il s'était lancé, sans y croire, sur un marché extrêmement concurrentiel et s'était aussitôt vendu à très bon prix. Cette expérience le rendit euphorique. La nuit venue, il ne songeait plus qu'à recommencer. Il trouva le tronçon du Santa Monica Boulevard vers lequel l'avait aiguillé un homme rencontré dans un bar, mais qu'il aurait pu trouver tout seul, lui semblait-il, poussé par un radar intérieur, tant étaient grandes les affinités qui le rattachaient à cet endroit. Il s'y joignit à une armée de jeunes gens exactement comme lui, et en moins d'une heure ce qu'il n'avait fait que soupçonner était confirmé : il était effectivement un cas à part. Etait-ce l'effet de sa formation de danseur ou de sa beauté,

167

ou tout simplement de son évident manque de cupidité, il n'en savait rien, mais dès l'aube la nouvelle avait fait son chemin et les clients le recherchaient tout spécialement et lui offraient plus d'argent qu'aux autres. C'était une sensation sublime, encore plus délicieuse que les applaudissements qui saluaient la conclusion du troisième acte, parce qu'elle lui était exclusivement réservée. Il était enfin promu vedette. Ce qui ne l'empêchait nullement de comprendre que ce que ces hommes achetaient ainsi, c'était sa jeunesse ; le jour viendrait où il se tiendrait à ce même coin de rue, torse nu pour faire valoir sa fine musculature, et où les voitures passeraient sans même ralentir. Hé oui, c'était un voluptueux esclavage, mais il faudrait savoir briser ses chaînes avant qu'elles ne l'aient brisé, lui.

Il se gara sur la route, à une centaine de mètres de la vieille maison, et resta assis dans le véhicule avec Rebecca, pour s'assurer qu'on ne les avait pas suivis. Il lui semblait que Leslie sombrait quelque peu dans le délire de la persécution — qui diable aurait pu vouloir lui faire du mal ? —, mais il était fermement décidé à prendre les instructions du billet au pied de la lettre. Voyant qu'aucune voiture ne se présentait, il sortit, en jonglant avec le sac de provisions qu'il avait apporté, et courut ouvrir l'autre portière à Rebecca ; ensemble, ils gagnèrent le terre-plein envahi par les mauvaises herbes, en s'emmitouflant dans leurs lainages pour lutter contre la fraîcheur des nuits californiennes. C'était la première fois qu'ils se rencontraient, mais Leslie avait tant parlé à chacun de l'autre qu'ils avaient l'impression d'être amis d'enfance. Toute la soirée, ils avaient bavardé comme des pies, au sujet de leur ami commun, bien sûr, se demandant qui le persécutait et pourquoi, mais à présent, soudain à court de mots, ils restaient aussi muets qu'un couple qui se rencontre pour la première fois par le truchement d'une petite annonce. Il y eut très loin une pétarade de motocyclettes, un chien aboya furieusement, puis il n'y eut plus que le bruit de leurs pas sur le gravier. Lorsqu'ils atteignirent leur but, Tommy ouvrit en force la vieille grille en bois qui émit un cri aigu d'animal martyrisé.

« Brrr, ça fait peur ! » chuchota Rebecca et Tommy éclata de rire, se libérant un peu de la tension qui l'habitait. Il se demanda ce qu'étaient devenus les enfants qui avaient joué jadis avec la petite voiture abandonnée à la rouille, dans les hautes herbes brunes.

Les marches de la véranda étaient toutes de guingois et ce qui restait du plancher ployait dangereusement sous leur poids. A l'intérieur, de véritables voiles de toiles d'araignée leur collèrent au visage, refusant de se laisser écarter. Les pièces étaient absolument vides, sans l'ombre d'un meuble, d'un rideau ou d'un tableau, mais les murs étaient abondamment décorés de graffiti peints à la bombe et le sol était parsemé de bouteilles de bières vides, de magazines pornographiques, de papiers gras et de toutes sortes d'autres détritus. On avait disposé des pierres en cercle, dans l'âtre, pour y faire un peu de cuisine, et le plancher était brûlé à plusieurs endroits, là où les flammes avaient jailli. Ça sentait l'urine et le nitrate d'amyle et aussi, curieusement, le jasmin qui fleurissait dans la cour, de l'autre côté. Tommy fut soulagé de voir qu'il n'y avait personne, d'abord à cause de Rebecca (mais cela l'aurait sans doute plus amusée qu'autre chose), et puis parce qu'il aurait été jaloux. Il ne savait pas, cependant, s'il fallait attribuer cette absence d'activité à une désaffection des habitués ou à l'heure tardive, voire à une récente descente de police.

« Leslie ? » chuchota prudemment Rebecca.

Il y eut un bruit dans la pièce. Aussitôt, Tommy se plaça devant elle d'un air protecteur, et s'avança vers la porte en demandant : « Qui est là ?

— C'est moi et mon vieil ami, M. Beam. On est en train de faire la fête et tout le monde est cordialement invité. »

Le vieux clochard qui avait apporté le billet à Tommy le matin même se présenta sur le seuil en chancelant, une bouteille de bourbon à la main, découvrant un grotesque croissant de dents jaunies et mal alignées.

« N'aie pas peur, dit Tommy à sa compagne, il est inof-

169

fensif. » Puis il ajouta, à l'adresse du vagabond : « Bon, et maintenant, où est Leslie ? S'il lui est arrivé malheur, je vous jure que je vous fais la peau !

— Ce ne sera pas nécessaire », dit une voix derrière eux. Ils pivotèrent comme un seul homme, et se trouvèrent face à face avec Leslie qui les regardait en souriant. Son visage et son costume étaient noirs de poussière et son bras gauche était retenu en écharpe par une bande de tissu prélevée sur une de ses jambes de pantalon.

Ils coururent l'embrasser, mais prudemment à cause de son bras, riant tous les trois de joie et de soulagement, et ils se dirent tout ce que chacun souhaitait entendre en un pareil moment. Leslie remit un dollar au vieux bonhomme pour qu'il débarrassât le plancher, puis il entraîna ses amis jusqu'à une petite pièce, à l'arrière de la maison, qui avait dû jadis être réservée aux domestiques. Elle contenait un unique meuble, un lit en fer, sur le matelas duquel Leslie avait étalé un journal pour se prémunir contre les attaques de la vermine qui devait y pulluler.

Tommy jeta autour de lui un regard où la stupeur le disputait au dégoût : « Bon Dieu, Leslie, ça fait combien de temps que tu vis là ?

— Je suis arrivé ce matin.

— Où étais-tu ? questionna Rebecca. Qu'est-ce que c'est que ces gens qui te pourchassent ? »

Leslie sourit : « Eh bien, c'est une drôle d'histoire. Asseyez-vous et mettez-vous à l'aise, tous les deux. Je vous offrirais bien un verre, mais... » Son regard balaya la pièce et il haussa les épaules ; c'était d'autant plus drôle qu'il avait la réputation d'être un amphitryon hors de pair.

« J'ai apporté du jus d'orange, annonça Tommy en plongeant la main dans son sac, et puis des sandwiches au bœuf, des oranges, des pommes et du gâteau au fromage blanc.

— Alors, c'est que tu me pardonnes d'avoir raté le dîner du Thanksgiving ? répondit Leslie.

— En voyant que tu ne donnais pas signe de vie, j'ai bien compris qu'il t'était arrivé quelque chose de grave.

— J'espérais que tu comprendrais. Je te jure qu'à Noël,

170

nous donnerons une fête à tout casser. Verse-moi du jus d'orange. Je n'ai rien bu de la journée, sauf un peu de bourbon que m'a vendu ce vieux sagouin, à un dollar la lampée. Mais à présent, je suis trop fatigué pour marchander davantage.

— Je ne pensais pas t'entendre dire ça un jour, déclara Rebecca en souriant.

— Bah, ne t'inquiète pas. Ça me passera très vite. Il suffira que je retrouve un téléphone et un producteur à malmener.

— Encore une chance que tu n'aies pas cassé le bras qui te sert à composer les numéros de téléphone, plaisanta Tommy.

— A propos de producteur, continua Leslie, en mordant à belles dents dans un sandwich, tu as fait ton bout d'essai pour *L'autre femme*, Rebecca ? »

Elle acquiesça.

Leslie poussa un soupir : « Ouf, ça me fait un drôle de poids en moins. J'avais peur que tu n'y sois pas allée.

— Moi ? s'exclama-t-elle, feignant la stupeur. Ne pas y aller ? Qu'est-ce qui a pu te donner une idée pareille ?

— Oh, je ne sais pas, c'était une idée comme ça.

— Eh bien sache que non seulement j'y suis allée, continua-t-elle négligemment, mais que c'est moi qui ai eu le rôle.

— Je l'espère bien, répliqua Leslie comme si cela coulait de source.

— J'ai signé le projet de contrat hier, annonça-t-elle lorsqu'ils eurent fini de se congratuler.

— Sans me laisser le temps d'y jeter un coup d'œil !

— Ecoute. Je ne savais pas quand tu reviendrais — ni même si tu reviendrais. Mais Sheila l'a lu et relu des centaines de fois.

— Sheila ! grogna Leslie avec un reniflement qui en disait long.

— Quoi, Sheila ! Tu n'arrêtes pas de me rabâcher qu'elle est aussi calée que toi !

— Sheila est coriace, mais Billy Rosenblatt l'est encore

171

plus. Derrière cet extérieur bénin, style vieille-légende-hollywoodienne, est tapi un véritable Hitler.

— Tu m'as assuré que c'était un homme charmant !

— Oui, tant que rien ne cloche ! Ecoute, c'est justement à ça que ça sert, les contrats. Il ne s'agit pas de ce qui va probablement arriver, mais de tout ce qui pourrait éventuellement survenir ; il s'agit d'envisager la meilleure et la pire des situations. Si le film marche bien, sans plus, personne ne bouge. Mais qu'il rapporte cent millions de dollars, et brusquement tout le monde commence à se bombarder de procès, et à ce moment-là la définition exacte de ton pourcentage, à la troisième décimale près, du rapport brut après défalcation, te permettra de t'offrir soit un yacht de vingt mètres, soit un petit canard en plastique pour ta baignoire.

« Enfin ça ira sans doute. Sheila est une maligne. C'est simplement que la seule idée d'un contrat préparé sans moi me hérisse. »

Leslie dévora un autre sandwich, termina le bocal de jus d'orange et avala la moitié du gâteau. Puis, s'adossant confortablement au mur couvert de graffiti, il s'éclaircit la gorge et leur narra par le menu tout ce qui lui était arrivé depuis que sa Lincoln était tombée en panne en plein désert (taisant toutefois l'épisode des glaces partagées avec David).

Ils l'écoutèrent, fascinés, n'interrompant que pour compatir à tous les tourments qu'il avait endurés, pour lui assurer qu'à sa place ils en auraient fait autant ou, tout simplement, pour s'ébahir de la singularité de son aventure.

Lorsqu'il eut terminé, Rebecca laissa éclater sa colère.

« Je connais un avocat qui va te faire mettre ce dément au trou pour le restant de sa vie ! On ira le voir demain matin à la première heure...

— Désolé, mais je ne vais nulle part, coupa Leslie. C'est dégueulasse, ici, mais au moins j'y suis en sécurité.

— Mais enfin, tu ne peux pas rester ici éternellement ! protesta Tommy.

— Pourquoi pas ? Tu peux m'apporter de l'argent et Sheila me fera part de tous les coups de téléphone.

— Leslie, reprit Rebecca, soyons sérieux, veux-tu ? Il faut

172

aller voir un avocat et il faut que tu nous accompagnes pour lui raconter toi-même ton histoire et répondre à ses questions. Beeze est à des centaines de kilomètres d'ici — que veux-tu qu'il te fasse ?

— Je n'ai pas l'intention de chercher à le savoir.

— Ecoute, dit Tommy, essayant à son tour de le raisonner, s'il craint tellement toute espèce de publicité, il préférera sûrement oublier que tu es jamais allé chez lui.

— Tu ne connais pas Beeze. Il n'est pas du genre à oublier quoi que ce soit.

— Voyons, mon vieux, tu as les nerfs qui flanchent, intervint Rebecca. Le mieux à faire, c'est de rentrer chez toi et de passer une bonne nuit dans ton lit. Et demain matin, une fois que nous aurons vu l'avocat, tu iras au bureau. Tu n'as donc pas envie de reprendre le collier ?

— Et comment ! répondit Leslie, dont le visage s'éclaira aussitôt.

— Eh bien alors, allons-y ! lança-t-elle en bondissant sur ses pieds.

— Je ne bouge pas d'ici. »

Et ils eurent beau protester, il resta intraitable. Finalement, ils conclurent un marché : ils lui apporteraient à boire et à manger, lui feraient passer tous les messages concernant son travail, et subviendraient d'une façon générale à tous ses besoins pendant une semaine, et si, au bout de ce laps de temps, Beeze ne s'était pas manifesté, Leslie quitterait sa cachette.

Au moment des adieux, Leslie demanda à s'entretenir un instant en tête à tête avec Tommy. Rebecca, qui comprenait parfaitement, partit attendre dans la voiture.

« Tu m'as tellement manqué », murmura Tommy, lorsque les deux hommes se retrouvèrent seuls.

Leslie le prit dans ses bras et l'embrassa, puis il demanda : « Rien n'est changé, n'est-ce pas ?

— Rien.

— Nous formons toujours un couple ?

— Un couple de rigolos.

— Non, sérieusement.

— Aussi longtemps que tu voudras de moi, déclara Tommy, je t'appartiens.

— Si je te pose une question, tu me diras la vérité ?

Tommy se raidit, car il savait d'avance ce qui allait suivre.

« Depuis ma disparition, continua Leslie, tu as été avec d'autres hommes ?

— Mais enfin, merde, protesta Tommy, en se détournant avec humeur, quelle différence est-ce que ça fait ? Pourquoi faut-il toujours que je subisse des interrogatoires, comme si j'étais une espèce de criminel ? Tu ne peux donc pas me faire confiance ? Tu ne peux vraiment pas, je t'en prie ?

— Je te demande pardon, murmura Leslie. Ma question était idiote. Je ne t'embêterai plus, c'est juré. Tu me pardonnes ? »

Tommy soupira et hocha la tête : « Bien sûr. »

« Je peux passer la nuit chez toi ? » demanda Rebecca pendant le trajet du retour. Elle était occupée à observer son reflet dans le pare-brise, percé de temps en temps par les phares des voitures qu'ils croisaient. « J'ai peur, je ne veux pas rester toute seule.

— Tu sais bien que oui, ce n'est pas la peine de demander. » Tommy réfléchit un instant, puis il ajouta : « Il me semblait que Leslie m'avait parlé d'une fille qui partageait ta maison ?

— Victoria. C'est le genre de fille qui s'arrange toujours pour être ailleurs quand on a besoin d'elle. Ce soir, elle est allée à Dieu sait quelle réception avec le nouvel amour de sa vie.

— Oh-oh, on dirait que le torchon brûle !

— Non, je plaisante. C'est ma meilleure amie. A propos d'amies, tu veux que je te dise ce qui m'est arrivé la semaine dernière ? Au cours du bout d'essai pour *L'autre femme*, je devais avaler cul sec le contenu d'une coupe de champagne. Eh bien, quelqu'un l'avait remplie de bain de bouche. Tu te rends compte ? En plein devant la caméra ! J'ai cru que j'allais vomir tripes et boyaux.

— Mais pourquoi faire une chose pareille ? s'étonna le jeune homme.

— Disons qu'il n'y a pas mal de gens qui aimeraient bien que je me casse la gueule. Victoria avait son bout d'essai juste avant moi et elle a vu la secrétaire de Billy Rosenblatt, une rouquine maigrichonne qui est toujours en train de vous lécher le cul, aller remplir la coupe. Tu vois ! Comme quoi, on a toujours intérêt à savoir qui sont ses véritables amis ! C'est comme ça dans ce métier.

— Oui, tu as raison », convint Tommy.

Tommy et Leslie habitaient dans Fountain Avenue, un grand immeuble en stuc blanc pompeusement nommé El Palacio et ironiquement rebaptisé El Fellatio par quelques beaux esprits, eu égard à sa vaste population homosexuelle. Le bâtiment, en forme de fer à cheval, était de style néo-mauresque, avec au milieu un jardin nanti d'une fontaine dans laquelle un petit chérubin en plâtre avait fait pipi sans interruption jusqu'à la fameuse sécheresse de 1977, date à laquelle on l'avait débranché. Après s'être garé dans le parking souterrain, Tommy et Rebecca gagnèrent par un escalier et un long couloir l'appartement de Leslie, un duplex en coin d'une grande élégance.

« Tiens, la porte est ouverte, dit Rebecca en arrivant devant.

— Non, c'est impossible, répondit Tommy, occupé à chercher ses clefs. Je ferme toujours très soigneusement en sortant. C'est plus prudent, avec les espèces de dingues qui habitent West Hollywood.

— Regarde toi-même. »

Tommy poussa la porte qui s'ouvrit tout grand. Il remarqua soudain qu'on avait fait éclater le bois tout autour de la serrure.

« Nom de Dieu ! » murmura Rebecca en s'avançant à l'intérieur.

Les canapés de velours éventrés vomissaient leur garniture, comme du pus coulant de multiples blessures, et le

175

précieux vieux projecteur de cinéma, une véritable pièce de collection, avait été fracassé contre le sol et n'était plus désormais qu'un amas de ressorts, de fils usés et de verre cassé. Dans la salle à manger, on avait gravé très profondément, au couteau, une litanie d'obscénités dans le bois de l'immense table que Leslie avait fait faire sur commande, parce qu'il n'arrivait pas à en trouver une assez grande pour y faire asseoir tous ses clients et amis en même temps. Et sur le beau tapis oriental, un tas d'excréments humains tout frais fumait dans l'air aigrelet de la nuit.

« Maintenant, je sais quel effet ça fait d'être violé », dit Tommy.

Quant à Rebecca, elle était muette de fureur.

Brusquement, le jeune homme se frappa le front : « L'autographe de Marilyn ! » s'écria-t-il en se ruant dans l'escalier. Il faisait allusion à une photographie de Marilyn Monroe qu'elle avait personnellement dédicacée à Leslie peu avant sa mort et qu'il chérissait par-dessus tout. Rebecca le suivit jusqu'à la chambre à coucher et s'arrêta sur le seuil pour le regarder s'agenouiller et fouiller parmi les innombrables lambeaux de papier glacé qui jonchaient le sol : il finit par retrouver un coin de la photo, puis un autre, et puis un autre encore. En essayant de reconstituer cet impossible puzzle, il se mit à pleurer. Rebecca le serra dans ses bras et l'entendit murmurer : « Ça va lui crever le cœur ! »

Deux hommes du bureau du shérif arrivèrent moins d'un quart d'heure après. Dès le premier regard, Tommy sut qu'ils les avaient dérangés pour rien ; il pouvait lire dans leurs yeux la phobie des homosexuels, la haine, le mépris, l'envie à la vue de ce luxueux appartement. Il pouvait presque les entendre penser : *Nous, on risque notre peau pour des clopinettes, pendant que ces tantouzes pètent dans la soie. Ils n'ont que ce qu'ils méritent !* Ils lui faisaient presque aussi peur que les criminels anonymes qui avaient saccagé l'appartement. Ils firent néanmoins leur boulot en vrais professionnels, posant toutes sortes de questions, prenant des notes, cherchant des indices, des empreintes digitales.

Rebecca garda un silence absolu, mais au moment où ils s'apprêtaient à repartir, incapable de se contenir plus longtemps, elle se mit à leur raconter toute l'histoire de Leslie, d'une façon aussi frénétique que décousue. Lorsqu'elle en arriva à la rencontre avec Beeze, ce fameux Beeze qui portait un masque et jouait du violon, l'un des deux policiers l'interrompit :

« Vous n'êtes pas sous l'influence de la drogue, par hasard ? Marijuana, haschich, LSD ?

— Mais non, s'écria-t-elle, absolument pas, nom de Dieu ! Ce que je vous raconte est la pure vérité. On essaie de tuer mon ami Leslie et vous devez à tout prix le protéger !

— C'est vrai qu'on essaie de vous tuer ? demanda le policier à Tommy.

— Non, c'est Leslie qu'on essaie de tuer. Moi, je suis Tommy.

— Et cet appartement est le vôtre ?

— Non, c'est celui de Leslie. J'habite ici, avec lui.

— Où est-il, ce Leslie ? demanda le policier.

Tommy jeta un coup d'œil à Rebecca. Ni l'un ni l'autre ne répondirent.

« Vous voulez porter plainte contre ce Beeze ?

— Non, dit Tommy, après un instant de réflexion.

— Alors je crois que nous n'avons plus rien à faire ici, déclara le policier.

— Dites donc, vous n'êtes pas actrice, vous ? demanda l'autre à Rebecca. C'est pas vous qui avez fait ce feuilleton sur les plongeuses sous-marines ?

— Si, répliqua la jeune femme, les lèvres pincées de colère.

— Je pourrais avoir votre autographe pour mon gosse ? J'essaie de lui en avoir un à chaque fois que je rencontre une célébrité. »

Rebecca saisit le stylo qu'il lui tendait et le pressa si violemment contre le papier — le dos d'une contravention — que sa main trembla.

« Merci bien, dit le second policier. Prévenez-nous si vous avez de nouveaux ennuis.

— J'aurais dû savoir que ça se passerait comme ça, déclara Tommy lorsqu'ils furent repartis. S'il y a une chose qu'un flic de Los Angeles hait encore plus qu'un assassin, un violeur ou un sadique qui attaque les petits enfants, c'est un pédé qui a réussi.

— Je l'ai bien eu, en tout cas, annonça Rebecca. J'ai signé Veronica Lake !

— Il est probablement persuadé que tu es Veronica Lake. Bon, et maintenant qu'est-ce qu'on fait ?

— Mon père est justement en visite à Los Angeles, au Beverly Wilshire. Dès qu'il sera une heure raisonnable, on ira le voir. Il arrangera tout, tu verras, il saura exactement ce qu'il faut faire. En attendant, viens dormir chez moi.

Aaron Weiss était assis devant un petit secrétaire, en train de peiner sur une feuille de papier, lorsqu'on frappa à sa porte. Il alla aussitôt ouvrir, trop heureux d'être interrompu. S'il avait été occupé à dessiner, il aurait tout bonnement ignoré cette visite, mais comme il était en train d'écrire, exercice pour lequel il avait aussi peu de talent que de goût, il était prêt à saisir tous les prétextes pour s'en dispenser. Cela faisait déjà plusieurs heures qu'il était levé, mais il était encore en pyjama et peignoir éponge rayé. Sur le téléviseur était posé un plateau de petit déjeuner, avec un pot de café froid, une écorce de melon, et la moitié d'un petit pain au son. Il fut ravi de voir entrer Rebecca, en jean et blouse à froufrous. Elle avait la mine défaite de quelqu'un qui n'a pas dormi depuis plusieurs nuits mais, sachant à quel point elle était susceptible sur ce chapitre, il s'abstint de le lui faire remarquer.

« Comment va ma petite souris ? demanda-t-il en la serrant dans ses bras puissants.

— Oh, papa, je suis si heureuse de te voir. J'ai affreusement peur.

178

— Peur, ma petite souris ? » Il recula pour mieux la dévisager, en haussant les sourcils. « Entre et raconte-moi tout.

— Où est maman ?

— Elle est descendue en ville acheter une combinaison beige. Ce matin, en essayant sa robe, elle s'est aperçue qu'on voyait sa combinaison noire à travers. Aussitôt un vent de panique et d'hystérie s'est mis à souffler. J'espère que tu as déjà choisi ta toilette. La robe du soir n'est pas indispensable, mais tâche de trouver quelque chose de joli. Pas un de tes sempiternels jeans. Est-ce qu'une fille tolère, de nos jour, que son père lui demande de ne pas porter de jean ?

— Bien sûr, papa, mais peux-tu me dire de quoi tu parles ?

— De ce soir, voyons. Le dîner des Humanistes Juifs. Tu n'as pas oublié, j'espère ?

— Ah, le dîner ! Non, je n'ai pas oublié, mentit Rebecca. Je me suis dit que j'allais mettre mon tailleur rétro en soie noire. Il est très convenable.

— Il plaira à ta mère ? Elle a déjà suffisamment le trac comme ça, je préférerais lui éviter les contrariétés. Personnellement, je m'en fiche comme de l'an quarante. Toutes ces récompenses, c'est de la roupie de sansonnet. Il n'y a que le travail qui compte, ne l'oublie jamais, ma petite souris. Dis donc, tu as pris ton petit déjeuner ? Je vais appeler le garçon d'étage.

— Non merci, papa, je n'ai pas faim.

— Tu es sûre ? Tu te nourris vraiment comme il faut ? Tu as l'air d'un chat écorché.

— Je fais toujours le même poids.

— Ah bon ? Tant mieux.

— Papa, j'ai besoin de ton aide, j'ai vraiment très peur.

— Assieds-toi là et raconte-moi tout. » La voix d'Aaron débordait d'inquiétude. Il fit asseoir sa fille sur le divan et prit place à côté d'elle.

« C'est à cause de Leslie, annonça-t-elle.

— Dieu sait si je n'aime pas donner des leçons aux autres, mais je t'ai dit sur tous les tons qu'avec les *fagalas* tu ne pouvais avoir que de mauvaises surprises !

179

— Papa ! s'écria Rebecca exaspérée. Ecoute un peu, je t'en prie. Il a de gros ennuis et nous ne pouvons pas demander d'aide à la police, ni à un avocat, ni à personne. Tu es la seule personne à qui je puisse me confier.

— Ne t'inquiète pas, petite souris, dit-il en lui prenant la main pour la presser tendrement. Papa va arranger tout ça, comme toujours, n'est-ce pas ?

— Oh oui, c'est vrai !

— Tu te rappelles quand tu étais petite, chaque fois que tu t'écorchais le genou en faisant du patin à roulettes, tu montais dans mon studio en pleurant ? Tu n'allais jamais trouver ta mère, non, c'était toujours moi. Et je t'embrassais le genou — comme ça — et puis je te racontais l'histoire des ours qui font du patin à roulettes au Cirque de Moscou...

— Papa, je t'en supplie, pas maintenant, je n'ai pas le temps.

— Non, bien sûr. Alors, dans quel pétrin s'est-il fourré, ce pauvre Leslie ? Raconte-moi toute l'histoire de A à Z. »

Rebecca s'exécuta. Aaron commença par l'écouter avec beaucoup d'attention, le front plissé par la concentration. Puis il sortit sa pipe, la vida, la nettoya, la remplit, tassa le tabac, l'alluma, souffla une bouffée de fumée et reprit la pose du parfait auditeur. Mais, voyant que le récit de sa fille s'éternisait, il se leva, fit distraitement le tour de la pièce, en s'arrêtant pour regarder la piscine par la fenêtre et murmurer : « Quelle belle journée ! » Puis il regagna le petit secrétaire, dans le coin, prit sa feuille de papier et se retourna vers Rebecca.

« Petite souris, interrompit-il, je peux te lire quelque chose ? Je serais ravi de savoir ce que tu en penses.

— Mais papa, j'étais en train de...

— Oui, je sais, je sais. J'en ai pour une minute. C'est mon discours de remerciement, pour ce soir. J'ai du mal à trouver le ton juste. Vois-tu, le problème, c'est que j'aimerais leur parler de mes convictions pacifistes, mais je veux quand même qu'ils sachent que, pour le Moyen-Orient, je suis absolument intraitable. Ou bien penses-tu qu'il vaut mieux carrément éviter la politique et en rester aux généralités ? Dis-moi franchement ton opinion. Je te lis le début... »

Il chaussa ses lunettes à double foyer et lut, en regardant sa feuille du coin de l'œil.

« Frères juifs, comment exprimer la fierté qui m'emplit à l'idée d'avoir été ainsi choisi comme récipiendaire d'une aussi glorieuse distinction ? Aujourd'hui, la vision traditionnelle de l'artiste sous les traits d'un monstre d'égocentrisme est définitivement révolue... Rebecca ? »

En entendant claquer la porte, il leva le nez. La pièce était vide, sa fille était partie. Le temps d'enfiler ses pantoufles et de sortir dans le couloir, il arriva pour voir la porte de l'ascenseur se refermer. « Attends ! » cria-t-il, mais trop tard. Il soupira et regagna sa chambre d'un pas traînant, subitement déprimé. Pourquoi se conduisait-elle toujours ainsi, avec aussi peu de respect, aussi peu de cœur ? Partir comme ça, en plein milieu de son discours ! Il avait pourtant toujours fait tout ce qu'il avait pu pour elle, il l'avait gâtée au-delà de tout. C'était peut-être ça le problème : il lui avait sans doute trop donné. Nouveau soupir, si profond, si intemporel que les Juifs qui peinaient à l'ombre des grandes pyramides pour hisser toujours plus haut les énormes blocs de pierre avaient sûrement dû en pouser d'identiques au sujet de leurs filles. Il se rassit devant le secrétaire, en se disant que, décidément, aucune matière n'était aussi difficile à façonner qu'un enfant qui grandit.

Cet après-midi-là, Victoria rentra à la maison à six heures, mourant d'envie d'essayer au plus vite la tenue qu'elle venait d'acheter, un tee-shirt jaune canari, avec « Joe's Garage » brodé dans le dos, un short rouge bordé de jaune et une paire de patins à roulettes rouge vif, lacés jusqu'au mollet. Son nouveau petit ami, Freddy Dilucci, un réalisateur de la télévision, l'avait invitée à une soirée « disco-à-roulettes », où toutes sortes de personnalités en vue devaient patiner au son d'une musique disco jusqu'aux premières lueurs du jour, et elle était bien décidée à monopoliser les regards.

Il n'y eut aucune réponse à son « Tu es là ? », lancé depuis la porte d'entrée, pourtant la lumière était allumée dans le living et la voix métallique du téléviseur se faisait entendre. Intriguée, elle se dirigea directement vers cette pièce où elle trouva Rebecca effondrée dans le grand fauteuil, en train de boire un Margarita sans prêter la moindre attention au bulletin d'informations télévisées. Elle aussi devait sortir ce soir, à ce qu'il semblait, car elle portait une de ses plus jolies toilettes, un ensemble en soie noire moirée, de style rétro, avec des épaules rembourrées et rien d'autre en dessous qu'une guimpe noire en dentelle. Deux ou trois barrettes de strass brillaient dans son épaisse chevelure et elle portait des bas noirs et des talons aiguilles qui (comme elle aimait à le dire pour plaisanter) lui permettaient presque d'atteindre la taille d'une personne normale.

« Regarde un peu ce que j'ai acheté chez Fred Segal », commença Vicky en bondissant dans la pièce.

Rebecca tourna la tête vers elle et Victoria remarqua aussitôt les yeux rouges et gonflés par les larmes, les deux longues traînées de mascara qui avaient coulé comme un maquillage de clown, ainsi que le shaker presque vide qui indiquait que l'actuel Margarita n'était pas le premier.

Sa première réaction fut de gémir intérieurement : *Oh, non, par pitié ! Elle ne va quand même pas remettre ça, une nouvelle crise de déprime, de larmes, de menaces de suicide. Quelle barbe !* Un bref instant, elle se dit même que Rebecca le faisait exprès, pour ternir son propre bonheur, mais presque aussitôt un petit geste insignifiant, un mouvement anodin des mains lui fit comprendre toute l'intensité du chagrin de Rebecca. Elle alla s'agenouiller à côté du grand fauteuil et caressa la toison de son amie en demandant : « Ma pauvre poupée, qu'est-ce qui ne va pas ?

— Tout, bredouilla Rebecca, et elle se remit à pleurer.

— Tu as raison, vas-y, dit Victoria en appuyant la tête de son amie sur son épaule, pleure un bon coup, ça te soulagera. »

182

Rebecca releva la tête : « J'ai fichu du mascara plein ta blouse.

— Ça ne fait rien, elle était sale. Allons, raconte-moi ce qui t'arrive.

— Personne ne veut m'écouter, tout le monde s'en fiche. J'en ai parlé à la police, ils ont cru que j'étais shootée ; j'en ai parlé à mon père, il était trop occupé pour m'entendre, et maintenant la vie de Leslie est en danger et il faut que j'aille assister à cette idiotie de dîner d'honneur.

— Ah bon, c'est pour ça qu'il y a cette limousine dehors ?

— Une limousine ? » Les yeux dilatés de terreur, Rebecca courut à la fenêtre, écarta le rideau et regarda au dehors. Aussitôt, elle s'effondra, presque comme si quelqu'un l'avait frappée.

« C'est lui ! gémit-elle. C'est le domestique. Il est exactement tel que l'a décrit Leslie, comme une espèce d'horrible singe.

— Mais qu'est-ce que tu racontes ?

— Tu ne comprends donc pas ? Leslie s'est échappé et Beeze me veut, *moi*, en échange. S'ils ont saccagé son appartement, c'était uniquement pour nous mettre en garde — la prochaine fois, ils le tueront, si je n'y vais pas — mais je ne peux pas y aller, je ne veux pas ! Oh, mon Dieu, Vicky, aide-moi, aide-moi, je t'en prie !... »

Victoria la prit par les épaules et la secoua : « Arrête ! Tu es au bord de la crise de nerfs. Calme-toi. Essaie de te ressaisir et de m'expliquer ce qui se passe. »

D'une voix tremblante, Rebecca raconta à son amie les mésaventures de Leslie dans le désert, et, à l'encontre de toutes les personnes à qui elle en avait déjà parlé, Vicky écouta d'une oreille compatissante, la pressant parfois de continuer ou bien lui demandant, au contraire, de revenir en arrière pour éclaircir un point.

« Je ne sais pas quoi faire, conclut Rebecca en sanglotant, je ne sais pas quoi faire.

— A mon avis, tu ne peux faire qu'une seule chose.

— Quoi ?

— Monter dans cette limousine et aller chez Beeze. Sans

quoi, il fera tuer Leslie. Il a dit qu'il le ferait et ce n'est manifestement pas le genre d'homme à émettre des menaces en l'air.

— Non, bien sûr, mais tu ne penses quand même pas que je vais...

— Si tu aimes Leslie autant que tu le prétends, ce ne serait qu'un mince sacrifice.

— Bien sûr que j'aime Leslie !

— Et puis, qui sait ? Ce ne sera peut-être pas si terrible de vivre dans cette demeure fabuleuse, avec des tas de domestiques et ta propre salle de projection. C'est le genre d'existence qui ne devrait pas déplaire à une femme. » Sa voix était musicale, persuasive, presque hypnotique.

« Mais, Vicky — Rebecca chercha ses mots —, j'ai des engagements à respecter, j'ai ce dîner d'honneur, ce soir, et le tournage de *L'autre femme* commence dans six semaines...

— A toi de décider. A toi de savoir ce qui compte le plus pour toi. L'ennui, vois-tu, quand on est jeune et célibataire et actrice, c'est qu'on finit par ne plus penser qu'à soi. On se braque complètement sur son propre nombril. Mais suppose que, pour une fois dans ta vie, tu aies l'occasion d'accomplir un geste vraiment merveilleux, un geste désintéressé, entièrement consacré au bonheur de quelqu'un d'autre, de quelqu'un que tu aimes. C'est le moment où jamais de racheter tout l'égoïsme dont tu as toujours fait preuve jusqu'à présent. Je vais te dire une bonne chose, Becky, si c'était moi, je n'hésiterais même pas.

— Mais je ne peux pas, gémit Rebecca.

— Je suis désolée pour toi, mais tu n'as pas le choix. Réfléchis deux secondes : si tu n'y vas pas, ils tueront Leslie, c'est un fait acquis. Et toi, tu seras obligée de porter jusqu'à la fin de ta vie le poids de cette mort, sachant que tu aurais pu le sauver et que tu n'as pas voulu. »

Rebecca acquiesça en silence. On aurait dit qu'elle était en transe.

« Je vais chercher ton manteau », déclara Victoria.

« A nous de prouver, conclut Aaron Weiss d'une voix forte, que six mille ans de pacifisme ne nous empêcheront pas de nous battre pour obtenir ce qui nous appartient de droit. Nous devons nous montrer fermes dans nos croyances, vaillants dans notre défense et exemplaires dans notre courage ! »

Il regarda avec satisfaction la salle entière bondir sur ses pieds pour l'acclamer. Il sourit de loin à Sylvie, assise à la table la plus proche de l'estrade, brillant des mille feux de ses plus somptueux bijoux, les yeux humides d'admiration. Mais il se rembrunit à la vue du siège vide à côté de sa femme, le siège de Rebecca ; il était à la fois triste et furieux. C'était bien d'elle, de manquer ainsi un des plus beaux moments de la vie de son père. Où était-elle ? Avec un garçon, probablement.

Il se rappela la première fois où il était venu à Los Angeles, en 1963, pour superviser la mise sur pied d'une exposition de ses œuvres au musée des Beaux-Arts de la ville. Il était arrivé au mois d'avril, laissant Sylvie à New York pour s'occuper de leur fille ; il était convenu qu'elles viendraient toutes les deux le rejoindre dès le début des grandes vacances. Au commencement, la liberté tropicale de l'endroit lui était montée à la tête : il avait acheté un vestiaire « mode », loué une décapotable et amorcé une liaison avec une des directrices adjointes du musée. Lorsque sa femme et sa fille l'avaient enfin rejoint, il souffrait d'un tel sentiment de culpabilité qu'il avait été enchanté de les voir.

Sylvie lui avait confié que Rebecca avait été odieuse pendant toute son absence. Elle arrivait à l'âge où elle ne pensait qu'aux garçons et il était évident qu'une bonne partie des garçons qu'elle fréquentait ne pensaient qu'à elle. Bien décidés à mettre un frein aux incartades de leur fille, Sylvie et lui avaient établi un programme journalier absolument draconien : la plage le matin, en famille, suivie de courses en ville, avec déjeuner incorporé, ensuite tourisme, visites des musées et dîner dans un restaurant chic, et après au lit ! Cette quinzaine strictement réglementée serait couronnée par un voyage de trois jours le long de la côte californienne, jusqu'à Disneyland, à laquelle succéderait une visite à un oncle à San Diego et, pour finir, le luxe et les distractions factices de Tijuana. Mais lors de leur dernière soirée à Los Angeles, Rebecca avait brusquement disparu. Ils avaient fouillé l'hôtel de fond en comble et, à minuit et demi, la mort dans l'âme, ils avaient prévenu la police qui leur avait ramené l'enfant prodigue en moins de trois quarts d'heure. Aaron en avait aussitôt conclu qu'il avait affaire à la meilleure police du monde — jamais la police new-yorkaise n'avait été fichue de lui retrouver quoi que ce fût — et par la suite, il lui était souvent arrivé, à l'occasion des nombreux dîners auxquels il assistait, de la citer en exemple à l'Amérique entière et même de se porter garant de son extraordinaire efficacité.

En réalité, les policiers californiens n'avaient pas fait preuve des phénoménales capacités de déduction qu'il leur attribuait pour élucider le mystère. Ils avaient, beaucoup plus simplement, questionné le réceptionniste qui leur avait confié que Rebecca était partie se promener avec un beau maître nageur dans la Corvette rouge de ce dernier, et qu'ils avaient toutes les chances de les retrouver garés au coin de Mulholland et de Coldwater, car c'était généralement le point de chute de cet intéressant jeune homme (qui avait la fâcheuse manie de mettre la terre entière au courant de ses exploits amoureux) ; et c'était effectivement là qu'on les avait dénichés. Quant à savoir ce qu'ils y avaient fait exactement, Rebecca, questionnée par sa mère, refusa de répondre, mais Sylvie avait remarqué que la combinaison de sa fille était à l'envers et elle avait cru bon d'en informer son époux. Outré par la conduite de sa fille, Aaron les avait mises dans l'avion de New York dès le lendemain matin, ce qui les avait privés tous trois du vernissage de son exposition, la plus importante qui lui eût encore été consacrée.

Aaron avait longtemps espéré qu'en prenant de l'âge sa fille s'assagirait, mais voilà qu'elle leur refaisait exactement le même coup : elle avait disparu, fui toutes ses responsabilités, pour aller passer la soirée avec un type qu'elle ne connaissait probablement que depuis une heure ou deux, un de ces petits malin bons à rien dont Los Angeles regorgeait, avec des chaînes autour du cou. Il était inutile de se leurrer : Sylvie et lui avaient commis quelques graves erreurs en élevant leur fille (il savait bien que les théories de Dr Spock n'étaient qu'une vaste fumisterie, pourquoi ne s'était-il pas plutôt fié à son instinct ?), mais à présent le mal était fait et le remords n'était qu'un parasite qui vous rongeait l'âme. Ayant, avec cette réflexion, définitivement clos le sujet, il sourit à son public et s'avança pour recevoir sa récompense.

La soirée disco-à-roulettes avait lieu dans une patinoire de Reseda, tout en bas dans la vallée. Des centaines de personnalités distinguées (entrée sur invitation uniquement) tournoyaient sur la piste baignée de lumières psychédéliques, au son de la batterie lancinante d'une musique disco ; les roulettes en plastique vrombissaient sourdement, laissant d'innombrables traces sur le chêne impeccablement ciré de la piste. Les plus calés dansaient par couples, en exécutant des pas disco fort compliqués ; les moins habiles se contentaient de patiner ; les novices courageux, c'est-à-dire la grande majorité de l'assistance, faisaient des efforts surhumains pour rester sur leurs pieds, ce qui ne les empêchait pas de se retrouver plus fréquemment qu'ils ne l'eussent voulu le derrière par terre.

Victoria appartenait à la première catégorie. Elle avait passé une bonne partie de son enfance à arpenter les bases navales en patins à roulettes et elle avait en outre pris des cours de danse moderne depuis son entrée au lycée, s'étant dit qu'il pourrait un jour lui être utile de savoir danser. Et puis cela faisait maintenant plusieurs dimanches qu'elle descendait à Venice Beach, vêtue en tout et pour tout d'un bikini et de ses patins rouges montants, pour s'exercer sous l'œil admiratif des mordus de la bicyclette, des culturistes et des autres habitués de l'endroit. Et ce soir, tout en évoluant gracieusement sur ses roulettes, elle sentait qu'elle était la cible de tous les regards ; on se la montrait du doigt et un photographe de *Newsweek* lui avait déjà consacré deux rouleaux de pellicule. Son cavalier, Freddy Dilucci, médiocre patineur — et amant plus médiocre encore — avait beaucoup de mal à suivre son rythme. Depuis qu'il lui avait annoncé, un peu plus tôt, qu'il n'y avait pas de rôle pour elle dans sa nouvelle série télévisée, elle le trouvait de plus en plus assommant. Elle se sentait capable de n'importe quoi, sur ses patins, et Freddy lui faisait l'effet d'un boulet attaché à sa cheville, l'empêchant de s'envoler.

Il était donc inévitable qu'apercevant un visage familier de l'autre côté de la piste, elle plaçât un démarrage de championne, laissant le malheureux Freddy lamentablement à la traîne. Elle arriva à toute vitesse derrière sa cible et lui tapa sur l'épaule au passage, avant d'exécuter un virage au cordeau qui la ramena devant lui, un sourire épanoui aux lèvres.

« Salut, Billy ! lança-t-elle.

— Tiens, bonjour, Victoria. Vous êtes sensationnelle. Quelle tenue extraordinaire !

— Vous trouvez ? Bah, ce sont de vieilles nippes que j'avais dans un coin. Vous dansez ?

— Rappelez-vous mon grand âge.

— Ne dites donc pas de bêtises ! »

On passait justement une chanson de Johnny Mathis. Billy prit la jeune femme dans ses bras et ils se mirent à tournoyer avec aisance.

« Vous êtes formidable ! s'écria-t-elle. Où avez-vous appris à patiner comme ça ?

— Delancey Street. Dans ma jeunesse, un gamin de huit ans qui habitait Delancey Street et qui ne savait pas patiner n'était vraiment pas dans le coup. » (Il avait une drôle de façon de dire « pas dans le coup », un peu comme s'il s'agissait d'une expression pêchée dans un scénario.) « Et aujourd'hui, soixante ans après, je découvre qu'un sexagénaire qui habite Beverly Hills et qui ne sait pas patiner n'est vraiment pas dans le coup. On peut dire que j'ai fait mon chemin dans la vie !

— Oh, Billy ! »

Elle posa la tête sur son épaule et se laissa guider tout autour de la piste. Elle se sentait merveilleusement en sécurité dans ses bras. Rien, décida-t-elle, n'était aussi romanesque qu'un homme mûr qui savait vraiment danser.

« Billy, reprit-elle, j'ai deux nouvelles à vous annoncer, une mauvaise et une bonne.

— Une mauvaise nouvelle ? » Il fronça les sourcils.

« C'est Rebecca. Elle a disparu. »

Billy s'arrêta de danser et s'écarta d'elle pour scruter son visage.

« Qu'est-ce que vous avez dit ?

— Elle a disparu. Je crois qu'elle est partie en Europe avec son petit ami, ou quelque chose comme ça.

— Le tournage de *L'autre femme* commence dans six semaines.

— Ecoutez, ce n'est quand même pas ma faute si elle est un peu tête en l'air.

— Nom de Dieu ! cracha Billy, entre ses dents.

— Et maintenant, je vais vous dire la bonne nouvelle.

— Je vous écoute.

— La bonne nouvelle, c'est que... je suis toujours disposée à jouer le rôle de Jacqueline, si vous le désirez. »

Une veine qui se tordait comme un ver faisait saillie sur la tempe de Billy.

« Vous l'avez tuée, dit-il.

— Je ne trouve pas votre remarque très spirituelle.

— Je ne plaisante pas. Vous l'avez tuée pour avoir le rôle. »

Victoria se redressa de toute sa taille et leva le menton d'un air hautain : « Jamais personne ne m'avait insultée de la sorte ! Becky est mon amie la plus intime et j'aimerais mieux mourir que de la voir malheureuse.

— Puisque vous êtes de si bonnes amies, articula Billy d'un ton sec, maîtrisant remarquablement sa fureur, dites-lui donc de ma part que je possède un projet de contrat signé par elle et que si elle n'est pas là à la première heure au jour dit, je l'assigne en dommages et intérêts pour le coût total du film, soit huit millions de dollars. Dites-lui en outre que je suis absolument certain de gagner ce procès et qu'elle risque donc fort de passer le restant de son existence à casquer. Dites-lui ça de ma part, voulez-vous ?

— Je... »

Sans lui laisser le temps de placer un autre mot, Billy lui tourna le dos et s'éloigna.

Quelques instants plus tard, Freddy Dilucci la rejoignit péniblement, en chancelant.

« A qui parlais-tu ? demanda-t-il.

— A personne. » Vicky lui sourit. Après tout, il était quand même mignon, ce Freddy, et l'éjaculation précoce, ce n'était bien souvent qu'une question d'insécurité, à ce qu'elle avait lu quelque part ; beaucoup d'amour et de patience en venaient généralement à bout. En plus de quoi, il avait encore deux autres séries télévisées en chantier, qui contenaient toutes deux des rôles faits sur mesure pour elle.

« Allez, viens, dit-elle en lui prenant le bras. Je vais t'apprendre à danser sur des roulettes. »

Sur les instances de Leslie, Tommy passa au bureau, ce soir-là, prendre tous les messages téléphoniques qui s'étaient accumulés en l'absence de son ami, ainsi que les scénarios, le courrier et, surtout, le projet de contrat de Rebecca. Sheila fut enchantée d'apprendre que son associé était toujours en vie, mais ulcérée de voir que Tommy refusait de lui en dire plus. Il chargea toutes les paperasses dans le coffre de sa voiture — il y en avait plusieurs cartons — et partit pour Laurel Canyon, en s'arrêtant d'abord chez Leslie pour prendre des vêtements de rechange, puis chez un traiteur de Sunset Boulevard où il acheta un coûteux repas. Après quoi, il s'aperçut qu'il lui restait encore une heure à attendre avant l'heure du rendez-vous et il décida de rendre visite à Rebecca. Il savait qu'elle n'était pas libre ensuite — elle était obligée d'assister à une espèce de cérémonie en l'honneur de son père — mais elle avait peut-être un message pour Leslie. La nuit commençait à tomber lorsqu'il atteignit Benedict Canyon, car on était déjà à la fin

190

de l'automne. Au moment où il tounait dans West Wanda, il croisa une longue limousine noire, dont il n'entrevit le conducteur et la passagère qu'un brève seconde ; mais leur image resta gravée dans son esprit, aussi distinctement et durablement qu'une photographie. A l'avant, un géant, dont les traits difformes correspondaient parfaitement à la description que Leslie leur avait fait de Samson, le domestique de Beeze ; et à l'arrière, tapie craintivement dans un coin, Rebecca.

Lorsqu'il songea enfin à faire un signe quelconque, à klaxonner, à faire un appel de phares, la limousine était passée. A toute vitesse, il s'engagea dans la première allée venue pour faire demi-tour et mit le pied au plancher, faisant hurler et fumer ses pneus, pour foncer jusqu'au coin où deux policiers à bord de leur voiture l'arrêtèrent et lui dressèrent procès-verbal pour tout un assortiment de contraventions. Lorsque les flics le lâchèrent enfin, il parcourut Benedict Canyon, en long et en large, à la limite de l'excès de vitesse, cherchant désespérément la limousine.

Une heure plus tard, il se garait devant la vieille maison de Laurel Canyon.

« Ah, dis donc, ce n'est pas trop tôt ! s'écria Leslie. Où sont les papiers que tu devais m'apporter ?

— Dans la voiture.

— Pourquoi ne les as-tu pas sortis ? » Leslie était un peu énervé. Il attendait les scénarios et les messages comme un drogué attend sa dose.

« Ce n'était pas la peine, répondit Tommy d'une voix sinistre. Tu peux rentrer à la maison, à présent. Tu n'as plus rien à craindre.

— Comment ça, plus rien à craindre ? La police a arrêté Beeze ?

— Non. Tommy hésita. C'est Beeze qui a fait enlever Rebecca. »

6

La Belle fut éblouie par la magnificence du palais de la Bête, ce qui ne l'empêchait nullement de mourir de peur, car elle redoutait que le monstre ne l'écorchât vive cette nuit même, afin de boire son sang pour son souper. Mais comme, malgré sa jeunesse, elle était douée d'une grande force d'âme, elle pria Dieu de bien vouloir lui accorder le salut éternel et se jura de ne point passer à se désoler les quelques instants qui lui restaient encore à vivre. Elle songea que, pour tromper le temps, elle ferait aussi bien de visiter ce superbe château qui lui arracha, en dépit de l'inquiétude qui la tenaillait, des cris d'admiration. Elle s'arrêta enfin, tout étonnée, devant une porte au-dessus de laquelle on pouvait lire : « Chambre de la Belle ». L'ayant poussée, elle fut émerveillée par le luxe de ce qu'elle découvrit derrière, notamment une vaste bibliothèque, un clavecin et de nombreuses partitions musicales.

Ma foi, se dit-elle, « il paraît qu'on veut m'éviter de trouver le temps long, en me procurant toutes ces distractions ». Puis elle songea : Si je ne devais rester ici qu'un seul jour, tous ces préparatifs eussent été inutiles, et cette réflexion lui insuffla un courage nouveau.

A midi, elle trouva un repas qui l'attendait et, tandis qu'elle le mangeait, un excellent concert se fit entendre sans qu'elle aperçût aucun musicien. Le soir, cependant, au moment où elle se mettait à table, elle entendit soudain le terrible rugissement de la Bête et elle en fut si effrayée qu'elle crut s'évanouir.

Belle, lui dit le monstre, me permettrez-vous de vous regarder souper ?

Faites selon votre bon plaisir, répondit la Belle toute tremblante.

Non, repartit la Bête, vous êtes la souveraine maîtresse de cette demeure. Si ma présence vous déplaît, il vous suffit de m'ordonner de partir ; je me retirerai incontinent, car vous devez me trouver bien laid.

Je ne puis vous dire le contraire, murmura la Belle, car je ne sais point mentir, mais je vous crois très bon, au demeurant, et je vous assure que je ne trouve pas votre compagnie le moins du monde effrayante.

Alors, dans ce cas, mangez, Belle, et puissiez-vous être heureuse dans ce palais, car tout ici vous appartient et tout ce qu'il s'y passe a pour unique objet votre plaisir.

Vous êtes vraiment fort obligeant, déclara la Belle. J'avoue que votre bonté me ravit et, maintenant que je vous observe avec attention, je m'aperçois que votre difformité se voit à peine.

Oui, certes, dit tristement la Bête, mon cœur est bon, c'est vrai, mais je n'en suis pas moins un monstre.

Parmi les hommes, assura la Belle, il en est beaucoup qui méritent ce nom bien davantage que vous.

La Belle soupa de fort bon appétit, étant presque parvenue à surmonter la répulsion qui lui inspirait son hôte, mais elle crut défaillir lorsqu'il lui demanda soudain : Belle, voulez-vous être ma femme ?

Elle hésita un long moment avant de lui répondre, car elle craignait, en refusant, de déchaîner son courroux, mais elle parvint néanmoins à murmurer d'une voix tremblante : Non.

Le pauvre monstre poussa des gémissements et des soupirs si effroyables que le palais tout entier en retentit. Convaincue qu'il allait la dévorer sans plus attendre, la Belle se mit à prier pour le salut de son âme...

194

Lorsqu'elle eut enfin laissé derrière elle les dernières lumières de la ville tentaculaire, la limousine s'arrêta dans une station-service qui semblait être fermée en permanence et dépourvue de personnel, n'existant que pour faciliter le transit entre la voiture que Samson gara à l'intérieur du bâtiment et l'hélicoptère qui attendait derrière. Rebecca y monta, le cœur battant à l'idée que la distance qui la séparait de son ancienne existence n'allait plus désormais être bornée par des autoroutes.

L'infernal vacarme de l'appareil lui faisait mal aux oreilles et la brusque embardée du décollage lui donna la nausée. Elle avait déjà une véritable phobie des avions, mais cet engin qui évoluait sans même le secours d'une paire d'ailes salvatrices l'épouvantait. Rien ne la séparait du vide que cette bulle en plexiglas, légère et transparente, comme les bulles de savon des enfants, qui risquent d'exploser au moindre choc. Comme pour presque tous les Américains de sa génération, l'hélicoptère était associé de façon indélébile dans son souvenir à la guerre du Vietnam. Elle songea à Jason Pine, un grand garçon mince, à la voix douce, avec une belle gueule de hippy encadrée de longs cheveux tombant sur les épaules, doué de la saine habitude de se moquer de lui-même avec humour et gentillesse. Il était encore étudiant, au Wesleyan College, mais il avait déjà publié un article dans le *New Yorker*. Elle l'avait rencontré, au printemps de sa seconde année universitaire, à l'époque où les arbres sont en fleurs, à l'occasion d'un pique-nique estudiantin. Il l'avait abordée, sans la connaître, et lui avait passé au doigt une bague en papier doré, celle du cigare qu'il était en train de fumer. Rebecca, qui avait un faible pour les gestes théâtraux, avait aussitôt été conquise. Elle avait passé la journée entière à arpenter le campus en sa compagnie, savourant l'étonnante impression d'avoir retrouvé un très vieil ami. Ils avaient fumé trois joints et dîné dans un restaurant chic de Bronxville, d'où on avait fini par les expulser parce qu'ils riaient trop fort et renversaient tout. De retour dans la chambre de Rebecca, ils

195

avaient fait l'amour, mais elle se sentait si bien avec lui que le sens du péché, qui donnait d'ordinaire tant de piquant à ses ébats amoureux, ne s'était pas manifesté. Ils étaient retournés ensuite dans la salle commune, où Jason avait joué au piano de vieilles chansons de Gershwin (il s'était payé ses études en jouant du piano dans les bars chic), tandis qu'elle chantait de sa voix rauque et sexy de chanteuse de cabaret. Ils n'avaient pas tardé à attirer tout un public d'étudiants et ils s'étaient finalement trouvés si excellents qu'ils avaient décidé de monter un numéro et de partir en tournée en Amérique latine, tout spécialement en Argentine où ils joueraient devant les anciens nazis exilés. Et pas un instant, Rebecca n'avait cessé de penser : c'est le seul de mes amants avec lequel je voudrais rester amie. Ça lui faisait un peu peur.

Elle l'avait invité à passer la nuit avec elle, mais il avait refusé.

« Tu te rappelles, avait-il demandé, un vieux film des années quarante, avec un gars qui doit partir au front ? La veille de son départ, il rencontre Judy Garland et il comprend qu'elle est celle dont il a toujours rêvé, mais il n'ose pas aller trop loin, parce qu'il ne sait pas quand — ni même si — il reviendra.

— Dis donc, il ne serait pas un brin mélo, ton film ? avait-elle lancé en riant.

— Ce n'est pas un film.

— Tu pars au Vietnam ? » avait-elle demandé, subitement bouleversée. Les garçons qu'elle fréquentait ne partaient pas au front. Ils s'arrangeaient pour aller à l'université, ou pour se marier et avoir un enfant, ou pour faire semblant d'être fous ou pédérastes, ou même, en désespoir de cause, pour filer au Canada. Pour les riches New-Yorkaises de son espèce, cette guerre était un phénomène vécu exclusivement à travers la télévision, une guerre à regarder de loin, une guerre contre laquelle il fallait certes manifester, mais en aucun cas une guerre qui risquait de la toucher personnellement.

« Pourquoi ? avait-elle voulu savoir.

— Par curiosité.

196

— Ce n'est pas une raison.

— Ah, c'est une raison que tu veux ? Voyons... Eh bien, disons que toute ma vie, j'ai fait partie de l'élite. J'ai vécu dans les ghettos les plus riches, j'ai fréquenté les meilleures écoles privées, les camps de vacances les plus coûteux. Le mot "protégée" est encore bien trop faible pour décrire ce qu'a été ma jeunesse. Et je me suis toujours demandé quel effet ça faisait d'être — passe-moi l'expression, elle ne me plaît guère à moi non plus — un des déshérités de l'existence.

— En d'autres termes, tu pars parce que tu te sens coupable ?

— J'aimerais mieux m'attribuer un mobile plus noble, mais tu as peut-être raison, après tout. A chaque fois que je vois ces bulletins d'actualités dans lesquels les soldats américains sont tous noirs...

— Ce n'est pas ta faute ! Nous avons besoin de toi. Tu serais certainement beaucoup plus efficace en tant que journaliste écrivant sur cette guerre, qu'en tant que combattant.

— Ça, c'est le genre d'argument que les intellectuels nous reservent depuis pas mal d'années.

— Ecoute, j'ai une voiture. Si on part dès ce soir, demain on est au Canada. Je n'aurai qu'à télégraphier à mon père pour qu'il nous envoie de l'argent. Ça nous laissera le temps de nous retourner. Après quoi, moi, je prendrai un boulot, et toi tu pourras rester à la maison pour écrire... » Elle s'était tue, en rougissant ; c'était la première fois qu'elle demandait sa main à un jeune homme.

Jason avait secoué la tête en riant : « Non, c'est un pacte que j'ai passé avec moi-même, ce sont les seuls qu'il faut absolument respecter. Mais deux ans, ce n'est pas très long, si tu sais t'occuper...

— Deux ans, c'est une éternité, quand on est amoureux.

— Il faut que j'y aille, Rebecca. » Il avait enfilé sa veste. « Tu m'écriras ? »

Elle avait secoué la tête.

« Si tu pars ce soir, je ne veux plus jamais te revoir. » Ayant réussi à tout gâcher en posant cet impossible ultimatum, elle avait recommencé à respirer librement. « Ou tu viens au Canada avec moi, ou tu sors de ma vie pour toujours.

— Au revoir », avait-il répondu en se penchant pour l'embrasser.

Elle avait détourné la tête.

Il était parti sans un mot.

Elle avait passé la moitié de la nuit à pleurer, délicieusement malheureuse, car elle était, à cette époque, encore plus masochiste qu'aujourd'hui.

Les semaines s'étaient écoulées, puis les mois. Un soir de l'année suivante, un soir où elle se sentait beaucoup de vague à l'âme, Rebecca avait pris le téléphone et appelé le bureau des anciens élèves du Wesleyan pour obtenir l'adresse militaire de Jason Pine. Elle s'était dit qu'au fond, il serait peut-être amusant de lui écrire. Elle lui enverrait sa photo en maillot de bain aguicheur, style pin-up à la Betty Grable ; il pourrait la mettre au-dessus de son lit.

Son interlocuteur lui avait demandé de patienter un instant, avant de revenir en ligne : « Décédé », avait dit la voix.

Elle avait aussitôt demandé le numéro de téléphone de ses parents ; il fallait absolument qu'elle en sût davantage. Elle les avait appelés dans la foulée, se présentant comme un ancient flirt de Jason. La maman lui avait expliqué très posément que son fils avait été pilote d'hélicoptère et que son appareil avait été abattu quelques semaines à peine après son arrivée au Vietnam ; il était simplement porté disparu, car on n'avait jamais retrouvé son corps, mais tout le monde savait bien qu'il était mort. Elle avait invité Rebecca à dîner — Old Greenwich n'était guère qu'à une demi-heure de voiture —, la suppliant presque de se joindre à eux, pour passer la soirée à parler de leur fils et à partager avec eux ses souvenirs du jeune homme. Rebecca s'était précipitamment réfugiée derrière ses études, prétextant qu'elle avait beaucoup de travail avec ses examens à préparer, mais elle avait promis de les rappeler dès qu'elle serait moins bousculée. Elle n'avait jamais repris contact.

A présent, c'était elle qui fendait les airs à bord d'un de

ces monstrueux engins de mort, mais elle ne se laissait pourtant pas abattre par le désespoir. Beeze avait commis une erreur de taille, en se risquant à la faire enlever alors que son père était dans les parages. Car son père était l'homme le plus débrouillard, le plus malin, le plus audacieux qui fût. Il mettrait sur pied une véritable expédition pour voler à son secours, il retrouverait la retraite de Beeze, cachée au milieu du désert, et il lui arracherait sa fille pour la ramener chez elle dans ses bras.

Et elle, de son côté, n'avait qu'à tenir bon, courageusement, jusqu'à l'arrivée des secours. Elle ne devait pas donner le moindre signe de peur ni de faiblesse.

« Vous ne me faites pas peur, vous savez, espèce de vilain pas beau ! » lança-t-elle à Samson, assis à côté d'elle, totalement absorbé par le pilotage de l'engin.

Il tourna vers elle son énorme tête et la regarda un bref instant, avant de se repencher sur son tableau de bord, mais elle eut le temps de lire tant de peine dans ses yeux qu'elle resta muette pendant tout le reste du voyage.

Une lumière jaillit de l'obscurité et presque aussitôt l'hélicoptère se posa devant un édifice qui, tel qu'il se découpait sur le ciel étoilé, avait des allures de mausolée. Samson aida Rebecca à descendre et ils franchirent ensemble la centaine de mètres qui les séparait de la maison, avant de gravir les degrés de pierre. Elle entra, comme en rêve, dans le vaste hall dont elle remarqua les précieux tapis, les bustes grecs — certains sur des socles, d'autres dans des niches — la double envolée de l'escalier, de part et d'autre, avec sa superbe rampe sculptée, ornée de guirlandes de fleurs et de volutes compliquées, et enfin les scènes pastorales peintes au plafond, bien loin au-dessus d'elle. Elle se tenait immobile, sur le seuil de la princière demeure, le cœur bondissant dans sa poitrine, comme un oiseau cherchant à s'échapper de sa cage, lorsqu'une deuxième porte à double battant, juste en face de la grande porte d'entrée, s'ouvrit pour livrer passage à une silhouette qui s'avança vers elle à grands pas, un homme de haute taille, en smoking surmonté d'un visage cireux et figé.

« Bienvenue dans ma demeure ! lança-t-il. Je suis Henry Wallace Beeze, troisième du nom, et je suis profondément honoré de vous accueillir ici. Je ferai tout ce qui est en mon pouvoir pour que votre séjour chez moi soit le plus agréable possible. »

Rebecca fixa sur lui un regard incrédule. C'était donc ça, le redoutable Beeze, un homme qui vous débitait de plats discours de bienvenue, dignes de ces commissaires de bord ultrasnobs qui sévissent sur les paquebots de plaisance britanniques ?

« Vous devez avoir grand faim après votre voyage, continua-t-il. Si vous le désirez, mon cuisinier sera ravi de vous préparer un souper léger. Il me sera malheureusement impossible de me joindre à vous, en raison de mon état, mais je serais très flatté d'être autorisé à m'asseoir auprès de vous pendant que vous vous restaurerez. Il y a tant de questions que j'aimerais vous poser. »

Il s'arrêta une nouvelle fois, pour permettre à l'arrivante de répondre, mais elle garda un silence obstiné. Ce masque la fascinait : chaque œil, profondément enfoui derrière sa fente, étincelait comme de l'eau au fond d'un puits, la bouche qui restait fermée lorsqu'il parlait lui rappelait ces masques que les acteurs japonais utilisent pour le no.

« Si vous n'avez pas envie de manger pour le moment, reprit-il, quelque peu décontenancé, Samson va vous accompagner jusqu'à votre chambre, pour que vous puissiez vous habituer à votre nouveau cadre. Je suis sûr qu'il vous conviendra. Vous êtes libre, évidemment, de passer la soirée seule, si c'est là ce que vous désirez. Je possède une bibliothèque fort complète. Et si vous préférez voir un film, une salle de projection est à votre disposition, ainsi qu'une cinémathèque où figurent tous les grands classiques et bon nombre de films contemporains. »

Il se tut et le silence entre eux se prolongea, s'éternisa. Rebecca finit par le rompre.

« Monsieur Beeze, dit-elle d'une voix posée, vous pouvez

m'enlever à ma famille, à mes amis, à ma carrière, vous pouvez me retenir prisonnière ici jusqu'à ce que je sois devenue une vieille femme laide et gâteuse, mais sachez que je n'ai pas la moindre intention ni de manger avec vous, ni de lire vos livres, ni de regarder vos films, ni, en un mot, d'être votre amie. Figurez-vous que je vous trouve parfaitement méprisable. Vous avez torturé mon ami Leslie...

— Je l'ai trouvé mourant dans le désert et je l'ai recueilli et nourri.

— Après quoi vous l'avez brutalisé et enfermé dans votre cave !

— Il m'avait volé.

— Ce n'était pas une raison pour...

— Mes raisons ne regardent que moi ! s'écria Beeze d'une voix si tonnante que la jeune femme recula involontairement. Cet univers m'appartient, j'en suis le maître suprême et à l'intérieur de ces murs, chacun vit selon mes lois.

— Vous êtes cinglé, souffla-t-elle en reculant.

— Et vous, comment seriez-vous si le sort avait fait de vous un cauchemar vivant ?

— Je ne veux même pas vous parler ! » Elle commença à se diriger en crabe vers l'escalier.

« Vous ne voulez surtout pas penser à tout ça, parce que si vous le faites, vous commencerez à me comprendre. Or vous préférez me haïr...

— Oui, cria-t-elle, c'est vrai, je veux vous haïr !

— Parce que vous vous complaisez dans la haine et la peur.

— Parce que vous êtes en train de saboter définitivement toutes mes chances de jouer le plus beau rôle de ma carrière ! Et que demain, j'aurai trente ans et je serai finie, de toute façon !

— Cessez donc de haïr un instant et vous comprendrez que, si je vous ai fait venir ici, c'est parce que je suis si seul que...

— Assez ! Taisez-vous ! »

Se bouchant les oreilles avec ses mains, elle monta l'escalier quatre à quatre, sans même se demander où il menait, ne songeant qu'au besoin de fuir la présence de cet homme. Arrivée au premier, elle tourna à gauche et se rua dans le couloir qui s'ouvrait devant elle. Une porte céda sous sa main, elle s'engouffra à l'intérieur et la referma derrière elle, avant de s'y adosser hors d'haleine, les genoux prêts à se dérober. Lorsque la clameur du sang qui martelait ses tempes se fut tue, elle entendit un autre bruit, une ravissante voix de femme qui chantait une berceuse.

Elle se trouvait dans l'antichambre d'un petit appartement. En face d'elle s'ouvrait le salon, avec une alcôve faisant salle à manger et une kitchenette ; au-delà, elle apercevait un petit passage qui devait mener aux chambres, car c'était de là que venait la voix. Le mobilier était moderne et coûteux, avec de-ci de-là quelques antiquités chinoises de grande valeur, un vase en porcelaine jaune vif, un secrétaire en bois marqueté d'ivoire, une peinture sur soie représentant un paysan dans une charrette tirée par des bœufs. Suivant toujours le chant, elle atteignit une chambre d'enfant, de petite fille, pleine d'animaux en peluche et de vichy rose et blanc, plongée dans l'obscurité à l'exception d'un faible veilleuse. Du seuil de la porte, où elle s'était arrêtée, Rebecca distinguait la forme du petit corps sous les couvertures, le pouce englouti dans la bouche, les cheveux étalés sur l'oreiller. Une femme toute menue était assise au bord du lit et caressait les cheveux noirs en chantant.

Elle leva les yeux vers la visiteuse et sourit. C'était une Asiatique, au teint pâle, à la beauté classique, fragile comme un lotus. On remarquait pourtant dans son regard une hardiesse, une intelligence qui semblaient en contradiction avec le reste du personnage. Posant le doigt contre ses lèvres pour demander le silence, elle se leva et quitta la pièce en fermant presque complètement la porte derrière elle.

Les deux jeunes femmes se firent face dans la pénombre du passage.

« Aidez-moi, je vous en prie », balbutia Rebecca, les larmes aux yeux.

Elles ne s'étaient jamais vues auparavant et pourtant elles

se sentirent instinctivement portées l'une vers l'autre. La Chinoise passa un bras autour des épaules de Rebecca, en disant : « Je comprends parfaitement, vous êtes nouvelle ici et, bien sûr, vous vous sentez bien seule et bien effrayée. Je me souviens encore du malaise que j'ai éprouvé, moi aussi, le premier jour. Venez, nous allons prendre un peu de thé. » Tout en parlant, elle entraîna sa visiteuse dans la petite cuisine où elle mit une bouilloire sur le feu et sortit une théière en cuivre laqué merveilleusement ouvragée. « Je m'appelle Ann Chin. Larry, mon mari, est endocrinologue. Le Dr Resnick et lui font des recherches sur les greffes d'organes. J'aimerais pouvoir vous en dire plus, mais tout cela est beaucoup trop compliqué pour une âme simple comme moi. Aimez-vous le thé vert, mademoiselle Weiss ?

— Comment savez-vous mon nom ! »

Ann sourit : « Oh, ça fait déjà plusieurs jours que les rumeurs vont s'amplifiant. Il paraît que Beeze passe tout son temps dans la salle de projection à regarder interminablement votre film, *Le pays des rêves perdus*.

— Il va finir par s'en lasser.

— Non, pas lui. Il n'est pas comme nous autres, vous savez. »

Elles s'assirent à la table de l'alcôve et dégustèrent leur thé dans de ravissantes petites tasses en cuivre laqué, qui arrachèrent à Rebecca des cris d'admiration. Ann expliqua : « C'est un service que mon père a apporté de Chine quand il est venu étudier la médecine à Harvard. Il devait rentrer dans son pays pour participer à la révolution du peuple, mais il est tombé amoureux de ma mère et elle l'a persuadé de rester ici. Elle était serveuse dans un restaurant chinois de Cambridge. On dirait un mauvais mélo, vous ne trouvez pas ? Mon père parle merveilleusement l'anglais, mais chaque fois qu'on sonnait à notre porte pour tâcher de lui vendre une encyclopédie ou de l'enrôler dans les Témoins de Jéhovah, il faisait semblant d'être le cuisinier chinois : "Désolé, la patlonne elle est soltie, faudla levenir, désolé".

Elles éclatèrent de rire.

« Mon mari, continua Ann, était un de ses étudiants.

203

Après notre mariage, j'ai laissé tomber mes études et j'ai pris un travail, pour lui permettre de finir les siennes.

— Pourquoi donc ? lui reprocha presque Rebecca, dont le féminisme s'était aussitôt cabré.

— Parce que j'en avais envie. Ne vous méprenez pas, je suis tout à fait en faveur de l'égalité des sexes, mais, pour celles d'entre nous qui l'exercent de leur plein gré et non contraintes et forcées, le métier de mère de famille est quelque chose de merveilleux. Et puis la vie de couple y gagne aussi, vous savez, parce que le mari et la femme sont polarisés, comme le Yin et le Yang, et, bien que séparément chacun soit un peu amoindri, ensemble ils créent une unité plus profonde.

— Vous croyez vraiment à ce que vous me dites là ? demanda Rebecca avec une extrême courtoisie.

— Mais oui. Notez qu'il peut très bien ne s'agir que d'une rationalisation assez tarabiscotée. Mon père et mon mari me reprochent tous les deux de posséder un tour d'esprit par trop byzantin.

— Je me suis souvent dit, avoua Rebecca, qu'il serait drôlement chouette de dire merde à tout le saint-frusquin, aux agents, aux critiques, aux producteurs, et de me faire faire un gosse. J'aimerais tellement avoir une petite fille comme la vôtre.

— C'est absolument impossible, répondit Ann imperturbable, vous n'êtes pas chinoise. » Elle eut un sourire espiègle.

Rebecca éclata de rire : « Vous savez bien ce que je veux dire. Elle est adorable.

— Surtout quand elle dort. »

Rebecca étouffa un bâillement, le dos de sa main contre sa bouche.

« Et vous feriez bien d'en faire autant, déclara Ann. Il est presque minuit et vous devez être épuisée. Venez, je vais vous montrer votre chambre. Nous aurons tout le temps de parler demain, je vous le promets. »

Rebecca hésita : « Je ne veux pas quitter cet appartement. J'ai peur.

— Vous n'avez rien à craindre — tant que vous ferez ce que veut Beeze. D'ailleurs, même si vous n'obéissez pas, il ne vous fera aucun mal. D'après ce que j'ai cru comprendre, il s'est complètement amouraché de vous, comme un écolier.

— Comment pouvez-vous supporter cette existence de prisonnière ?

— Nous ne sommes pas des prisonniers. Larry avait besoin de beaucoup d'argent pour poursuivre ses recherches et Beeze a offert de le lui fournir. Et par-dessus le marché, il nous donne tout ça ! » Elle écarta ses deux mains, petites et parfaites, pour englober la pièce et son élégant mobilier. « C'est un homme très généreux.

— Mais vous ne vous sentez pas trop seule ?

— Larry est heureux, parce qu'il peut continuer ses recherches. Et si mon mari est heureux, je suis heureuse aussi. Là, pour une fois, je viens de dire quelque chose de simple. Et maintenant, laissez-moi vous accompagner jusqu'à votre chambre avant le retour de mon mari.

— Où est-il ? » demanda Rebecca, en suivant Ann dans le couloir. Les pieds de cette dernière, chaussés de fines pantoufles, étaient si menus que Rebecca elle-même, malgré son petit gabarit, avait l'impression d'être lourde et maladroite.

« Le Dr Resnick et lui restent toujours très tard dans leur laboratoire. Il ne remontera probablement pas avant une heure du matin. Je vais l'attendre pour lui préparer son souper. Jasmine voulait l'attendre aussi, mais elle n'a pas tenu le coup. Nous y voilà ! »

Elle ouvrit la porte de la chambre où Leslie avait été logé — dont le mobilier émerveilla Rebecca — et fit promettre à sa compagne de ne pas hésiter à venir la chercher, quelle que fût l'heure, si elle avait peur ou si elle ne parvenait pas à dormir. En revanche, si elle avait soif ou désirait une bouillotte, elle n'avait qu'à tirer la sonnette et Samson lui apporterait ce dont elle avait envie. Elle assura que le géant était doux comme un épagneul. En définitive, aucune des deux éventualités ne se présenta, car Rebecca s'assoupit dès que sa tête eut touché l'oreiller et dormit d'une traite jusqu'au matin.

En sortant péniblement de son lit, le lendemain, elle trouva par terre six boîtes empilées, dont la plus grande mesurait plus d'un mètre cinquante de long et la plus petite à peine vingt centimètres. Perplexe, elle prit l'enveloppe posée sur le dessus. Elle y trouva une carte du plus fin vélin, sur laquelle était calligraphié le message suivant :

Pour Rebecca, le jour de son anniversaire.
« Qui vit bien, vit longtemps ; car notre âge
Ne devrait pas être compté en années, jours, ni heures.
    « Votre humble serviteur,
      « H.W. Beeze III. »

Au fait, c'était vrai, elle avait trente ans aujourd'hui. Dans la panique des derniers jours, elle l'avait complètement oublié. Mais pas Beeze. Elle se demanda où et comment il avait pu lui trouver des cadeaux. Peut-être étaient-ce des vieilleries qu'on avait sorties du grenier, ou bien peut-être avait-il envoyé Samson à Las Vegas acheter quelques babioles dans les boutiques qui restaient ouvertes toute la nuit.

Ou alors, avait-il toujours su qu'elle viendrait ?

Elle arracha le papier qui enveloppait la première boîte, l'ouvrit et prit, sur un coussin de velours, un collier de chien composé de plusieurs centaines de petits diamants, tous absolument parfaits. Lorsqu'elle le brandit vers la lumière, les pierres firent jaillir des milliers d'arcs-en-ciel devant ses yeux encore brouillés de sommeil. Son premier réflexe fut de le ranger immédiatement dans son écrin, car elle avait l'impression que plus il passerait de temps entre ses doigts, plus elle risquait d'être contaminée par la richesse de Beeze, comme par une maladie ; elle ne put cependant résister à la tentation de le voir sur elle, ne fût-ce qu'une seconde. Elle s'approcha du miroir et ramena ses mains derrière sa nuque pour attacher le précieux ruban de gemmes, ses petits seins se soulevant à l'unisson ; puis elle recula et prit la pose. La glace ancienne était toute piquée, ce qui donnait à son reflet tout le flou d'une vieille

206

carte postale pornographique. Etre nue avec un million de dollars en diamants autour du cou, c'était vraiment le pied ! Si Vicky avait pu la voir, elle en aurait crevé de dépit. Elle ouvrit une autre boîte et y trouva une robe en velours rouge rebrodé de fils d'or, de style Empire, généreusement décolletée, un véritable costume de princesse de conte de fées. Une troisième boîte contenait une paire de pantoufles dorées, une autre encore des peignes en nacre pour ses cheveux. Elle n'osa même pas ouvrir le reste et se hâta de refaire les paquets déjà déballés, malgré l'hésitation qui faillit paralyser ses doigts au moment de faire disparaître les feux éblouissants du collier. C'était vraiment trop tentant. Elle était affolée d'entendre une voix intérieure lui susurrer : Nom d'un chien, mais ce n'est pas si mal tout ça, pourquoi te casser le tronc à jouer la comédie alors que tu pourrais mener la belle vie ici ? Il fallait partir au plus vite, se dit-elle saisie de panique, car avec chaque minute qui passait, la voix prenait sur elle une emprise croissante. Elle avait entendu parler des prisonniers de guerre, coupés de tout leur environnement familier, sevrés de journaux, de magazines, de tout ce qui pouvait leur rappeler leur patrie et sournoisement endoctrinés jusqu'à ce qu'un déclic se fût fait dans leur cerveau qui, de cet instant, cessait de leur appartenir. Elle allait être obligée de prendre des mesures draconiennes, sinon elle risquait de perdre son âme, de mourir, de devenir quelqu'un d'autre sans même s'en apercevoir.

Elle tira sur le cordon de sonnette et, lorsque Samson se présenta, elle avait remis le tailleur en soie noire qu'elle portait la veille. Ouvrant hardiment la porte, elle l'affronta sans la moindre crainte.

« Salut. Soyez gentil, voulez-vous ? Débarrassez-moi de toutes ces boîtes. »

Samson contempla fixement la pile, puis tourna le regard vers elle, sans un geste pour obéir.

« Vous m'avez entendue, insista Rebecca. Emportez-moi tout ça. Je n'en veux pas. »

A contrecœur, le géant prit les boîtes et les déposa dans le couloir.

« Et dites à votre maître que j'aimerais le voir dès qu'il aura une minute, d'accord ? »

Samson inclina la tête et sortit, en refermant la porte derrière lui.

Rebecca s'assit sur le lit pour attendre. Quelques instants plus tard, on frappait à sa porte et Beeze entra, en pantalon de flanelle grise et chemise blanche à manches longues, à peine ouverte au col. Entre le col et le bas du masque. Rebecca apercevait un triangle de chair et elle garda les yeux rivés avec une sorte de fascination malsaine sur les plis de peau cicatrisée, rouge et lisse, qui apparaissaient et disparaissaient selon les gestes de son interlocuteur. Elle n'avait pas l'intention de l'embarrasser en regardant trop fixement son cou, mais pourtant elle semblait incapable d'en détacher son regard.

« J'espère que vous avez bien dormi, mademoiselle Weiss. » Tiens, on donnait à nouveau dans le commissaire de bord !

« Plutôt bien, merci. Que voulez-vous de moi ?

— Ce que je veux ? Rien.

— Allons, à d'autres. Vous vous êtes donné beaucoup de mal pour m'attirer jusqu'ici.

— Enfin oui, je suppose que je voulais effectivement quelque chose. Vous voir au naturel, en personne, après vous avoir tant regardée sur un écran. Vous entendre dire des mots qui n'avaient pas été écrits pour vous par une armée de scénaristes. Je pense que c'est ça que je voulais.

— Et quels sont les mots que vous vouliez m'entendre dire ?

— Excusez-moi, je ne comprends pas.

— Bien sûr que si ! » A présent, c'était elle qui l'agressait, qui le cernait, tandis qu'il reculait peureusement en se protégeant, comme si les mots de Rebecca étaient autant de coups d'épingle. « Tous ces cadeaux, c'est du commerce, non ? Vous voulez acheter mes services ? Eh bien, marché conclu, mon cher, et avec une prime en plus. Mes services,

208

je vous les offre gracieusement — je suis prête à faire n'importe quoi pour sortir d'ici.

— Vraiment, je vous assure que je ne comprends pas un mot de ce que vous dites.

— Une fois, ça vous suffira ? Deux fois? Je ferai vraiment semblant d'y prendre plaisir, vous verrez ! »

Elle tira sauvagement sur la fermeture à glissière de sa jupe et la laissa choir sur ses chevilles, avant de l'enjamber pour aller se planter devant Beeze, en petite guimpe et jupon. Elle n'était guère épaisse, de toute façon, mais le satin noir incrusté de dentelle la faisait paraître encore plus frêle. Et pourtant, elle était grandie par sa colère, elle en était comme gonflée et personne de sensé ne se serait avisé de la contredire à ce moment-là.

« Non, balbutia Beeze, non, ne faites pas ça, je vous en prie.

— J'avais toujours dit que rien au monde ne pourrait m'obliger à me vendre, eh bien je me trompais. Je suis prête à tout pour vous fuir et fuir ce mausolée ridicule que vous appelez votre demeure, à tout, vous m'entendez — à tout ce que peut désirer votre pauvre esprit de détraqué. »

Elle fit tomber son jupon et glisser sa guimpe par-dessus sa tête.

« Non, non, répéta Beeze, je ne veux pas. Arrêtez, je vous en prie, rhabillez-vous ! »

Elle se campa devant lui, les bras croisés, n'ayant gardé sur elle que sa culotte ; elle avait la chair de poule et les bouts de ses seins étaient tout racornis par l'air froid que dispensait le climatiseur.

« C'est complètement raté ! s'écria Beeze. Ce n'était pas du tout ça que j'avais prévu. Je voulais que nous soyons amis, je voulais que vous m'admiriez et... » Sa voix s'étrangla dans sa gorge et il fut incapable de continuer. Il recula maladroitement, en détournant les yeux et quitta la pièce en courant.

« Bienvenue au sein de notre petite famille ! » déclara
Henri ce soir-là, lorsque Rebecca les rejoignit pour le dîner.
La jeune femme fut soulagée de constater qu'on ne lui tenait
pas rigueur des méfaits de Leslie. « Vous trouverez ici,
poursuivit-il, les plus belles réussites intellectuelles de l'humanité. Tout ce que la musique, la littérature et la peinture
comptent de chefs-d'œuvre !

— Sans oublier la cuisine, glissa David.

— Hé oui, dit Henri, en hochant la tête. Mais la modestie m'interdisait de le dire.

— Henri est un cuisinier d'exception, renchérit le Dr Resnick. Dieu sait quelles merveilles il nous servirait, si Beeze
voulait bien tolérer la présence d'un morceau de bœuf chez
lui.

— Docteur Resnick, intervint le yogi Gnesha, je crains
que vous ne faissiez pas assez cas de la sagesse de Beeze.

— Je fais, au contraire, très grand cas de la sagesse de
Beeze, mais il peut néanmoins, comme tout un chacun, se
laisser influencer et vous êtes parvenu, je ne sais trop comment, à l'embobiner et à le persuader de ne s'intéresser
qu'aux légumes. Ce qui est quand même malheureux, si l'on
songe que les meilleurs bœufs des Etats-Unis sont élevés à
quelques centaines de kilomètres d'ici.

— L'abattage d'une vache est une atrocité ! clama
Gnescha.

— Balivernes ! contra le Dr Resnick. Vous n'êtes sûrement pas sans savoir, vous qui avez étudié l'histoire de
votre pays, que les édits interdisant de s'en prendre au
bétail avaient été promulgués par les Aryens, gardiens de
troupeaux notoires, afin d'empêcher les tribus qu'ils con-
quéraient de tuer leurs bêtes !

— Telle est peut-être l'origine de la vache sacrée, admit
le yogi, du bout des lèvres, mais non pas celle de l'*Ahimsa*,
le code de la non-violence, non plus que celle du *Niyama* des
yogi, qui interdisait de tuer bien longtemps avant l'apparition des "dix commandements" judéo-chrétiens. Disons,
tout simplement, que l'homme n'est pas fait pour manger
de la viande. »

210

Le Dr Resnick étouffa un gémissement exaspéré. « Vous ne croyez pas qu'il vaudrait mieux garder les discussions téléologiques pour le dessert ?

— Ce n'est pas de la téléologie, riposta Gnesha. Et pour mettre fin à une discussion, il ne suffit pas de l'affubler d'un nom latin.

— Grec, lui signala le Dr Resnick.

— Latin, grec, sanscrit, quelle importance ? Je faisais allusion non pas à ce que Dieu désire pour l'homme, mais à la fin pour laquelle il a créé son système digestif.

— J'ai mangé de la viande pendant des années, annonça le Dr Resnick, nullement décontenancée, et je peux vous assurer qu'elle m'a toujours autrement mieux réussi que les haricots. »

Tout le monde s'esclaffa — les histoires de pets étant, comme chacun sait, toujours sûres de leur effet — sauf, bien entendu, le sage indien qui se mit à bafouiller de rage.

« Prenez donc les carnivores, tempêta-t-il, regardez-les un peu : griffes et dents pour déchirer, peau dépourvue de pores, salive et urine acides, estomac ultrasimple, intestins parfaitement lisses. Quand on va les voir au zoo, ils sont toujours occupés à arpenter leur cage, rongés par l'anxiété, le mécontentement, la violence mal contenue. Et maintenant, prenez les herbivores : pas de griffes, une peau constellée de pores, salive et urine alcalines, on les voit calmes, satisfaits. Ils sourient même souvent, comme la girafe.

— Moi, je n'ai jamais vu sourire de girafes, marmonna M. Munckle, le vieil homme qui servait à table avec sa femme et que cette conversation semblait agacer prodigieusement.

— Moi, si, affirma Rebecca, volant au secours de Gnesha dont l'intelligence n'était pas sans un côté arbitraire qui la charmait.

— Voici bien longtemps que je ne me suis pas replongée dans les délices de l'anatomie comparée, déclara le Dr Resnick, mais si j'ai bonne mémoire, la différence entre les herbivores et les carnivores est aussi grande que celle qui sépare les herbivores des anthropoïdes. Les herbivores ont des sabots et des dents plates pour broyer la nourriture. Parfois, comme dans le cas des pachydermes, leur peau n'est pas plus poreuse que celle des carnivores. En ce qui concerne leur système digestif, leur estomac est divisé en trois — et même en quatre chez les ruminants — à l'encontre de l'estomac unique de l'homme. Quant à savoir si oui ou non les girafes sourient, il me semble que seules d'autres girafes pourraient répondre à cette question. »

Tout le monde s'esclaffa de plus belle.

Larry Chin, le mari d'Ann, prit la parole pour la première fois : « Je crois que la science et la religion ont tort, l'une comme l'autre, en cherchant à déterminer le comportement "naturel" de l'homme par analogie avec les animaux. Chaque espèce animale semble s'être développée en vue d'une fonction précise, par exemple les castors ont des dents qui leur permettent de ronger le bois, les oiseaux ont des os creux qui les rendent assez légers pour voler, les girafes ont de longs cous pour atteindre les branches supérieures des arbres. L'homme, en revanche, ne semble naturellement doué pour rien. Il court mal, il n'a ni nageoires ni ouïes pour nager, ni griffes ni queue pour grimper, ni ailes pour voler, bref, aucune "fonction" à laquelle le prédestine particulièrement sa physiologie. Et il n'a, de même, aucune alimentation "naturelle". Evidemment, il peut préférer ne pas manger de viande pour éviter la cruauté de l'abattage, mais ça c'est une autre affaire — et une affaire en profond désaccord avec la nature qui est rarement compatissante. » Il s'arrêta pour avaler une bouchée, avant de reprendre : « Souvent, je me demande si ce n'est pas justement ce manque de fonction biologique qui a donné naissance à la conscience de l'homme. Il a dû se dire : Si je ne suis bon à rien, qu'est-ce que je fiche ici ? Et c'est ainsi qu'est née la conscience.

— Le premier dilemme existentiel », dit Rebecca.

Le Dr Chin acquiesça, puis, ayant ainsi remis de l'ordre dans les esprits, il en revint à son dîner.

« Eh bien, moi, j'en ai une, de fonction, annonça Mme Munckle, c'est de tenir propre cette vieille bicoque.

212

— Puisqu'on parle de viande, dit M. Munckle, l'un d'entre vous serait-il intéressé par un petit ragoût de lapin ? Figurez-vous que j'ai trouvé un lapin ce matin.

— Comme c'est intéressant ! déclara le Dr Resnick.

— Vous voulez le voir ?

— Oh oui, je veux voir le lapin, s'écria Jasmine, je veux voir le lapin.

— Le voilà, le lapin ! » lança M. Munckle. Il avait très adroitement plié sa serviette pour former deux longues oreilles et l'avait glissée sur sa main, ce qui lui permettait de la manipuler comme une marionnette. « Y aurait pas des carottes par ici ? » ajouta-t-il d'une voix de fausset stridente, en chatouillant avec sa serviette le nez de la fillette, terrassée par un fou rire incoercible.

Le Dr Resnick les regarda d'un air tolérant qui, au fil des ans, s'était teinté d'un léger agacement. Rebecca, en revanche, qui adorait les plaisanteries idiotes, ne put réprimer un sourire.

« Nous sommes tous bien heureux, déclara Henri, de servir un maître aussi bon et généreux que Beeze.

— Il est, sans conteste, un des grands mécènes de la science, renchérit le Dr Resnick. C'est grâce à sa libéralité que nous avons pu mener à bien des travaux qui nous auraient pris des années, s'il avait fallu passer par les voies habituelles, c'est-à-dire solliciter des subventions, faire des économies de bouts de chandelle pour l'achat de notre équipement et donner des cours pour subvenir aux besoins de nos familles.

— C'est un homme vraiment remarquable, ajouta le yogi Gnesha. Lorsque j'ai fait sa connaissance, c'était un infirme : aujourd'hui il est capable de faire cent dix neuf *asanas* et dix *pranayamas*. Et spirituellement, il a également réalisé d'énormes progrès, et pourtant c'est un domaine où il était encore plus handicapé.

— Handicapé ? répéta Henri, comme si cette seule idée lui semblait impensable.

— Qu'est-ce donc que dit l'Ancien Testament ? demanda Gnesha d'une voix songeuse. Qu'il est encore plus difficile au riche de gagner le royaume des cieux, qu'à un éléphant de passer par le chas d'une aiguille.

— Un chameau, corrigea le Dr Resnick.

— Non, non, Gnesha secoua furieusement la tête, un éléphant.

— Je crois que c'est, en effet, un chameau, intervint le Dr Chin. Ils n'avaient pas d'éléphants au Moyen-Orient.

Henri s'insurgea : « Mais Beeze constitue une exception. Pour lui, l'argent est vraiment sans importance... »

Rebecca reposa violemment son verre sur la table. Dans le silence qui suivit, tous les regards se tournèrent vers elle.

« J'en ai marre de vous entendre ! » Elle crachait littéralement ses mots. « De vous entendre tous encenser ce dégénéré, uniquement parce qu'il vous comble de largesses. Vous savez ce qu'il a fait, votre Beeze ? Il a envoyé un commando de malfrats à Los Angeles pour tuer mon ami Leslie. Oui, parfaitement ! Et comme ils ne l'ont pas trouvé, ils ont saccagé son appartement, esquinté tous les trésors qu'il avait passé sa vie à réunir. Mon pauvre Leslie, qui est un des êtres le plus foncièrement bons qui soient au monde. Voilà ce qu'il a fait, votre merveilleux Beeze. Et maintenant, si vous voulez bien m'excuser, je préfère m'en aller avant de me mettre à vomir ! »

Une fois dans sa chambre, elle empoigna une des chaises en bois doré et la lança contre le mur ; le siège se brisa en plusieurs endroits, laissant apparaître l'assemblage et les goujons en bois naturel. « Voilà pour avoir mis en pièces l'autographe de Marilyn ! » dit-elle d'une voix haletante. Puis elle attrapa les grands rideaux de velours du lit à baldaquin et les arracha, provoquant un énorme accroc. « Et voilà pour avoir éventré les canapés ! » Elle sortit son rouge à lèvres de son sac et traça, sur la large bande de plâtre blanc qui séparait les deux fresques, un grossier calendrier, soulignant la date d'un trait rouge vengeur. « Et voilà pour avoir chié sur le tapis ! » Après quoi, vidée comme après l'amour, elle se laissa tomber sur le lit et tenta de reprendre haleine.

Cette nuit-là, tandis qu'elle s'agitait dans son lit, incapa-

214

ble de dormir, Rebecca entendit un violon, un son incroyablement lointain, ténu. Elle écouta un long moment, bouleversée par la tristesse, la beauté de ce chant ; puis, n'y tenant plus, elle sortit du lit, enfila un peignoir qu'elle avait trouvé dans le placard et partit à la recherche du musicien.

Elle trouva Beeze tout seul dans le salon de musique et s'installa sur la chaise longue pour l'écouter, s'apercevant qu'il était pratiquement impossible de continuer à en vouloir à quelqu'un qui jouait aussi merveilleusement, réalité qui a sauvegardé la félicité conjugale de maint grand artiste à travers les siècles.

Tandis qu'elle écoutait, transportée, cette musique divine, son regard se posa distraitement sur les presse-papiers disposés sur le clavecin. Elle remarqua, au premier rang, une rose enchâssée dans du cristal, qui lui parut être la parfaite incarnation de ce qu'elle entendait, tant par sa couleur étonnante, un rouge aussi hurlant que le jupon d'une prostituée du XVIIIe siècle, que par ses pétales aux proportions aussi pures que celles d'un temple grec ; elle constata que le fait de regarder cet objet pendant qu'elle écoutait lui procurait un plaisir d'une extraordinaire sensualité.

« Jamais je n'ai rien entendu d'aussi beau, déclara-t-elle lorsque Beeze décolla enfin son instrument de sous son menton.

— Jamais je n'ai joué aussi bien. Certains physiciens ont démontré que les désirs de l'observateur peuvent influer sur le mouvement de certaines particules subatomiques. Peut-être l'auditeur a-t-il un pouvoir identique sur la beauté de la musique. »

Elle quitta la chaise longue pour se diriger vers le clavecin et prendre dans sa main le presse-papiers qu'elle avait si longuement regardé.

« Où l'avez-vous eu ? J'adorerais en avoir un.

— Comme c'est étrange ! déclara Beeze. Parmi tous les objets que contient cette demeure, vous êtes allée droit à celui qui a pour moi de la valeur. »

Suis-je bête ! se dit-elle. C'est le fameux presse-papiers qui a failli coûter la vie à Leslie !

« C'est un cadeau de quelqu'un que vous aimiez ? questionna-t-elle.

— Oui.

— D'une femme ?

— De mon fils. »

Elle se sentit curieusement déçue, presque trompée : « Je ne savais pas que vous étiez marié.

— Ça fait vingt ans que je n'ai pas eu la moindre nouvelle de mon ex-femme. »

Elle se sentit aussitôt mieux : « Et votre fils, où est-il ?

— Mort.

— Oh, je suis désolée. Ça vous fait mal d'en parler ?

— Qu'est-ce qui peut encore faire mal, quand tout n'est que douleur ?

— Comment est-il mort ? demanda Rebecca.

— C'est moi qui l'ai tué.

— Oh non, je ne vous crois pas.

— Vous avez devant vous le plus grand tueur jamais enfanté par notre pays.

— Je ne comprend pas.

— J'étais P-DG d'une firme de produits chimiques. Nous fabriquions, entre autres choses, un composé de naphtol et de phénol alipathique qui a la particularité, quand on le combine à l'essence, de former un gel poisseux thixotrope, c'est-à-dire une substance absolument idéale pour les bombes incendiaires et les lance-flammes.

— Le napalm, chuchota-t-elle.

— Entre 1962 et 1969, nous avons fabriqué plus de trois cents millions de litres de ce produit, et ce avec mon plein accord — que dis-je ? avec ma coopération enthousiaste. Toutes ces années-là, nous avons établi des profits record, une croissance record. Mon grand-père avait fondé cette firme il y a soixante-dix ans en inventant un modèle d'extincteur alimenté au combustible sec. Il avait installé ses locaux dans le garage de sa petite maison de Pennsylvanie et c'était ma grand-mère qui tenait les comptes. Et quarante ans plus tard, nous étions la troisième firme de produits chimiques au monde, avec plus de huit milliards de dollars

216

de chiffre de ventes. Je voulais que mon fils me succède à la tête de cet empire, comme moi j'avais succédé à mon père, et lui au sien ; mais c'était un garçon qui avait sa personnalité. Il voulait être violoniste virtuose — et il le serait peut-être devenu, vous savez ; il était extrêmement doué. Il semblait avoir hérité de ma musicalité, de ma sensibilité, de mon intelligence, mais sans aucun des travers qui ont fait de moi un monstre : le besoin de contrôler, d'acquérir, de conquérir, en dépit de tout et de tous. Evidemment à cette époque, je ne savais pas encore que j'étais un monstre — non, j'étais encore beau, le P-DG idéal, avec mes tempes argentées et mon allure distinguée. Je me prenais pour un homme de bien, un philanthrope et un patriote. Mon fils, lui, me prenait pour le plus grand tueur que la terre ait porté depuis Hitler. Je lui ai fait valoir que notre pays était le plus beau du monde et que la perte de quelques milliers de vies humaines n'était pas trop cher payer pour préserver sa sécurité. Savez-vous ce qu'il m'a répondu : "Si tu en es un digne représentant, il ne vaut pas la peine qu'on le sauve !"

— On dit parfois des choses qu'on ne pense pas vraiment, déclara Rebecca.

— En 1968, il a été appelé. Le général Pierce était un de mes amis intimes. Je déjeunais avec lui chaque fois que j'allais à Washington et nous tâchions aussi de caser quelques sets de tennis. Il m'a dit qu'il allait tirer quelques ficelles. Mon fils n'avait qu'à se plaindre d'un genou déficient et il serait déclaré inapte, sans que personne ne trouve à y redire. Mais il ne s'est pas plaint de son genou. Il a passé sa visite médicale sans souffler mot et quelques mois plus tard, il était mobilisé. Quand je lui ai demandé pourquoi, il m'a répondu : "Pour expier tes crimes", et il m'a donné ce presse-papiers. "Quel drôle de cadeau", ai-je dit. "C'est la seule fleur que tu sois capable d'apprécier, a-t-il expliqué, une fleur emprisonnée dans du verre, qui ne se fanera jamais et ne perdra jamais ses pétales." Je ne sais toujours pas ce qu'il a voulu dire par là. Il est revenu à la maison quelques semaines avant Noël, démobilisé : il avait eu le

217

bras gauche emporté par un grenade. Il est resté trois mois à languir ; la plupart du temps, il n'avait même pas le courage de sortir de son lit. Et puis un matin, il a paru complètement rétabli, joyeux même, pourrait-on dire. Il s'est levé, rasé, habillé et il est parti faire une longue promenade à pied. A son retour, il s'est tiré une balle dans la tête avec un de mes pistolets.

« Après son enterrement, j'ai sorti mon avion privé, un Cessna que je pilotais pour me distraire. Il faisait très froid et l'air était clair comme du cristal, vous savez ce que je veux dire. Au-dessous de moi, le patchwork vert et roux de la campagne s'étendait à perte de vue. A trois mille mètres d'altitude, j'ai coupé les gaz et le silence est devenu absolu ; on aurait dit que l'univers était vide de tout mouvement. J'ai mis l'avion en piqué et très vite j'ai perdu conscience, emporté par une vague étrange de bonheur et de soulagement à l'idée que je ne me réveillerais pas. Je ne me doutais pas, alors, de ce que m'a depuis enseigné le yogi Gnesha : que la mort n'est pas une délivrance, que nous devons vivre et revivre à de multiples reprises et répéter nos erreurs, jusqu'à ce que nous ayons appris à nous corriger, jusqu'à ce que la sagesse et la compassion soient capables de nous garder dans le droit chemin. Quand je suis revenu à moi, j'étais en train de brûler et la douleur était si atroce que j'ai hurlé comme un animal. Dieu me refusait la grâce de me laisser mourir, car j'avais encore plusieurs leçons à recevoir au cours de ma présente existence. On m'a emporté d'urgence, en ambulance puis en avion, jusqu'à l'hôpital militaire Brook, à Fort Sam Houston, Texas, le plus grand centre hospitalier des Etats-Unis pour le traitement des grands brûlés. C'était d'ailleurs là qu'on envoyait les garçons rapatriés du Vietnam, ceux qui avaient été arrosés au napalm.

« J'y ai passé des mois et des mois, on m'a fait des greffes d'organes, des greffes de peau et plusieurs opérations de chirurgie esthétique. J'ai supplié les médecins de me tuer, mais ces gens-là ne connaissent pas le sens du mot compassion. Ils sont obstinément braqués sur la nécessité de maintenir les malades en vie le plus longtemps possible, quelles que soient les circonstances. Chaque jour, il arrivait, dans cet hôpital, de nouveaux blessés, des gamins qui gémissaient de douleur et d'autres plongés dans une bienheureuse inconscience. Mais ce que je me rappelle le plus nettement, c'est l'odeur, une odeur de porc grillé, et pourtant leurs brûlures avaient dû refroidir plusieurs heures, plusieurs jours même avant leur arrivée. Ce n'était peut-être qu'un effet de mon imagination. Je délirais, la plupart du temps.

« C'est pendant mon séjour à l'hôpital que j'ai démissionné de mon poste de P-DG, j'ai vendu mes actions, j'ai rompu tous les liens qui pouvaient me rattacher encore à la firme et j'ai commencé à organiser ma retraite dans le désert : j'ai dessiné cette maison noir sur blanc, j'ai dressé une liste du personnel nécessaire pour sa bonne marche — moins il y en aurait, mieux ce serait — enfin j'ai contacté des agents immobiliers pour qu'ils me trouvent un terrain adéquat. C'était ici, dans le désert, ai-je décidé, que je m'efforcerais de comprendre ma vie, de racheter mes crimes et de recevoir la leçon pour laquelle Dieu m'avait épargné. »

Il pinça distraitement les cordes de son violon, l'accordant encore et toujours, puis il ajouta : « Et vous, mademoiselle Weiss ? Vous avez des enfants ?

— Non, je voudrais bien. Je m'en suis fait passer deux. » Elle eut un rire amer. « Je ne suis jamais allée plus loin, mais j'en aurai un jour.

— Pourquoi attendre ?

— Parce que je n'ai encore jamais rencontré un homme que j'ai eu envie d'épouser.

— Allons donc ! Une femme aussi talentueuse et attirante que vous ? J'ai peine à le croire. »

Rebecca se mit à rire : « Voyez-vous, à Los Angeles, tous les hommes sont mariés, pédés ou tordus. C'est parce qu'ils n'ont jamais été obligés de dégager leur voiture de sous un tas de neige... » Sa voix s'éteignit ; ici, dans le désert, son aphorisme si tranchant sonnait soudain atrocement faux, au point de la faire grincer des dents. Elle s'obligea à réfléchir sérieusement à la question et reprit :

« Si je suis attirante, comme certains hommes semblent le penser, ça ne sert bien souvent qu'à les effrayer. Quelqu'un m'a dit un jour qu'il ne m'avait jamais seulement invitée à sortir avec lui parce que je lui paraissais *inaccessible*. Ça m'a fait rire, ça, vraiment rire. Quant à mon talent, c'est encore plus dangereux. Aucun homme ne veut d'une femme qui risque de l'éclipser, de gagner davantage d'argent que lui, d'être plus célèbre. C'est déjà suffisamment dur comme ça de lutter avec ses ennemis ; s'il faut en plus qu'il lutte avec sa femme !

— Mais il doit y avoir des exceptions ! protesta Beeze. Des hommes assez sûrs d'eux pour ne pas redouter cette rivalité. Des hommes qui ne se sentent pas menacés par une femme à la fois belle, intelligente et douée d'une forte personnalité.

— Vous avez raison, il doit y en avoir. Mais moi, en tout cas, je ne les ai pas rencontrés. J'ai fait huit ans d'analyse, le médecin m'a expliqué que j'étais tellement obnubilée par mon père que je refusais de donner leur chance aux autres hommes, mais je ne crois pas que ce soit si simple que ça.

— Je me dis souvent, déclara Beeze, que si j'avais une épouse qui vous ressemble, ma vie atteindrait une sorte de plénitude.

— De plénitude pour vous. Mais elle, elle deviendrait folle, la malheureuse !

— Ah bon? Vous croyez ?

— Une personne normale a besoin de contacts avec le monde extérieur, de journaux, de magazines. Vous n'avez même pas la télévision ici.

— Il ne serait pas bien difficile de l'installer.

— Votre femme aurait besoin de voir du monde, de s'amuser, de donner des soirées.

— Des soirées ! répéta-t-il comme s'il s'agissait d'un mot étranger.

— Oui, des soirées ! Pour pouvoir danser, écouter de la musique, s'habiller !

— Et si elle avait tout ça, elle ne deviendrait plus folle ?

— Probablement pas, mais il lui faudrait aussi un métier.

— Oh, quant à cela, je lui permettrais volontiers d'exercer un métier, à condition qu'elle consente à ne pas quitter le désert.

— Ah bon ? Et qu'est-ce qu'elle serait alors ? Compteuse de cactus ?

— Si elle était, disons, actrice, je pourrais lui faire bâtir des studios de cinéma ici même. Je pourrais engager pour elle les meilleurs scénaristes, réalisateurs et techniciens...

— Alors là, permettez-moi de vous dire que vous tenez un fantasme particulièrement séduisant !

— Tout cela, je pourrais le faire pour vous.

— Oh non, pas pour moi, répondit-elle aussitôt, en sentant sa volonté vaciller. Mais vous n'auriez aucun mal à me trouver une remplaçante. Faites donc passer une petite annonce dans le *Hollywood Reporter*. Les jolies filles feront la queue sur plusieurs kilomètres, vous verrez.

— Ce ne sont pas elles que je veux, c'est vous !

— Oh, Beeze, dit-elle d'une voix taquine, qu'est-ce que je vais bien pouvoir faire de vous ?

— Apprendre à m'aimer.

— On ne peut pas aimer un homme qui vous retient prisonnière. On ne peut pas aimer un geôlier.

— Je ne veux pas être un geôlier. Ce n'est pas obligatoire.

— Alors, vous voulez bien me laisser repartir ? demanda-t-elle, sans oser y croire.

— Non. Non, pas encore.

— Bientôt ? D'ici quelques jours ? Je reviendrai en visite, je vous le promets. Je resterai même plusieurs semaines à chaque fois.

— Je... je ne sais pas. Laissez-moi le temps de réfléchir. »

7

« Aaron ? cria Sylvie. Où sont passés les petits sacs dans lesquels nous avions enveloppé tes chaussures ?

— Comment ? » hurla Aaron depuis la salle de bains où il se rasait. Le bruit de l'eau l'empêchait d'entendre ce que disait sa femme.

Elle abandonna un instant la valise qu'elle était en train de faire, fonça dans la salle de bains, ferma le robinet et répéta sa question d'une voix inutilement forte.

Elle ne parvint pas, cependant, à tirer de son mari une réponse cohérente. Mentalement, Aaron était déjà de retour à New York, dans son studio, en train de tracer les premières esquisses d'un nouveau projet qu'on venait de lui commander. Un gros ponte de l'immobilier, qui avait assisté au dîner donné en son honneur, était en train de faire bâtir un grand ensemble de deux cents appartements à Marina del Rey et il avait proposé à Aaron de faire, pour orner la cour centrale de ce complexe, une sculpture destinée à commémorer la lutte des Juifs pour protéger leur patrie, car le discours du grand artiste l'avait profondément ému. Aaron, à qui l'idée ne souriait guère, avait réclamé une somme astronomique pour le décourager, mais l'humaniste juif avait aussitôt conclu l'affaire, laissant son interlocuteur se demander s'il n'aurait pas dû viser encore plus haut. En

223

tout cas, transportés par ce projet — et surtout par la somme offerte —, Sylvie et lui avaient réservé des places dans l'un des premiers avions en partance et ils se hâtaient donc de faire leurs bagages.

« Si tu veux que je mette tes chaussures dans la valise, expliqua Sylvie, les mains sur les hanches, dis-moi où tu as mis les petits sacs.

— La femme de chambre à dû les jeter, marmonna son mari. Prends donc des serviettes.

— On va se faire arrêter.

— Tu es parfaitement ridicule, dit-il sévèrement. A propos, je t'ai déjà raconté l'histoire des Smith qui rentrent de vacances. Ils tombent sur les Jones qui leur demandent si ça s'est bien passé et les Smith répondent : ''Oh oui, l'hôtel était formidable, les serviettes étaient si épaisses qu'on a cru qu'on ne pourrait pas fermer les valises !'' Et il poussa un grand rugissement de rire, qui semblait lui monter des entrailles.

« Bon, je vais prendre des serviettes, fit Sylvie, les sourcils froncés. Mais si on nous arrête, ce ne sera pas ma faute.

— Sylvie, ma chérie, il n'y a pas un hôtel au monde où l'on se soucie des vols de serviettes. Les hôteliers s'attendent à ce qu'on les leur vole, ils les rajoutent même automatiquement sur la note. C'est pour ça que les tarifs sont si élevés. Prends donc aussi un ou deux cendriers, pendant que tu y es. »

Sylvie attrapa deux serviettes à main avec un soupir pour le laxisme de son époux et retourna dans la chambre pour envelopper les chaussures.

On frappa à la porte.

« Bon Dieu ! glapit Aaron. C'est sûrement le chauffeur. Dis-lui d'attendre pendant que je m'habille. »

Il enfila ses vêtements à la diable et regagna la chambre où il trouva Leslie, qui patientait d'un air emprunté, tandis que Sylvie allait et venait comme la mouche du coche, ignorant ostensiblement leur visiteur. Aaron et Sylvie connaissaient parfaitement Leslie, qu'ils avaient dû voir des centaines de fois depuis qu'il avait pris en main la carrière de leur fille, mais pourtant, Aaron ne pouvait jamais se rappeler son nom, probablement parce que hors de sa présence il refusait de l'appeler autrement que « le *fagala* », — un yiddishisme pour désigner les homosexuels, qui était littéralement un diminutif du mot « oiseau ». Sylvie n'avait jamais fait mystère de son antipathie pour Leslie, mais Aaron essayait toujours de se montrer cordial — il était comme ça avec tout le monde. Il leur aurait été difficile, à l'un comme à l'autre, de dire pourquoi l'agent de leur fille leur déplaisait à ce point : superficiellement, c'était parce qu'ils l'estimaient, sans trop savoir pourquoi ni comment, responsable du fait que Rebecca ne s'était pas mariée et n'avait pas eu d'enfants, ce qui était effectivement une forte responsabilité à endosser. Mais, dans le fond, la vraie raison était liée à sa sexualité anormale, à ce parfum révolutionnaire qui imprègne automatiquement l'existence de tout homosexuel. Etant eux-mêmes dépourvus de toute espèce de force révolutionnaire, les autres ressentaient sa présence comme une insupportable critique à leur encontre.

Dès que Leslie vit entrer Aaron, il s'avança la main tendue : « Leslie Horowitz, annonça-t-il, sachant pertinemment qu'Aaron ne s'en souvenait jamais.

— Bien sûr, lança jovialement ce dernier, vous ne pensez quand même pas que j'ai oublié le nom du meilleur ami de ma fille ? Comment ça va ? Nous voulions profiter de notre petite visite à Los Angeles pour vous faire signe, mais nous avons eu si peu de temps et tellement de choses à faire ! Et nous voilà déjà sur le point de partir. La prochaine fois peut-être. Surtout, n'hésitez pas à nous appeler si vous venez à New York.

— Monsieur Weiss, annonça Leslie, Rebecca a des ennuis.

— Le contraire m'aurait étonnée, dit Sylvie d'une voix lasse, daignant enfin s'apercevoir de sa présence.

— Cette fois-ci, c'est vraiment sérieux.

— Si c'est pour un nouvel avortement...

225

— Non, non, c'est beaucoup plus grave que ça. On l'a enlevée.

— Oh, mon Dieu ! » gémit Sylvie, en se laissant tomber sur le lit. Elle porta une main à sa poitrine, comme pour empêcher son cœur de bondir à l'extérieur.

« Enlevée ? Combien veulent-ils ? Bon Dieu, encore heureux que j'ai des relations ! Je n'ai qu'à prendre ce téléphone et je peux avoir un million de dollars en liquide dans l'heure qui vient.

— Personne ne réclame de rançon, expliqua patiemment Leslie. Laissez-moi vous expliquer exactement de quoi il s'agit. Il vaudrait mieux nous asseoir. Bon, voilà : il y a quinze jours, en revenant de la vallée de la Mort, ma voiture est tombée en panne... »

Ils l'écoutèrent en silence, quelques instants, puis Aaron s'écria : « Hé là, attendez ! J'ai déjà entendu cette histoire-là quelque part ! Mais où ? Ah, oui, je sais — c'est Becky qui me l'a raconté ! Seulement dans sa version, c'était *vous* qu'on avait enlevé, et c'était *elle* qui essayait de vous sauver. Vous n'êtes pas en train de nous monter un bateau, j'espère ?

— Franchement, renchérit Sylvie, je trouve toute cette histoire parfaitement abracadabrante.

— Oui, effectivement, j'ai été retenu contre mon gré, mais je suis parvenu à m'échapper. Pour se venger, Beeze à fait mettre à sac mon appartement, alors Rebecca est partie chez lui parce qu'elle savait que, si elle refusait, il n'hésiterait pas à me faire tuer.

— Attendez une minute, intervint Aaron. Qui est ce Beeze ?

— Le milliardaire fou, qui vit dans le désert.

— Et c'est lui qui a fait enlever Rebecca ?

— Pas vraiment enlever. Elle est partie de son plein gré.

— Elle est partie de son plein gré, répéta Sylvie, du ton de celle qui s'y attend depuis le début. Ça, c'est notre fille toute crachée !

— Ecoutez, mon garçon, à votre place, je ne m'en ferais pas trop, assura Aaron à Leslie. Elle ira passer quelques

226

semaines à Palm Springs avec ce type, et puis quand elle s'en sera lassée, elle rentrera à Los Angeles. C'est toujours comme ça, avec Rebecca. C'est l'histoire de sa vie.

— Mais non, vous ne comprenez pas ! Elle n'est pas à Palm Springs, et il n'est pas question de liaison amoureuse. Cet homme, ce Beeze, est un malade, un dément, il est dangereux...

— Bah, Rebecca saura comment le prendre ! déclara Sylvie.

— Mais enfin, pour l'amour de Dieu ! s'écria Leslie. Il s'agit de votre fille ! Vous vous fichez de ce qui peut lui arriver ou quoi ? »

Cette façon de sous-entendre que Rebecca n'était pas tout ce qu'il avait de plus précieux au monde — une affirmation qu'Aaron ne se privait pas de répéter sur tous les tons — eut le don de mettre le sculpteur hors de lui et il eut beaucoup de mal à se contenir.

« Ecoutez bien ce que je vais vous dire, jeune homme ! Ça vous paraît peut-être difficile à croire, mais j'aime Rebecca au moins autant que vous — et probablement beaucoup plus. C'est moi qui l'ai soignée quand elle a eu la coqueluche, moi qui l'ai consolée quand le garçon qui l'avait invitée au bal du lycée n'est pas venu, et j'ai même assisté à la première de tous ses films. Seulement, quand on aime sa fille comme j'aime la mienne, on est bien obligé de se protéger. Parce que Rebecca est parfois bien égocentrique, voyez-vous, et elle ne pense guère aux autres. »

Sylvie émit un petit reniflement qui semblait signifier que son mari restait bien au-dessous de la vérité.

« C'est ma faute, continua-t-il. Je l'ai trop aimée, j'ai été trop bon, trop indulgent. Elle avait à peine quinze ans qu'elle passait déjà la nuit dehors, sans même nous dire où elle allait. Je ne peux pas vous dire combien de fois nous avons appelé la police, en nous imaginant qu'il lui était arrivé quelque chose de terrible, pour la voir arriver le lendemain matin, le bec enfariné, et se moquer de nos angoisses. Alors, il y a déjà plusieurs années, Sylvie et moi avons pris une bonne décision : nous continuerions à donner à

227

Rebecca de l'agent, de l'amour et tout ce dont elle pouvait avoir besoin, à donner, donner, donner et à ne rien demander en retour — ce qui est le devoir des parents — mais jamais plus nous ne nous rongerions les sangs à son sujet.

— Parfaitement, renchérit Sylvie. En ce qui me concerne, je me fiche pas mal de savoir si elle compte se marier un jour et avoir des enfants. Qu'elle passe donc dix ans à Palm Springs avec son milliardaire ! Si c'est ça qu'elle veut, grand bien lui fasse !

— Et maintenant, conclut Aaron, si vous voulez bien nous excuser, il faut que nous finissions nos bagages. Nous avons un avion à prendre. »

Victoria ne fut pas longue à comprendre que Rebecca ne reviendrait pas de si tôt dans leur petite maison de West Wanda. Comme tout changement de routine, celui-là comportait ses avantages et ses inconvénients, mais peut-être les premiers étaient-ils plus nombreux. Ainsi, Victoria pouvait, par exemple, quitter la petite chambre d'amis qu'elle n'avait jamais beaucoup aimée et s'installer dans la chambre de Rebecca, avec son vestiaire, sa grande salle de bains attenante et sa vue superbe sur la ville. Elle pouvait dormir dans le grand lit de cuivre ancien de Rebecca, pelotonnée sous le merveilleux patchwork que la grand-mère de Rebecca lui avait confectionné, et cet état de choses promettait, en outre, de se prolonger de façon appréciable. L'hypothèque était payée et le comptable ne risquait pas de montrer son vilain nez avant le mois d'avril. Quant aux amis et aux parents, Victoria comptait leur dire tout simplement que la jeune femme était partie en Italie avec un coquin. Rebecca avait la réputation de céder volontiers à ses caprices et les gens préféraient le plus souvent la croire capable du pire, triste privilège dont jouissent les femmes célèbres en général et les actrices en particulier. Quant aux désavantages, ils étaient bien sûr avant tout d'ordre financier ; il fallait payer Manuella, la femme de ménage, son frère Pepe qui s'occupait du jardin ; sans parler du téléphone et des

228

autres charges. Or Victoria n'avait littéralement plus un sou vaillant. Son compte en banque était à sec et on lui avait retiré toutes ses cartes de crédit. Elle avait d'ores et déjà dépensé le billet de cinquante-dollars-de-secours-à-ne-toucher-qu'en-cas-d'absolue-nécessité, caché au fond de la boîte à biscuits, pour s'acheter une paire de chaussures argentées à talons aiguilles en solde au Pleasure Dome (si ce n'était pas une absolue nécessité, on se demandait bien ce que c'était !). Hier, elle en avait même été réduite à voler de quoi manger au supermarché, ce qui ne lui était pas arrivé depuis belle lurette. Heureusement, ce soir, Freddy Dilucci, le réalisateur de la télévision avec qui elle sortait, l'emmenait dîner. Il ne pouvait pas lui donner de rôle, mais il accepterait sans doute de lui prêter quelques dollars. Et s'il refusait, elle pourrait peut-être le faire chanter en mena-çant de révéler ses problèmes d'éjaculation précoce — mais à qui ? Bah, en tout cas, en mettant les choses au pire, elle serait toujours bonne pour un repas à l'œil.

Freddy passa la prendre à huit heures, dans sa petite Honda, et lui resservit l'éternel bobard qu'il avait mis au point dès leur première sortie : la Rolls était coincée au garage, parce qu'il fallait faire venir les pièces détachées d'Angleterre. Il l'emmena au restaurant Ma Maison, un éta-blissement si chic et exclusif que le numéro de téléphone ne figurait même pas dans l'annuaire. Ils attendirent une table pendant des heures.

« Dis donc, Patrick, cria Freddy au propriétaire, il n'y a pas moyen de trouver une table pour un vieux pote ? »

Patrick le regarda fixement, d'un air étonné, avant de lui tourner carrément le dos pour parler à d'autres clients.

« Oh, sainte Mère ! se dit Victoria. C'est la fin des hari-cots. Au train où ça va, on va finir au McDonald's, si je ne réagis pas. »

Elle balaya du regard la petite salle intérieure, réservée aux célébrissimes — les clients moins illustres dînaient sous une marquise, devant le restaurant — et reconnut Mack Gordon, assis en compagnie d'un homme grisonnant, aux épaules tombantes, d'une soixantaine d'années. Il avait un visage marqué, mais bienveillant.

« Excuse-moi une seconde, dit-elle à Freddy. J'aperçois une vieille connaissance. »

Sans lui laisser le temps de répondre, elle s'avança vers les deux hommes, d'une démarche qui, elle le savait par expérience, ne manquerait pas de monopoliser l'attention de la salle entière, excitant le mépris des autres femmes et incitant par contre les hommes qui les accompagnaient à regretter que Victoria ne fût pas celle qu'ils ramèneraient chez eux ce soir-là.

Elle sourit à Mack Gordon : « Bonjour. J'espère que vous ne m'en voudrez pas de venir vous saluer ? Je suis une grande amie de Rebecca Weiss, vous savez, et elle m'a tellement parlé de vous que j'ai l'impression de retrouver un vieil ami. »

Mack répondit par un autre sourire et un léger signe de tête, mais ce fut son voisin qui se leva pour offrir sa chaise à Vicky, en roulant des yeux de merlan frit qui disaient assez qu'il était prêt à lui donner tout ce qu'elle pouvait désirer.

« Nous ferez-vous le plaisir de vous joindre à nous ? offrit-il galamment.

— Oh merci — juste un instant, volontiers. »

Elle jeta un coup d'œil vers la porte et vit que Freddy la regardait faire, un peu dépassé par les événements.

Le plus âgé des deux hommes se présenta : Roy Gleason, et comme c'était manifestement son jour de chance, Victoria se rappela qu'il était scénariste — un scénariste de tout premier plan, qui devait bien gagner son demi-million de dollars par an et même davantage. Elle s'empressa de répondre, d'un air comblé, qu'elle adorait ses scénarios. A vrai dire, elle était incapable de se rappeler un seul des films auxquels il avait collaboré, mais elle se dit qu'il suffisait de bluffer et de voir venir ; tôt ou tard, il finirait bien par mentionner lui-même un titre, et à partir de ce moment là, elle jouerait sur du velours. Lui, en revanche, se rappelait les *Pêcheuses de perles* et la complimenta avec effusion.

230

Mack Gordon les écoutait poliment, mais il était évident que son esprit était ailleurs. Son regard fouillait la salle, pour s'assurer qu'elle ne contenait personne d'aussi connu que lui, et à chaque fois qu'il se tournait vers ses compagnons, son regard éteint semblait fixer un point situé juste derrière eux.

« Vous mangerez bien un petit quelque chose avec nous ? » proposa Roy Gleason.

Le garçon, qui avait entendu, se précipita avec son menu et se mit à tourner autour de la table comme un moustique.

« Oh, non, vraiment, je ne peux pas.

— Les scampi sont exceptionnels », glissa habilement le serveur.

Victoria poussa un soupir de faible femme, vaincue par plus fort qu'elle : « Oh, très bien, puisque vous insistez.

— Mais bien sûr que nous insistons ! » déclara Roy Gleason.

Lorsqu'elle eut commandé, elle se tourna vers sa nouvelle conquête, les yeux brillant de satisfaction, pour lui demander à quoi il travaillait pour le moment.

« Eh bien, pour ne rien vous cacher, je suis en train de récrire la majeure partie de *La toile d'araignée*.

— Le film de Rebecca ? Mais je croyais qu'il était dans la boîte !

— Il l'est, intervint Mack Gordon. C'est un film sensationnel, mais l'histoire est une vraie merde. Alors Roy et moi sommes en train de concocter un nouveau scénario, et quand nous aurons fini, nous ferons postsynchroniser le tout par les acteurs.

— Mais les mots ne correspondront plus aux mouvements des lèvres ! Ça va ressembler à du Sergio Leone.

— Et alors, qu'est-ce que vous avez contre Sergio Leone ? demanda Mack d'un ton belliqueux. C'est le plus grand metteur en scène de tous les temps. *Il était une fois dans l'Ouest* est le plus beau film américain jamais réalisé.

— Je croyais que c'était un film italien, s'étonna Victoria.

— Il a été fait par des Italiens, expliqua Mack lentement, comme s'il essayait d'expliquer du Shakespeare à une débile

231

mentale, mais dans l'esprit, c'était la quintessence même de l'Amérique. Je le connais, Leone. Un soir, à Rome, nous avons parlé pendant sept heures d'affilée. Il m'a dit que j'étais le plus grand metteur en scène américain vivant, parmi les moins de trente ans. Je vous parle d'il y a deux ou trois ans, évidemment.

— Et par qui allez-vous faire doubler Rebecca ? s'enquit innocemment Victoria.

— Par elle-même, bien entendu, rétorqua Mack.

— Oh non, je ne crois pas que ce sera possible. Figurez-vous qu'elle a disparu. Personne ne sait ce qui lui est arrivé. J'ai entendu dire qu'elle avait filé en Europe.

— Je vais la tuer, cette garce ! jeta Mack Gordon, les dents serrées. Elle a fait ça uniquement pour me mettre dans la merde !

— Oh non, je suis sûre que vous vous trompez, elle vous admire énormément. Tenez, je suis prête à parier qu'elle reviendra juste à temps pour le doublage !

— Elle a intérêt ! grommela Mack.

— Et puis sinon, vous trouverez bien quelqu'un d'autre, quelqu'un qui ait un peu la même voix que Rebecca, qui soit capable de dire : *Oh, bon Dieu, j'ai un tel cafard que je n'ai même pas le courage de me lever, ce matin.* »

Les deux hommes la regardèrent avec stupéfaction, car, pour dire cette dernière phrase, elle venait de reproduire la voix de Rebecca à la perfection.

« Hé, dites donc, c'est excellent ça ! s'émerveilla Roy. Tout à fait étonnant ! »

Victoria haussa modestement les épaules : « Je faisais des imitations, dans le temps.

— Qu'en penses-tu, Mack ? Tu crois qu'elle pourrait doubler Rebecca ? »

Mack les regarda froidement, l'un après l'autre, et haussa les sourcils : « Il vaut quand même mieux avoir la serviette, avant de nous rabattre sur le torchon, tu ne trouves pas ?

— Au temps pour moi ! dit Victoria. Je ne sais vraiment pas comment je dois prendre cette réflexion.

— Allons, ne vous fâchez pas, supplia Roy. Mack est parfois d'un humour un peu féroce.

— Victoria ? » Freddy était venu se planter devant leur table et il avait visiblement toutes les peines du monde à garder son calme. « Je peux te dire deux mots en particulier ?

— Non, désolée, je suis occupée.

— *Victoria !...* » explosa Freddy, incapable de se maîtriser davantage.

Mack Gordon se leva et s'avança tout contre lui, le visage à quelques centimères du sien.

« Elle vient de dire qu'elle était occupée, articula-t-il. Tu ferais mieux de lui fiche la paix.

— Ecoute, mon pote, riposta Freddy, occupe-toi donc de tes oignons.

— Avant de commencer à élever la voix, répondit Mack — qui parlait, lui, à voix presque basse —, regarde un peu ce que je tiens à la main ».

Freddy baissa les yeux et aperçut, caché aux autres regards par le revers du veston de son adversaire, un petit revolver calibre 38, à canon court, du style « spécial police », entièrement chromé et qui ne semblait pas fait pour plaisanter. Il releva les yeux vers ceux de Mack et il y lut soudain le froid déséquilibre d'un homme capable d'appuyer sur la détente par pur caprice, quitte à gâcher deux existences et à ficher deux carrières en l'air. Victoria était une fille qui sortait de l'ordinaire, mais aucune pétasse ne valait un tel risque. En homme raisonnable et posé, Freddy tourna les talons et quitta le restaurant sans un mot.

« Qui était-ce ? demanda Roy Gleason.

— Oh, personne. Parlez-moi plutôt de ce nouveau scénario pour *La toile d'araignée*. Vous devez être rudement fort pour trouver des répliques qui cadrent exactement avec les situations !

— Bof, c'est plus facile que ça n'en a l'air, assura modestement le scénariste. Il suffit d'attraper le coup de main. » Sous la table, il sentit un orteil, chaussé de soie, soulever le bas de son pantalon et lui caresser le mollet et il commença aussitôt à se demander ce qu'il pourrait bien raconter à sa femme pour lui expliquer son retard, ce soir-là.

Quant à Victoria, elle était en train de calculer exactement combien il faudrait qu'elle soutire à ce brave homme pour faire marcher sa maison.

Cela faisait à présent deux heures que Leslie et le pilote de l'hélicoptère survolaient le désert, à basse altitude, pour essayer de repérer la demeure de Beeze. Ils étaient handicapés par le manque de précision de Leslie quant à l'endroit exact où il était tombé en panne, et encore bien davantage par son refus d'ouvrir les yeux, qu'il gardait fermés de terreur depuis le décollage. Pour ne rien arranger, le compteur, tel celui d'un taxi de cauchemar, enregistrait deux cent quatre-vingt-quinze dollars de l'heure, le prix habituel pour la location d'un engin de ce genre, véritable limousine volante, connu sous le nom de Jet Ranger. On pouvait certes trouver des appareils moins onéreux, mais au bureau de location, on avait longuement insisté sur la sécurité bien supérieure de ce modèle. Jed, le pilote, était un homme au visage buriné, surmonté de cheveux gris fer, les yeux cachés derrière des lunettes miroirs, comme les motards de la police. Lorsqu'il apprit que Leslie était dans le cinéma, il lui demanda s'il pouvait lui procurer une photo dédicacée de Leonard Nimoy pour son jeune fils, admirateur inconditionnel de *Star Trek*. Leslie assura que oui et, dès ce moment, ils furent copains comme cochons. Ce qui n'empêchait pas Jed d'avoir ses doutes au sujet de la demeure princière cachée dans le désert.

« A supposer qu'elle existe, gourmanda-t-il, vous ne la trouverez jamais si vous n'ouvrez pas les yeux. »

Leslie les ouvrit, jeta un regard au-dessous de lui et les referma aussitôt, en se cachant la tête dans les mains : « Ce n'est pas l'endroit. »

Jed soupira : « Redites-moi exactement ce qui s'est passé, tout ce que vous vous rappelez.

— Je suivais la 127, quand ma courroie de ventilateur a pété ; je me suis rangé sur le bas côté...

— Ouais, d'accord, ça j'ai compris.

— Il y avait un énorme champ plein de petits buissons et puis une chaîne de montagnes et — attendez, je me rappelle une chose : les montagnes étaient bleues !

— Quelle heure était-il ?

— Je ne sais pas. Cinq ou six heures.

— A cette heure-là, toutes les montagnes sont bleues.

— Ah bon ? Leslie était déçu. Mais il n'y a quand même pas *tellement* de montagnes...

— Vous croyez ? interrompit Jed d'une voix lasse. Eh bien, figurez-vous qu'il y a les monts Avawatz, les monts Soda, les monts Owlshed, les monts Shadow, les monts Cady. Et puis il y a encore autre chose. C'est qu'à vingt-cinq kilomètres d'ici, dans cette direction, il y a le terrain militaire de Fort Irwin et si c'est là qu'habite votre copain, c'est râpé. Parce que si nous avons le malheur de nous en approcher, nous aurons une escadrille de F-14 aux fesses.

— Merde !

— Vous voulez un bon conseil ? La ville la plus proche d'ici, c'est Silurian. Le chef de la police saura certainement si quelqu'un a fait construire une maison de cette importance dans les parages. Allons lui parler. »

Leslie opina, surtout parce que c'était une excellente raison pour redescendre sur terre. A Silurian, ils trouveraient forcément un bar. Or il n'y avait qu'un seul moyen qui lui permettait de supporter les vols assez fréquents qu'il était obligé d'effectuer entre Los Angeles et New York : boire un maximum d'alcool en un minimum de temps. Rebecca était aussi allergique que lui aux trajets en avion et un jour, s'étant aperçus qu'ils devaient se rendre à New York à peu près à la même époque, ils avaient décidé de voyager ensemble pour s'encourager mutuellement, méthode dont des organisations telles que Weight Watchers et Alcoholic Anonymous avaient assez prouvé la valeur. Malheureusement, dans leur cas, le résultat avait été désastreux : à peine l'avion avait-il décollé que Rebecca décrétait que le réacteur

235

de gauche ne tournait pas rond, ce que venait confirmer le calme imperturbable de l'hôtesse (« On leur apprend à laisser croire que tout va très bien, chuchota-t-elle à Leslie, comme ça elles ont tout le temps de courir à l'avant et de prendre tous les parachutes pour elles »). Leslie, de son côté, était convaincu que le grand brun, au type latin prononcé, assis de l'autre côté de l'allée, avait l'intention de détourner l'avion et que le paquet brun qu'il serrait contre lui était une bombe. Lorsque l'avion s'était enfin posé à Kennedy Airport, ils étaient tous deux au bord de la crise de nerfs. Depuis, ils avaient toujours veillé à voyager séparément.

Vue d'en haut, Silurian rappela à Leslie l'exosquelette d'un grillon découvert dans son enfance, un petit objet ambré, mince comme de la cellophane, dont tous les sucs vitaux s'étaient depuis longtemps desséchés. Ils se posèrent sur la « pelouse » de l'hôtel de ville, soulevant un énorme nuage de poussière et réveillant un chien jaune qui s'était assoupi bien au frais sous les marches.

L'hôtel de ville était un bâtiment climatisé, de plain-pied, en parpaings recouverts d'un toit de tôle ondulée. A côté de la porte d'entrée était affichée la photographie d'un attelage de quarante mules tirant un chariot de borax à travers le désert.

Ils traversèrent le hall vers une porte sur laquelle on pouvait lire « Police », mais le policier qu'ils trouvèrent derrière, en train de noter les messages transmis par son émetteur-récepteur radio, leur annonça que M. Robertson, le chef de la police, était en train de déjeuner au Desert Vu Diner et qu'il ne fallait surtout pas, sauf urgence, le déranger pendant ses repas. Il fixait sur les deux visiteurs un regard incrédule, comme s'ils étaient nus ou difformes.

Le Desert Vu Diner était un petit bâtiment crasseux, juste à côté du Desert Vu Garage (deux pompes). Des mouches se dispersèrent dans tous les azimuts lorsque Leslie poussa la porte. Robertson, assis au comptoir en train de blaguer avec une jolie serveuse en uniforme jaune, était l'unique client. Il devait avoir dans les soixante ans et, même ici, dans la pénombre climatisée, ses petits yeux porcins semblaient plissés en permanence contre l'éclat du soleil. Sa chemise d'uniforme kaki était tendue à craquer sur sa bedaine, mais le chapeau de cow boy, les bottes et la ceinture d'où pendait son revolver étaient tous parfaitement à sa taille. Il se retourna pour les regarder, dans un couinement de tabouret. Les ayant évalués selon ses critères, quels qu'ils fussent, il dut estimer qu'ils laissaient à désirer, car il se détourna avec une moue dégoûtée.

« Excusez-moi, commença Leslie, vous êtes bien monsieur Robertson ?

— C'est comme ça que ma maman m'a baptisé, oui.

— Je voudrais vous poser quelques questions.

— Posez, posez, on est en république, ici. Chacun est libre de débiter toutes les conneries qu'il veut, pas vrai, Daisy ? »

La jeune fille derrière le comptoir pouffa et frotta une tache imaginaire avec son éponge.

« Eh bien, voilà, nous avons passé toute la matinée à survoler la région en hélicoptère...

— L'hélicoptère qui s'est posé derrière l'hôtel de ville ?

— Oui, admit Leslie.

— Alors, il vaut mieux que je vous signale que sa présence à cet endroit est en contravention avec l'arrêté municipal dix mille quatre cent quarante trois, concernant l'encombrement et l'obstruction des terrains gouvernementaux, ce qui vous laisse le choix entre une amende de cinquante dollars ou cinq jours en prison.

— Ecoutez, nous allons repartir dès que...

— Désolé, mon garçon. La loi, c'est la loi. Vous avez cinquante dollars ? »

Ayant enfin compris où l'autre voulait en venir, Leslie sortit son portefeuille et lui tendit cinquante dollars. La serveuse riait tellement qu'elle fut obligée de courir se calmer dans sa cuisine et Robertson lui-même se permit un semblant de sourire.

« Vous êtes du coin ? demanda-t-il.

— Non, dit Leslie.

— C'est bien ce que je pensais. Vous venez de Los Angeles, de Beverly Hills, pas vrai ?

— Plus ou moins.

— J'en aurais mis ma main au feu. Hé, Daisy, cria-t-il, désireux de la faire profiter de son prochain trait d'esprit, apporte-moi un autre café ! » Et il attendit qu'elle fût revenue de la cuisine pour continuer.

« Vous savez comment j'ai deviné que vous étiez de Los Angeles ?

— Non, comment ? demanda poliment Leslie.

— Parce que c'est la ville la plus proche d'ici où l'on trouve des hommes d'un tempérament efféminé. »

Leslie blêmit. Jed fronça les sourcils. Le serveuse s'esclaffa bruyamment.

« Nous cherchons...

— Et vous savez comment j'ai deviné que vous étiez d'un tempérament efféminé ? »

Cette fois, Leslie ne répondit pas.

« A cause de la façon dont vous roulez vos manches. Mon papa disait toujours que la tapette, on pouvait la reconnaître à la façon dont elle roulait ses manches. L'homme qui travaille pour de vrai, de ses mains, il les roule jusqu'à l'épaule, et l'homme qui travaille dans un bureau, il les garde boutonnées au poignet. Mais la tapette — qui n'est pas vraiment un homme, voyez-vous, mais comme qui dirait une malheureuse erreur de la nature — elle les roule exactement deux fois sur elles-mêmes, en faisant bien attention à ne pas faire de vilains faux plis. »

Leslie prit son élan et envoya son poing à la figure du chef de la police, mais Jed, qui avait senti venir le coup, eut le temps de retenir son bras et de l'immobiliser par-derrière.

« Et maintenant, mon pote, conclut Robertson, je vous conseille de remonter dans votre joli petit hélicoptère et de décaniller. Je ne sais pas ce que vous cherchez ici, mais je suis sûr que vous ne le trouverez pas. Si vous cherchez de l'or, ça fait des années qu'on a tout ratissé ; si vous cherchez du borax, les firmes de produits chimiques ont un monopole ; si vous voulez chasser des animaux — encore

que je n'aie jamais entendu parler d'une tapette qui ait suffisamment de cran pour chasser —, je vous signale que tout
ce qui est assez gros et assez joli pour figurer sur votre mur
appartient probablement à une espèce protégée. Et enfin —
il hésita — si vous cherchez quelqu'un, vous feriez bien de
vous rappeler que les gens viennent ici, dans le désert, justement pour fuir les individus de votre acabit, si vous voyez
ce que je veux dire. Alors, mon pote, profitez de ce que vos
jambes peuvent encore vous porter pour filer d'ici en qua-
trième vitesse. »

8

La Belle soupa de fort bon appétit, étant presque parvenue à surmonter la répulsion que lui inspirait son hôte, mais elle crut défaillir lorsqu'il lui demanda soudain : Belle, voulez-vous être ma femme ?

Elle hésita un long moment avant de lui répondre, car elle craignait, en refusant, de déchaîner son courroux, mais elle parvint néanmoins à murmurer d'une voix tremblante : Non.

Le pauvre monstre poussa des gémissements et des soupirs si effroyables que le palais tout entier en retentit. Convaincue qu'il allait la dévorer sans plus attendre, la Belle se mit à prier pour le salut de son âme, mais elle fut bien aise de voir qu'il se contentait de lui dire bonsoir d'un ton désolé, avant de quitter la pièce.

Une fois seule, la Belle songea avec compassion à la malheureuse Bête : Hélas, soupira-t-elle, il est fort dommage, en vérité, qu'un si bon naturel soit allié à une laideur aussi marquante.

La Belle passa trois mois fort agréables dans le palais enchanté. Chaque soir, la Bête venait lui rendre visite et lui tenait compagnie pendant son souper, devisant avec beaucoup de logique et de sagesse, mais sans jamais manifester ce que l'on a coutume d'appeler le bel esprit ; et en chaque occasion, la Belle découvrait au monstre quelque nouvelle qualité. A force de le voir si fréquemment, elle finit par s'accoutumer à sa difformité, si bien qu'au bout de quelques temps, loin de redouter ses visites, elle attendait avec impatience, les yeux fixés sur la grande horloge, qu'il fût neuf heures, heure à laquelle il ne manquait pas de paraître. Une seule contrariété venait troubler sa quiétude : chaque soir, lorsqu'elle se retirait, le monstre lui demandait si elle voulait être sa femme.

Elle finit par lui dire : Ecoutez, chère Bête, vous me rendez malheureuse, car je voudrais vous promettre de vous épouser un jour, mais je me refuse à me jouer ainsi de vous. J'aurai toujours pour vous l'estime que l'on porte à ses amis les plus chers et je serai vraiment fort aise, si vous consentiez à vous en satisfaire. L'amour ne peut naître entre ces murailles de pierre ; il ne peut que s'y étioler et périr, comme une plante privée de soleil ; mais si vous le laissiez libre, vous le verriez s'épanouir.

Hélas, je ne le puis, dit la Bête, car si je vous laissais libre, vous vous enfuiriez pour ne plus jamais revenir.

Comme vous voudrez, répondit tristement la Belle.

Un soir, après le dîner, Samson escorta Rebecca jusqu'à la bibliothèque, où Beeze l'attendait en veste d'intérieur, pantalon de flanelle et pantoufles, occupé à disposer sur un échiquier un superbe jeu d'échecs en ivoire et obsidienne.

« Vous jouez ? » demanda-t-il avec espoir.

Rebecca secoua la tête : « Je connais les règles, mais j'ai horreur de ça. J'ai toujours trouvé que ça revenait à dépenser des trésors d'intelligence en pure perte. » Devinant aussitôt la déception de son hôte, elle ajouta : « Mais par contre j'aime beaucoup jouer aux dames. »

Beeze sortit d'un placard un jeu de dames dont il arrangea les pions. Lorsque Samson revint avec un verre de cognac, Rebecca et Beeze étaient plongés dans leur première partie, si profondément absorbés par le jeu qu'ils se parlaient à peine. Ils jouèrent pendant dans des heures, une

242

partie suivant l'autre, l'habileté naissant de la pratique, la détermination de la défaite.

Ce fut Beeze qui remporta les premières parties, mais Rebecca finit par le battre une première fois, puis une seconde. Il fut surpris par sa roublardise, l'adresse avec laquelle elle déjouait les manœuvres qu'il avait combinées. Son plaisir était tel qu'il replaçait automatiquement les pions sur le damier après chaque affrontement, en réclamant une autre partie, si bien que la jeune femme, échauffée par le cognac et excitée par le caractère intime de cette lutte, ne put s'empêcher de s'exclamer :

« Vous êtes vraiment un homme étrange ! Vous ne pensez donc qu'à jouer aux dames ?

— A quoi voulez-vous que je pense d'autre ?

— Vous voulez dire... — malgré son culot, elle eut du mal à formuler sa question — que vous ne pouvez *rien* faire d'autre ?

— Je peux composer de la musique, jouer du violon, parler grec et latin et...

— Non, je voulais dire...

— Vous vouliez dire — suis-je physiquement capable d'accomplir l'acte sexuel ? Ou bien mon accident m'a-t-il aussi privé de cette faculté ?

— Merci.

— La réponse est oui, j'en suis capable. Mais cela n'en fait pas moins de dix ans que je n'ai pas approché une femme.

— Dieu me tripote ! s'exclama Rebecca, puis elle ajouta, gênée : Excusez-moi, ce n'est pas une expression très raffinée.

— Pas du tout. Je suis charmé d'entendre quelqu'un s'exprimer librement. C'est effectivement bien long comme célibat. Heureusement, les appétits physiques viennent rarement vous tourmenter lorsque vous êtes au fin fond de la dépression.

— Ça, ç'est bien vrai ! reconnut-elle. Vous êtes toujours en dépression ?

— Non, plus depuis quelques jours. »

Elle resta un long moment silencieuse, jouant machinalement avec ses pions. L'idée d'un homme qui n'avait pas touché une femme depuis dix ans la fascinait, lui apparaissait comme un défi irrésistible.

Elle finit par demander : « Vous me trouvez attirante ?

— Je trouve que vous êtes la plus belle femme du monde. »

Rebecca se mit à rire : « Moi, je trouve que j'ai l'air d'un rongeur. Vous avez vu mes dents de souris ? » Elle découvrit ses dents du bas et poussa un petit couinement comique.

« Vos dents sont parfaites. Vous êtes parfaite de la tête aux pieds.

— Alors ? proposa-t-elle. Puisque nous sommes coincés ici ensemble, autant prendre un peu de bon temps.

— Non, protesta Beeze.

— Ecoutez, si c'est parce que vous êtes encore fâché à propos d'hier matin... »

Beeze secoua la tête.

« C'est parce que j'ai cassé une chaise ?

— La chaise n'a aucune importance.

— Alors qu'est-ce qui vous turlupine ? voulut-elle savoir.

— Vous ne m'aimez pas.

— S'il fallait aimer les gens pour coucher avec, déclara-t-elle tranquillement, la race humaine se serait éteinte il y a un million d'années. »

Beeze leva la main droite et la tendit vers elle ; c'était une masse de chair vaguement piriforme, bardée de cicatrices, d'où pendait, d'un côté, un lambeau de peau qui ressemblait de très loin à un pouce.

« Ça vous plairait de sentir ça sur votre peau ? questionna-t-il.

— Oui, répondit-elle sans l'ombre d'une hésitation, je suis sûre que oui. »

Elle voulut prendre cette main, mais il la retira.

« Je ne peux pas, dit-il.

— Allons, il n'y a pas de quoi faire tant d'histoires. » Elle saisit la main de Beeze entre les siennes, la pressa, la caressa doucement. Puis elle lui dit avec un sourire : « Là, vous voyez, ça n'a rien de si épouvantable.

— Vous ne trouvez pas ce contact repoussant ?

— Non, répondit-elle sincèrement. Un peu bizarre peut-être, mais absolument pas repoussant. Et maintenant, enlevez votre masque.

— Comment ?

— Enlevez votre masque. C'est la seule façon dont je pourrai apprendre à vous connaître.

— Impossible. Mis à part quelques médecins, jamais personne n'a vu mon visage à nu !

— Eh bien, je serai la première. »

Elle tendit la main vers le masque, mais Beeze l'écarta d'un geste presque violent.

« Je suis un monstre !

— Vous avez fini de vous apitoyer sur vous-même ? J'ai travaillé dans un hôpital quand j'étais gamine, j'en ai vu, des grands brûlés.

— Vous n'avez sûrement rien vu de pareil !

— Si vous me laissez vous voir tel que vous êtes, je pourrai peut-être vous aimer.

— Si vous me voyiez tel que je suis, vous me prendriez en horreur. Vous ne pourriez jamais plus m'adresser la parole et la seule pensée de mon visage vous ferait littéralement vomir.

— Je crois que vous vous trompez, Beeze.

— Je n'ai pas l'intention de m'en assurer ! » rétorqua-t-il en se levant brusquement pour lui signifier que la soirée était terminée.

Au cours des jours suivants, Rebecca mit sur pied une espèce de routine quotidienne. Elle dormait tard, prenait son petit déjeuner au lit, allait choisir un livre dans la bibliothèque et, ne gardant sur elle que sa culotte, elle s'enduisait le corps d'huile de coco fournie par David, avant de s'étendre sur un des bancs de marbre du jardin, pour lire. Lorsqu'elle avait vraiment trop chaud, elle piquait une tête dans la piscine, un énorme bassin de marbre circulaire, alimenté par des dauphins qui crachaient l'eau. Les autres habitants de la demeure étaient affolés — eux qui ne se risquaient jamais à l'extérieur avant quatre ou cinq heures de l'après-midi — mais Rebecca adorait le soleil, malgré l'effet désastreux qu'il avait sur sa peau. Beeze fit savoir, dans la plus pure tradition des potentats d'autrefois, que quiconque serait surpris à espionner la jeune femme pendant son bain de soleil aurait les yeux crevés, menace qu'elle trouvait tout à fait flatteuse, mais sans songer un instant à la prendre au sérieux. D'ailleurs, cette défense était d'autant moins logique qu'à présent toute la maisonnée, ou presque, avait vu sa scène de nu dans *Le pays des rêves perdus*. Beeze, cependant, semblait penser que les deux expériences étaient qualitativement différentes, et personne ne se risqua à ergoter.

Vers midi, elle se rhabillait pour le déjeuner — elle portait toujours son fameux tailleur de soie noire et lavait religieusement ses sous-vêtements dans son lavabo, tous les soirs, refusant obstinément les robes qui apparaissaient dans sa penderie tous les deux ou trois jours. Après le déjeuner, elle passait généralement quelques heures avec Ann Chin, pendant que Jasmine faisait la sieste.

Vers quatre heures, elle allait retrouver le yogi Gnesha pour une leçon particulière d'une heure environ, ou alors elle allait dans la cuisine regarder Henri préparer le dîner. Le Français jouait les papas gâteaux, ravi d'avoir un public, et il lui expliquait toutes ses recettes en détail, l'autorisant même parfois à effectuer à sa place une manœuvre subalterne, par exemple de battre des blancs en neige. Après le dîner et l'inévitable débat entre le Dr Resnick et le yogi Gnesha, elle passait la soirée en tête à tête avec Beeze, soit à lire, soit à jouer aux dames, soit tout simplement à bavarder devant un verre de cognac.

Ses cours de yoga résultaient de l'intérêt qu'elle avait manifesté pour cette discipline. Au cours du dîner, elle avait expliqué que Will Roach, son professeur d'art dramatique, leur avait souvent recommandé le yoga, qu'il considérait comme un excellent moyen d'acquérir une grâce et une assurance inimitables en scène, et qu'elle avait toujours eu l'intention de s'y mettre, sans jamais trouver le temps. Le yogi Gnesha lui avait aussitôt offert ses services.

Elle arriva à son premier cours en collant académique noir prêté par Ann Chin. La « salle de yoga » était absolument vide, en dehors d'un splendide tapis Boukhara et d'une petite table sur laquelle étaient posés un vase de fleurs, un brûle-parfums rempli d'encens et un portrait d'un Indien émacié, au regard débordant de béatitude (elle apprit par la suite qu'il s'agissait du sage hindou du XIXe siècle Ramakrishna). Le yogi Gnesha était assis en tailleur devant l'autel, vêtu d'un pagne en tout et pour tout. Rebecca fut sidérée de constater qu'il était un peu flasque, bien que sa peau sombre, fine comme de la soie, dégageât une extraordinaire impression de santé. Il se leva pour l'accueillir et il sourit en lui serrant fermement la main. Elle s'était attendue à un petit discours d'introduction, mais il dit simplement : « Commençons ».

Et, reprenant sa position devant l'autel, il se mit à psalmodier ses instructions. Pendant une heure, il lui fit adopter des postures de plus en plus difficiles, rester en équilibre sur une jambe, étirer les muscles de ses cuisses en faisant le grand écart, cambrer le dos si loin qu'elle eut peur de se déplacer un disque, rester penchée en avant plusieurs minutes de suite ; vinrent ensuite quelques postures inversées, elle dut se tenir sur les épaules puis sur la tête — quand elle était petite, on appelait ça faire le poirier — et finalement, anéantie, s'allonger sur le dos dans ce qu'il appelait *savasana*, la pose du mort. Chaque muscle de son corps lui faisait mal et les épithètes les plus injurieuses à l'adresse du yogi Gnesha, paisiblement assis près d'elle sans manifester la moindre compassion pour les souffrances qu'elle endurait, se croisaient dans son cerveau. Il semblait prendre un plaisir sadique à lui faire tenir les poses les plus pénibles le plus longtemps possible, jusqu'au moment où son corps tout entier se mettait à trembler d'épuisement, et puis à la gronder pour avoir trop présumé de ses forces.

Le yoga, lui expliqua-t-il, c'était la tension dans la relaxation. Il ne lui fit pas la grâce d'un seul mot d'éloge ni d'encouragement. Il se contenta de rester assis dans son coin, les paupières tombantes, psalmodiant de façon quasi hypnotique. Elle avait envie de lui tordre le cou.

Brusquement, il lui demanda de sa voix naturelle : « Vous connaissez Ava Gardner ?

— Non », répondit Rebecca, toujours allongée sur le dos. La question était si saugrenue, si dépourvue de spiritualité, si agaçante qu'elle faillit se lever et quitter la pièce séance tenante, mais elle était trop fatiguée pour bouger.

« Et Lana Turner ? insista-t-il.

— Non.

— Hedy Lamarr ?

— Non. »

Elle croyait entendre sa tante Sophie qui, à chaque fois qu'elle l'avait au bout du fil, la soumettait à un implacable interrogatoire sur les grandes stars des années quarante.

« Je pensais que vous les aviez peut-être rencontrées à Hollywood. C'étaient les actrices que je voyais au cinéma à Delhi, dans ma jeunesse. Quand mon gourou m'a demandé d'aller répandre les enseignements du Maître en Amérique, j'ai répondu : "Non, je vous en prie, pas moi. Comment voulez-vous que je reste chaste auprès de ces Américaines ?" C'était vraiment comique, voyez-vous, je croyais qu'elles ressemblaient toutes à Ava Gardner ! Ah là là je ne savais pas ce qui m'attendait ! » Et le yogi éclata d'un rire qui n'en finissait plus. Il était de ceux qui ne rient jamais autant qu'à leurs propres plaisanteries.

« Le plus grand choc, cependant, continua-t-il, a été leur comportement. Figurez-vous qu'un riche mécène de Long Island, qui venait de disparaître, nous avait légué sa maison pour en faire un centre de yoga que je devais donc diriger. Je peux vous assurer que je n'étais pas optimiste. Oh, que non ! Pour mon premier cours, je m'attendais à voir arriver quatre ou cinq élèves, et encore ! Parce qu'entre nous, Great Neck, Long Island, ce n'est quand même pas le mont Kailas ou Bénarès, enfin je veux dire que ce n'est pas une des grandes mecques de la spiritualité. Vous imaginez donc ma surprise lorsque j'ai vu arriver trente-huit femmes. Oui, trente-huit ! Elles m'ont expliqué qu'elles étaient de simples ménagères et que leur rêve le plus cher était de devenir des adeptes du yoga. Moi, bien sûr, je jubilais ! Je n'étais pas loin de me prendre pour un nouveau Jésus-Christ. Je composais déjà dans ma tête la lettre que j'enverrais à mon gourou pour lui annoncer mon étonnant succès. Je n'avais pas prévu la suite ! » Il poussa un nouveau rugissement de rire. « Le lendemain, mes trente-huit adeptes n'étaient déjà plus que douze, le surlendemain, il en restait quatre et le jour suivant une seule. Et après, plus personne. Cela m'a servi de leçon concernant les Amériains.

« Ils ne rêvent que de changements : les gros veulent être maigres et les maigres veulent être gros ; les brunes sont persuadées que les hommes préfèrent les blondes et les blondes font le raisonnement inverse ; les célibataires ne rêvent que de mariage, mais ceux qui se sont mariés ne songent qu'à se retrouver tout seuls. Mais offrez-leur seulement la possibilité de changer véritablement, de changer intérieurement, comme le permet le yoga, et vous les verrez détaler comme des lapins. Ramakrishna avait trouvé une excellente formule : *L'homme est disposé à se défaire de tout, sauf de son propre malheur.* Quiconque a compris cet axiome est en bonne voie pour comprendre ce qui empêche l'homme de franchir le dernier pas évolutif.

— Quel pas ? demanda Rebecca.

— L'éveil de Kundalini.

— Qu'est-ce que c'est que ça ?

— Littéralement, en sanscrit, ça veut dire serpent. Vous vous rappelez le serpent du paradis terrestre, celui qui a persuadé Eve de goûter au fruit du savoir ? Ce serpent, c'est Kundalini. Mais on a médit sur son compte tout autant que sur celui d'Eve. Car c'est lui qui apporte la félicité, la conscience cosmique. C'est lui qui est venu trouver Jésus, après son jeûne de quarante jours dans le désert, c'est lui qui est venu trouver Bouddha, après quarante jours sous l'arbre codhi. C'est lui qui a inspiré à Blake ses visions de vagues lumineuses, au bord de la mer, et c'est lui qui a fait un saint de mon bien-aimé Ramakrishna. Dans la légende, il dort, couché à la base de l'épine dorsale, attendant d'être réveillé par les *asanas* — les postures physiques — pour pouvoir remonter tout au long de l'arbre du corps, animant l'un après l'autre chacun des centres vitaux, les *chakras*, jusqu'à ce qu'il ait enfin atteint le lotus aux quarante pétales, le *chakra* situé tout en haut du crâne, où réside la sagesse cosmique. Oui, voilà ce que dit la légende, mais pour ma part, je la trouve à la fois trop littérale et trop métaphorique ; je pense que Kundalini est tout simplement la force qui imprègne l'univers, la force qui se connaît. Pour certains, c'est un serpent, pour d'autres une lumière bleue à l'éclat aveuglant, pour d'autres encore un sentiment d'amour irrésistible, comme de boire à la mamelle de Kali. Il y a cinq mille ans, les auteurs des Upanishads, préfigurant les travaux des physiciens modernes, ont écrit que l'énergie existait sous trois formes : à la fréquence la plus basse, sous forme de matière ; à une fréquence supérieure, sous forme de lumière ; et enfin, à la fréquence la plus élevée, sous forme de pure conscience. Qu'ils étaient donc sages de penser que l'homme s'était développé selon la forme de sa conscience, plutôt que de croire le contraire, comme les physiciens modernes, de croire que la conscience n'est qu'un accident évolutif. Comment un tel accident aurait-il pu se produire ? Peut-on mettre *accidentellement* au point les plans d'un avion à réaction ? Non, mademoiselle Weiss, c'est la conscience qui précède tout le reste, et la conscience c'est Kundalini, la conscience, c'est Dieu. La conscience, c'est un processus, mais c'est aussi une énergie ; elle possède une double nature, comme la lumière dont elle est si proche. La conscience, enfin, c'est la félicité, la compréhension et l'amour, sous sa forme la plus pure.

— Mais l'amour est une calamité, protesta Rebecca. Rien ne fait autant souffrir les gens.

— Ce dont je vous parle, c'est l'amour à son plus haut niveau, celui que la mère éprouve pour son enfant sans défense, un amour si total, si prenant que l'égo s'y dissout, si pur et si riche qu'il emplit le cœur de félicité. C'est l'amour du Bhakti Yoga, qui procure la connaissance éclairée à travers le dévouement. C'est cet amour-là que l'on doit parvenir à éprouver pour Dieu si l'on veut pouvoir transcender cette vallée de larmes que l'on appelle la vie.

— Et comment puis-je apprendre à aimer ainsi ? demanda Rebecca dont tout le corps s'était mis à trembler. En apprenant toutes les postures du yoga ? Ou bien vaut-il mieux méditer ?

— Tout cela ne vous sera que d'un faible secours, assura le yogi. Si vous désirez sincèrement apprendre à aimer, Dieu vous montrera la voie, mais il faut être une élève assidue et guetter avidement chacune de ses leçons. »

L'ennui, a-t-on dit, est le masque préféré de la colère. En dépit des multiples activités dont elle encombrait ses journées, Rebecca ne tarda pas à se lasser de toutes ces distractions. Quand elle avait envie de voir un film, c'était toujours justement celui qui manquait au catalogue et sur les cinq cents qui lui étaient offerts, il ne s'en trouvait pas un seul pour l'intéresser. Une contracture à l'épaule vint interrompre ses leçons de yoga et en goûtant une des créations culinaires d'Henri, elle eut la mauvaise idée de faire la grimace, pour le faire enrager, ce qui lui valut d'être banie *sine die* des fourneaux et privée de ses cours de cuisine. Et, pour couronner le tout, elle fut obligée de mettre un terme à ses bains de soleil, car ils avaient déclenché une poussée d'urticaire.

Il ne lui restait donc plus guère, pour passer le temps, que ses bavardages avec Ann Chin.

« Je me demande comment tu as pu tenir le coup tant d'années sans perdre la boule, lui dit-elle un après-midi. Encore deux jours comme aujourd'hui et je crois que je me fais sauter la cervelle.

— Oh, ce n'est pas une vie beaucoup plus ennuyeuse que celle que je menais au-dehors », assura Ann. Elle était occupée à broder industrieusement un *sampler* à l'ancienne mode où l'on pouvait lire : "Dieu bénisse notre foyer" en lettres ornées de fleurs et de volutes. « Tu t'y habitueras, tu verras.

— *Tu t'y habitueras, tu t'y habitueras* ! Tout le monde me rabâche le même refrain. En attendant, j'ai l'impression d'avoir été prise en otage. Il ne se passe donc jamais rien ici ? Une jour de vacances, un jour de fête, un défilé d'anciens combattants ?

— Noël est toujours un moment merveilleux. Henri nous prépare un véritable festin et Beeze nous offre des cadeaux somptueux. L'année dernière, il m'a offert des litres de mon parfum préféré, *Bal à Versailles,* et il a donné à Jasmine un de ces gigantesques tigres en peluche.

— Ah oui ? Eh bien, il n'est pas question que je reste ici jusqu'à Noël !

— Ce n'est jamais que dans trois semaines, tu sais.

— Bon Dieu ! s'exclama Rebecca. C'est pourtant vrai !

— Et puis il y a aussi un grand réveillon pour le jour de l'an, avec des cocktails au champagne et des pétards.

— Moi, c'est tout de suite que j'ai envie d'une fête ! Je veux me griser, danser, entendre les gens rire autour de moi. Depuis mon arrivée, je n'ai pas entendu un seul éclat de rire ! Sauf ceux du yogi Gnesha quand il m'en raconte une bien bonne.

— Tu as demandé à Beeze ? J'ai l'impression qu'il est vraiment prêt à tout pour te rendre heureuse.

— Si je lui demande la moindre chose et qu'il me la donne, j'aurai une dette envers lui — je me ferai l'effet d'une femme entretenue. Et ça, je ne pourrai pas le supporter !

— Mais tu es folle ! Personne n'y songe, voyons ! Tout le monde sait que tu es une femme qui a réussi, que tu as ta carrière, que tu es célèbre.

— Tu crois ! Ce n'est pas ce que je ressens, pourtant. J'ai plutôt l'impression d'être une malheureuse gamine sans défense, pas seulement fichue d'attacher les lacets de ses souliers.

— Et puis, de toute façon, quand Beeze donne quelque

chose, il n'attend jamais rien en retour. L'argent n'a aucune valeur pour lui.

— Tu crois vraiment que c'est possible ? questionna Rebecca. Enfin, réfléchis un peu, l'argent a une valeur pour chacun d'entre nous, non ? Peut-être qu'il compte moins pour Beeze que pour un autre parce qu'il en a tellement, mais il doit quand même lui attacher une certaine valeur. Et du moment que l'argent a une valeur quelle qu'elle soit, en l'acceptant, on se crée une obligation.

— Et si moi, je demandais à Beeze de donner une fête ? Tu n'aurais à te sentir l'obligée de personne.

— Non, je crois qu'il vaut mieux laisser tomber », maugréa Rebecca.

Et malgré les efforts de son amie, sa solitude et son cafard ne cessèrent de croître au fil des heures. Elle fit venir M. Munckle et lui demanda de lui projeter *La forêt pétrifiée*, un film dont le romantisme échevelé n'avait jamais manqué de lui remonter le moral. Mais cette fois-ci, le nom de Leslie Howard la fit penser, avec nostalgie, à Leslie Horowitz et, en songeant soudain que l'histoire était celle d'une jeune femme vivant seule au milieu de désert de Mojave, que l'ennui et la solitude poussaient progressivement à la folie, elle fut terrassée par une crise de larmes.

La projection s'interrompit, les lumières se rallumèrent et M. Munckle sortit de sa petite cabine pour se précipiter vers elle. M. Munckle était un septuagénaire de haute taille, maigre et grave, aussi sec qu'un morceau de viande de buffle trop longtemps exposé au soleil. A travers ses mèches grises soigneusement rejetées en arrière, on apercevait la peau de son crâne. Il avait de grands yeux tristes de chien de chasse et une verrue grosse comme un grain de raisin sur le côté du nez.

« Ça ne va pas ? demanda-t-il. Vous êtes malade ?

— Oui. Non. Je ne sais pas. Laissez-moi, je vous en prie. Ça va passer.

— Qu'est-ce que vous avez dans l'oreille ? demanda-t-il soudain.

— Comment ? »

Elle leva les yeux au moment où il lui tirait de l'oreille droite une pièce de vingt-cinq cents. Il la brandit bien haut, l'agita deux ou trois fois et frappa dans ses mains. La pièce disparut.

« Où est-elle passée ? demanda Rebecca.

— Chez l'oncle Sam. C'est là qu'elles finissent toutes. Mais il y a quand même des fois où on est remboursé. »

Il fit claquer ses doigts et la pièce reparut, entre le pouce et l'index.

« Une fois, expliqua-t-il en allumant une cigarette, j'ai voulu arrêter de fumer. » Il tira quelques bouffées et l'écrasa dans un cendrier. « Malheureusement, j'arrivais toujours à en trouver une autre. » Il ouvrit la bouche, tira la langue et fit apparaître une cigarette allumée. Et il se mit à écraser interminablement des cigarettes issues de la source intarissable cachée au fond de sa bouche. Au bout d'un moment, Rebecca ne put s'empêcher de rire.

« Ah ! triompha-t-il. Voilà qui est mieux. Il ne faut jamais laisser les nuages masquer le soleil, il faut garder le sourire, même quand tout va mal. Ça, c'est la grande leçon du music-hall. J'ai été enfant prodige, vous savez : Munckle, le Minuscule Magicien, vous présente ses Mirobolants Tours de Magie et ses Prodigieuses Prouesses de Prestidigitation. A dix ans, je participais déjà au meilleur circuit, celui des tournées Keith Orpheum. » Cette évocation le fit sourire. « Au final, je faisais apparaître cent colombes rouges, blanches et bleues, qui allaient se poser sur ma sculpturale assistante de façon à symboliser le drapeau américain, pendant que l'orchestre jouait *The Stars and Stripes forever*. Vous parlez d'un effet !

— Pourquoi avez-vous abandonné ?

— A cause du cinéma. Au début, je ne voulais pas croire que les gens préféraient vraiment les films à la réalité, mais il a bien fallu se rendre à l'évidence. Un par un, les music-halls se sont transformés en salles de cinéma — sauf ceux qui sont devenus des boîtes de strip-tease. Il ne m'a pas fallu longtemps pour comprendre que mon métier était condamné. Je me suis dit, Munckle, tes jours de magicien

254

sont comptés ; oh, tu trouveras bien quelques engagements par-ci par-là, mais tu ne travailleras plus jamais devant des salles combles, tu ne les entendras plus jamais t'acclamer comme ils le faisaient naguère. Alors, ayant décidé dès ce moment-là que le cinéma, c'était l'avenir, j'ai appris à manier un projecteur et depuis j'ai toujours fait ce métier. Evidemment, ce n'est pas très spectaculaire — rien ne peut remplacer les applaudissements du public, pas vrai ? — mais au moins, je ne risquais pas de finir sans le sou dans le ruisseau. La vérité, voyez-vous, c'est que j'avais besoin de sécurité. Je ne regrette rien. Vous vous sentez mieux à présent ? »

Rebecca renifla, sourit, hocha la tête.

« Bon, alors je ne veux plus voir de nuages devant le soleil, déclara M. Munckle. C'est compris ? » Il sortit une nouvelle pièce de son oreille, la fit aller et venir entre ses mains et disparaître brusquement dans un de ses poings.

« Lequel ? » demanda-t-il en lui présentant ses deux poings fermés.

Elle les regarda fixement l'un après l'autre, comme si à force de regarder, elle allait finir par voir à travers la chair, puis elle indiqua la main droite. Il l'ouvrit, elle était vide. Elle lui dit d'ouvrir la gauche, elle était vide aussi.

« Chez l'oncle Sam ? » s'enquit-elle.

Il secoua la tête : « Non, cette fois-ci, je ne me suis pas laissé avoir, je l'ai mise sur mon compte-épargne. Il faut apprendre à joindre les deux bouts, vous savez. »

En disant cela, il fit apparaître un rectangle en caoutchouc vert — auquel on avait cherché à donner l'apparence, peu convaincante, d'un billet d'un dollar — et il tira dessus pour en faire une sorte de longue corde dont il joignit les deux extrémités.

Rebecca, qui adorait les mauvais calembours, se tenait les côtes.

Ce soir-là, en jouant aux dames avec Beeze, elle glissa, sans avoir l'air d'y toucher : « Je sais que vous avez l'intention de ne plus jamais quitter cette maison, mais avez-vous songé à y inviter des gens de l'extérieur ? Enfin, vous ne croyez pas que Samson pourrait aller chercher quelques-uns de mes amis, à Los Angeles, et les ramener ici ? Juste pour passer la journée. On pourrait se pinter un peu, écouter de la musique et danser. Et puis, on leur ferait jurer de ne parler de rien à personne — d'ailleurs même s'ils parlaient, personne ne les croirait. Leslie, lui, il est déjà venu ici, donc ça n'aurait aucune importance s'il revenait, mais il pourrait amener Tommy, son... disons, son amoureux. Et puis aussi Victoria. Vous en serez fou, aucun homme ne lui résiste. Elle mesure un mètre quatre-vingts, elle est faite au moule et en plus elle est adorable. Oh, et puis encore quelques autres, uniquement des gens que je connais intimement, bien sûr, et à qui on pourra faire toute confiance, des acteurs pour la plupart, des clients de Leslie. Vous savez, on peut trouver des tas de choses à redire sur les acteurs, mais on ne peut pas les accuser de ne pas savoir s'amuser. Oh, Beeze, vous voulez bien, je vous en prie ? Ce serait tellement chouette. »

Beeze était si absorbé par la partie de dames qu'elle crut qu'il ne l'avait même pas entendue. Mais plus tard, au moment où elle s'apprêtait à regagner sa chambre, il dit : « Appelez Samson, ce soir, avant de vous endormir, demandez-lui de vous apporter une plume et du papier et dressez une liste de vos amis, avec leur adresse et leur numéro de téléphone. »

Elle le regarda un long moment, interdite, puis elle le serra dans ses bras, pressant son visage contre le masque froid, en s'écriant : « Oh, Beeze, je vous adore ! »

Le lendemain matin, Samson se présenta à la porte de Rebecca avec une enveloppe sur un plateau d'argent. L'ayant ouverte, elle y trouva une invitation gravée sur un luxueux vélin :

HENRY WALLACE BEEZE III
a le plaisir de vous inviter à un bal
donné en l'honneur de
REBECCA WEISS
ce soir, à 20 heures précises
Tenue de soirée

« Nom d'un chien ! s'écria-t-elle. Cette fois-ci, c'est pour de vrai ! Ce vieux Beeze a enfin décidé de se laisser aller. Hourra ! Alleluia ! Vivement ce soir ! On va se shooter et se soûler et faire la noce jusqu'à trois heures du matin. Mais qu'est-ce que je vais bien pouvoir mettre ? Ce tailleur commence vraiment à cocotter ! »

Samson ouvrit la penderie, où la robe en velours, que Beeze lui avait offerte pour son anniversaire, était suspendue parmi cinq ou six autres robes du soir, de styles et de couleurs variés, qui étaient toutes des modèles exclusifs de grands couturiers. Quant à savoir comment Beeze s'était arrangé pour les faire faire si vite — et si merveilleusement ajustées — c'était un vrai miracle. Mais elle commençait à savoir que pour les crésus de ce monde, les miracles n'avaient rien que de très banal. Une quinzaine de paires de chaussures étaient rangées sur un porte-chaussures. Le géant alla ensuite ouvrir le tiroir de la commode où était rangé l'écrin noir qui contenait le collier en diamants. Rebecca le sortit et le porta à son cou, en se contemplant dans la glace de la penderie.

« Quand Victoria verra ça, murmura-t-elle, subjuguée, par son propre reflet, elle en sera bleue. »

Elle n'osait pas se l'avouer, mais cette décision implicite d'accepter enfin les cadeaux de Beeze et de se débarrasser du tailleur de soie noire représentait un véritable tournant. Le tailleur, soit dit en passant, commençait à être plus que défraîchi, il tenait même debout tout seul ; on aurait dit une seconde peau qu'il fallait abandonner, comme un serpent change lui aussi d'enveloppe, pour pouvoir passer à une nouvelle existence. Elle le fourra d'une main vengeresse dans la poubelle de la salle de bains, ainsi que ses sous-vêtements usés jusqu'à la corde par les lavages quotidiens. Après quoi elle alla s'allonger dans la grande baignoire en carreaux noirs, pour faire trempette. Elle se lava les cheveux, les brossa soigneusement et les laissa sécher à l'air libre, en se félicitant rétrospectivement d'avoir adopté une coiffure qui ne nécessitait ni rouleaux ni séchoir.

La veille, l'armoire de sa salle de bains était vide, mais elle vérifia à nouveau son contenu, ce jour-là, car elle commençait à connaître suffisamment Beeze pour deviner certains de ses gestes. Comme elle s'y attendait, elle découvrit un choix fabuleux de parfums et de cosmétiques. C'était un cadeau qui méritait d'être partagé et, après avoir passé un peignoir, elle fila dans le couloir jusqu'à l'appartement d'Ann Chin, qu'elle trouva assise par terre, en train de donner une leçon d'histoire américaine à sa fille.

« Tu ne viens pas au bal ? demanda Rebecca.

— J'ai reçu une invitation, si.

— Eh bien alors, il faut nous habiller !

— Mais nous avons encore neuf heures devant nous !

— Ça nous laisse à peine le temps. Beeze a fait remplir mon armoire à pharmacie de tous les produits de beauté possibles et imaginables. Il faut commencer à nous maquiller dès à présent si nous voulons tout essayer.

— Tu me mettras du violet sur les paupières ? supplia Jasmine.

— Du violet sur les paupières et du vert sur le nez ! promit Rebecca.

— Franchement, je ne sais pas, intervint Ann. Tu n'as pas fini ta leçon d'histoire, tu sais.

— Je travaillerai deux fois plus dur demain, maman, c'est promis-juré !

— Allez, viens ! dit Rebecca d'une voix câline.

— Mais il n'est encore que onze heures du matin.

— Le mieux, c'est de mettre notre maquillage au point ce matin, comme ça, ce soir, nous n'aurons plus qu'à l'appliquer. Viens, je vais te montrer comment on fait pour mettre les pommettes en relief et masquer les défauts. Tous les secrets d'Hollywood pour cinquante cents !

258

— Je t'en prie, maman !

— Bon d'accord, je sais bien que j'ai perdu d'avance ! »
dit Ann.

Elles s'installèrent toutes les trois, côte à côte, devant le
grand miroir de la salle de bains de Rebecca, chacune se
maquillant, et maquillant aussi les deux autres, avant de se
nettoyer la figure et de recommencer. Elles voulurent comparer tous les parfums et s'en fourrèrent partout, jusqu'à
ce que l'air ambiant fût devenu une telle mixture d'odeurs
qu'il était impossible de s'y retrouver. Après quoi, elles passèrent aux questions vestimentaires. Ann, quoique un peu
plus grande, faisait aussi un trente-six et les robes de
Rebecca lui allaient presque aussi bien qu'à leur destina-
taire. Jasmine tint à tout essayer et les deux jeunes femmes
eurent toutes les peines du monde à ne pas rire en la voyant
se pavaner à travers la pièce, les robes traînant derrière
elle, en trébuchant dans des chaussures dix fois trop grandes. Et tout en s'amusant ainsi, Rebecca bavardait comme
une pie, leur décrivait ses amis, tous ceux dont elle avait
inscrit les noms sur sa liste, la veille au soir, ceux dont ses
deux amies allaient faire la connaissance dans quelques
heures : Leslie, Victoria, Tommy et tous les autres, les
homosexuels et les hétérosexuels, les acteurs et les michés,
les vedettes et les chômeurs, un serveur de restaurant qui
écrivait des pièces de théâtre, un compositeur de chansons
qui était aussi gardien de parking, une danseuse exotique,
un professionnel de tennis, une fleuriste et un masseur.

Elles s'amusaient toutes les trois comme des gamines et
un bruit rarement entendu dans la grande demeure déferla
dans les couloirs et se répercuta dans les immenses salles ;
il fit sursauter Mme Munckle qui s'activait, armée de son
aspirateur, et Samson, qui passait par là, pencha la tête,
étonné. Ce bruit, c'était celui du rire.

Rebecca s'était demandé comment Beeze allait résoudre
le problème de l'accompagnement musical : allait-il faire
venir de Los Angeles un groupe professionnel, les yeux ban-

dés pour garder leur destination secrète, ou bien préférerait-il un spécialiste avec sa malle pleine de disques ? Lorsqu'elle entra dans la salle de bal — avec seulement quarante-cinq minutes de retard, tant était grande son impatience de revoir ses amis —, elle fut un peu déçue de voir que les disques étaient au programme et, qui pis est, qu'il ne s'agissait pas du tout du genre de musique qu'elle avait espéré. Il n'y avait que du Frank Sinatra, du Nat King Cole, du Patti Page ou du Doris Day ; c'était tout simplement, mais elle l'ignorait, la collection de soixante dix-huit tours de Mme Munckle. Une autre déception, plus grave, fut que son entrée tomba totalement à plat, malgré les trois quarts d'heure de retard, pour la bonne raison qu'aucun de ses amis n'était encore arrivé. Il n'y avait là que ses habituels compagnons, qui attendaient d'un air emprunté, en smoking et robe du soir, sans danser et presque sans parler. Ann Chin tenait sa fille dans ses bras pour qu'elle pût admirer l'immense buffet, placé sous le haut patronage d'Henri et de David ; Larry Chin et le Dr Resnick étaient plongés dans une de leurs sempiternelles conversations ; Mme Munckle, toute bouffie d'organdi, était postée devant le buffet, occupée à engloutir goulûment les canapés, comme si un décret interdisant leur consommation devait prendre effet à minuit sonnant, tandis que son époux allait et venait comme un bourdon, s'occupant du tourne-disque, vérifiant la bonne marche du climatiseur et se versant un verre de scotch lorsqu'il croyait que personne ne l'observait.

Ni Samson ni Beeze n'étaient visibles. Rebecca réfléchit que le géant était sûrement parti chercher tous ses amis à Los Angeles et qu'ils allaient arriver incessamment, se pressant en foule à la porte, comme une espèce de carnaval fou, fou, fou, avec leurs vêtements bariolés et couverts de sequins, au son de retentissants : « Coucou, nous voilà ! » Et aussitôt, leur présence donnerait un brusque coup de fouet à cette soirée anémique, comme une giclée d'adrénaline. Une affreuse pensée lui traversa l'esprit : l'hélicoptère ne pouvait contenir plus de deux passagers ! Mais non, qu'elle était sotte ! Beeze aurait sûrement pensé à louer pour l'occasion un appareil plus important, sans doute un des modèles dont on se servait habituellement pour transporter les troupes. Quant au maître de maison, peut-être était-il encore en train de s'habiller, mais peut-être aussi était-il resté dans sa chambre à jouer du violon ou à lire. Rebecca n'aurait été nullement étonnée d'apprendre qu'il n'avait pas l'intention d'assister aux réjouissances, mais elle espérait, néanmoins, qu'il viendrait, ne fût-ce que pour pouvoir se montrer à lui au milieu de ses pairs. Elle avait le sentiment de paraître plus attirante et plus belle lorsqu'elle était environnée de ses amis, un peu à la façon dont une pierre précieuse se pare d'un éclat plus vif lorsqu'elle est entourée de pierres de moindre valeur.

Elle s'avança lentement jusqu'au buffet, goûta le caviar et le saumon fumé. David, qui était chargé du bar, lui prépara un cocktail au champagne et à la grenadine qui teinta sa coupe de rose. Il lui assura qu'elle avait l'air d'une princesse sortie tout droit d'un recueil de contes de fées. L'image était parfaitement choisie. Qu'on s'imagine un instant notre héroïne, en robe de velours rouge, à taille haute, rebrodée d'or, les pieds chaussés de pantoufles dorées aussi fines et délicatement ourlées que des copeaux d'or, son long cou élancé mis en valeur par le collier de diamants, sa toison indocile domptée par des peignes de nacre. Emportant sa coupe, elle alla s'asseoir dans un coin pour attendre l'arrivée de ses amis.

« Vous êtes la vivante incarnation de la beauté, déclara galamment le yogi Gnesha en s'approchant.

— Merci, dit-elle. Vous êtes superbe, vous aussi. »

Ce n'était pas tout à fait vrai, car le yogi nageait dans un smoking trop grand et démodé, qui dégageait de vagues relents de naphtaline et semblait avoir été hérité d'un frère aîné.

« Comment va votre épaule ?

— Mon épaule ? » Elle se rappela alors que la veille encore, une douleur à l'épaule l'avait empêchée de prendre sa leçon de yoga. « Ah oui, mon épaule ! » Elle se tortilla pour voir et sourit : « Ça m'a l'air d'aller. Elle a cessé de me faire mal ce matin, quand j'ai reçu mon invitation.

— Le rire est un remède autrement efficace que la pénicilline, convint l'Indien.

— Et vous savez quoi aussi ? Cette affreuse urticaire, due au soleil — cette espèce d'allergie que j'avais ? Eh bien, elle a disparu à peu près en même temps ! » Elle se mit à rire.

« Puisque vous voilà en parfaite santé, vous me ferez peut-être l'honneur de m'accorder cette danse ? »

Par l'entremise du tourne-disque, Tony Bennett roucoulait un *Blue Velvet* tout éraillé.

« Merci beaucoup, répondit Rebecca avec diplomatie, mais pour le moment, j'aime mieux rester assise.

— N'ayez surtout pas peur que je vous fasse honte. Je suis excellent danseur.

— Oh, mais ce n'était pas du tout pour ça. C'est simplement que je préfère attendre l'arrivée de mes amis. Ça me ferait tout drôle d'être seule sur la piste.

— J'ai suivi les cours de l'Ecole de Danse Fred Astaire, à New York, annonça fièrement Gnesha. Et le professeur m'a assuré que ça faisait bien longtemps qu'il n'avait pas eu un élève aussi doué que moi.

— Pas possible ? Moi qui me suis toujours demandé qui pouvait bien fréquenter ce genre d'établissement !

— J'ai apppris le mambo, le cha-cha-cha, la valse, le fox-trot et le lindy.

— Dites donc, ça ne date pas d'hier tout ça.

— 1959. Je venais tout juste d'arriver et j'étais désireux de m'imprégner de culture américaine. Et puis, j'étais assez déprimé par ma première désillusion, avec les ménagères de Great Neck, vous savez.

— Et ça vous a servi, ces leçons de danse ?

— En tout cas, ça m'a certainement remonté le moral.

— Vous n'en n'avez pas assez d'avoir Beeze comme unique élève ?

— Qu'est-ce qu'un maître peut vouloir de plus qu'un élève sincère et passionné par ses études ? Et puis... — il hésita — ce n'est que temporaire.

— Comment ça ?

— Tout ceci, déclara Gnesha, avec un ample geste pour englober tout le somptueux décor, ne durera guère. Ce matin, en méditant, j'ai eu une vision de Kali, qui purifie par la destruction. Elle était entourée d'un halo de feu et elle m'a dit qu'avant la nouvelle année, la demeure de Beeze ne serait plus qu'un souvenir et que je serais de retour à New York, avec mes disciples. »

Rebecca frissonna et une fine sueur vint lui mouiller les aisselles : « Pourquoi ? Que va-t-il se passer ?

— Ne vous inquiétez pas, dit-il. Quoi qu'il arrive, ce sera pour le mieux. Faites confiance à la divinité pour nous donner les leçons dont nous avons besoin et nous délivrer de notre présente incarnation lorsque nous en avons appris suffisamment. »

Au moment où David remplissait la coupe de Rebecca pour la cinquième fois, le silence se fit. Elle se tourna vers la porte et aperçut la haute et puissante silhouette de Beeze ; en le voyant s'avancer vers elle, elle resta immobile, les joues en feu, le sang lui martelant les tempes. Il s'arrêta à sa hauteur et baissa vers elle ces yeux qui brillaient si loin derrière les fentes de son masque.

« Vous êtes si belle que vous ne semblez pas tout à fait vraie. » Il parlait bas, uniquement pour elle.

Rebecca fit une révérence moqueuse : « Merci. J'adore cette robe, vous savez. J'ai l'impression d'être une princesse de conte de fées.

— Je suis ravi de voir que vous avez enfin accepté mes dons.

— Eh bien, à vrai dire, je ne les ai pas exactement acceptés. Disons que je vous les emprunte.

— Ils sont à vous. Tout ce que je possède est à vous.

— Je garderai peut-être la robe, mais le collier me fait peur. Je finirais par me prendre pour Liz Taylor.

— M'accorderez-vous cette danse ? demanda Beeze en lui offrant son bras.

— Ecoutez, non, ça me gênerait d'être la seule à danser. Attendons plutôt que les autres invités arrivent.

— Les autres invités ?

— Eh bien oui, vous savez, Leslie, Victoria... » Sa voix s'éteignit à mesure que la vérité se faisait jour dans son esprit. « Ils ne viendront pas, n'est-ce pas ? Cette liste que vous m'avez demandée — c'était encore une de vos plaisanteries sadiques. Vous n'avez jamais eu la moindre intention d'inviter mes amis ! »

Beeze hésita : « Mais des invités, il y en a : le yogi Gnesha, le Dr Resnick, le Dr Chin...

— Ce ne sont pas des invités, ce sont des employés ! »

Tout le monde semblait retenir son souffle, tant le silence était grand, l'atmosphère tendue.

« Les invités, ce sont des amis, continua-t-elle. Les employés sont des personnes que vous payez, mais évidemment, vous ne pouvez pas comprendre la différence, puisque vous n'avez jamais eu que des employés. Eh bien, ils ont beau faire semblant d'avoir de l'affection pour vous, ils ont beau vous faire des sourires et vous écouter palabrer, ne vous laissez pas abuser. Jamais ils ne vous diront la vérité, parce qu'ils ont bien trop peur de perdre leur emploi — et même leur vie. Mais moi, je n'ai pas peur, moi, je n'ai rien à perdre, alors je vais vous dire ce qu'ils pensent, ce qu'ils ont tous peur de dire : *Tout ceci est grotesque ! Ce bal est du plus haut grotesque ! Et vous aussi, et cette espèce de mausolée surchargé d'ornements où vous vivez ! Et je me fiche bien que vous me fassiez tuer pour avoir osé le dire, parce que j'aime mieux être morte que de passer encore un seul jour ici !* »

Elle arracha le collier de son cou, le lui jeta à la figure et quitta la pièce en courant.

Vautrée sur son grand lit à baldaquin, elle sanglota d'abord sur elle-même, puis, plus tard, lorsque les heures qui passaient eurent apaisé sa colère, sur Beeze, sur toutes les méchancetés qu'elle lui avait dites. Elle avait commencé à comprendre cet homme étrange, à le respecter et même à l'admirer — sans se départir pour autant de son indignation contre lui — et le souvenir des insultes qu'elle lui avait hurlées, de l'humiliation qu'elle lui avait infligée devant ses employés lui était absolument insupportable.

Elle fut donc extrêmement soulagée lorsque Beeze vint frapper, très tard, à sa porte — même si elle se garda bien de le lui montrer en allant ouvrir.

« Je suis sincèrement désolé, commença-t-il. Je voulais seulement vous faire plaisir.

— N'en parlons plus, répondit-elle d'un ton boudeur.

— Vous aviez dit qu'une femme aurait besoin d'assister à une soirée de temps en temps, qu'elle aurait envie de danser.

— Ce n'était pas une soirée, c'était une mauvaise imitation !

— J'ai cru faire pour le mieux. »

Elle lui fit brusquement face et jeta sèchement : « Alors, pourquoi n'avez-vous pas invité mes amis ?

— C'est impossible, voyons ! Tous ces gens de l'extérieur ne me comprennent pas. Ils se seraient moqués de moi derrière mon dos et m'auraient traité d'épouvantail.

— Oh, pour l'amour de Dieu, qu'est-ce que vous en savez ? Depuis le temps que vous ne vous laissez plus approcher par personne ! Vous vous êtes terré ici depuis votre accident, comme une espèce d'animal dans sa tanière.

— Si, je le sais ! Je sais comment sont les gens !

— Ah oui ? Vous n'avez pourtant pas l'air d'en savoir bien long sur mon compte !

— J'ai tout fait pour vous satisfaire.

— Sauf de me rendre ma liberté !

— Peut-être, marmonna-t-il, bientôt.

— Oui, oui, ça va, vous m'avez déjà fait le coup !

— Rebecca, j'ai besoin de vous !

— Tiens, c'est la première fois que vous ne me dites pas Mlle Weiss, fit-elle remarquer d'une voix changée. C'est idiot, mais à chaque fois que vous dites Mlle Weiss, j'ai l'impression que vous parlez de ma vieille tante.

— Vous faites ce que ni la médecine, ni le yoga, ni la musique ne parviennent à faire : vous me donnez le sentiment d'être encore en vie.

— Pourtant, vous ne pourrez jamais m'avoir à vous, si vous ne me laissez pas repartir. Vous ne pouvez donc pas le comprendre ?

— J'essaie, répondit Beeze. Je vous assure que de ma vie, je n'ai jamais fait autant d'efforts pour comprendre quelque chose. »

Elle le dévisagea un long moment : « C'est vrai, dit-elle enfin, je vois bien que c'est vrai.

— Vous savez pourquoi je suis arrivé si en retard, ce soir ? C'est parce que j'étais malade, littéralement malade, à l'idée que mes préparatifs ne vous plairaient peut-être pas.

— Pauvre Beeze !

— Je voulais tant que vous soyez heureuse, ce soir.

— Oui, je sais.

— Je voulais vous prendre dans mes bras, je voulais danser avec vous.

— C'est vrai ? » Elle sourit.

« Oui. »

Elle vint se placer devant lui, mit la main droite de Beeze autour de sa taille, posa sa main droite à elle dans la gauche de Beeze.

Puis elle commença à fredonner un air qu'elle avait entendu quelque part, une valse dont elle ne connaissait pas le nom, et ils s'élancèrent à travers la pièce, avec une grâce exquise, ayant soudain tout oublié en dehors de leur danse.

Roy Gleason, à qui les Studios Burbank avaient temporairement octroyé un bureau dans leurs locaux pour pouvoir travailler en toute quiétude au nouveau scénario de *La toile d'araignée*, avait invité Victoria à venir l'y retrouver pour le déjeuner, en se disant que ce serait, pour leurs ébats amoureux, un cadre très excitant et relativement sûr, puisqu'il travaillait seul et que sa femme ne lui était encore jamais tombée dessus sans se faire annoncer. Faire l'amour dans des lieux incongrus était l'un des fantasmes préférés de Roy Gleason, car chez lui les parties de jambes en l'air étaient strictement confinées à la chambre conjugale, en raison de la présence envahissante de toute une armada d'enfants, de domestiques, de nounous et même de petits-enfants (son gendre avait plaqué sa fille aînée l'année précédente et elle avait, semblait-il, décidé de revenir avec son fils vivre entre ses parents le reste de son âge !), et elles se pratiquaient soit très tard le soir, soit très tôt le matin, c'est-à-dire aux heures où sa femme et lui risquaient le moins d'être interrompus par quelqu'un venu annoncer que le petit Julius avait avalé une épingle à nourrice ou que le cocker venait de tomber dans la piscine pour la troisième fois. Malheureusement, à ces heures-là, il arrivait fréquemment que l'un ou l'autre, ou le plus souvent les deux, fussent plongés dans un sommeil réparateur. Et lorsque Roy, sur les instances de son analyste, avait suggéré à son épouse de l'accompagner dans un motel pour s'offrir quelques heures de félicité, elle avait refusé de le prendre au sérieux.

« Je ferai semblant d'être un homme d'affaires, avait-il proposé, et toi, tu seras une fille de joie. Je te ramasserai au bar, je te paierai quelques verres et puis nous monterons dans ma chambre. Tu es une fille bien, tu vois, et futée par-dessus le marché, tu as même obtenu une bourse pour Radcliffe, parce que tu rêvais d'être médecin, mais quand tes parents sont morts dans un accident d'avion, tu as été obligée de te vendre pour subvenir aux besoins de tes cinq petits frères et sœurs. »

On ne peut pas passer, impunément, trente ans de sa vie à écrire des scénarios.

Mais sa femme s'était contentée de sourire et de secouer la tête, en murmurant d'une voix indulgente : « Voyons, Roy ».

Il avait donc passé toute sa matinée à imaginer comment il pourrait faire de son bureau un lieu chargé d'érotisme pour la visite de Victoria — il hésitait entre le cunnilingus sous le bureau et la fellation assis sur le classeur — et toutes ces idées l'avaient mis dans un tel état d'excitation qu'il avait été incapable de se concentrer sur le scénario qu'il était censé transformer. Il s'était contenté de garder les yeux fixés sur le même paragraphe, tout en passant mentalement en revue le *Kama Soutra* tout entier.

Lorsque la jeune femme arriva enfin, avec une heure de retard, il eut le plus grand mal à empêcher sa voix de trembler.

« Je me suis dit que ce serait sympa d'envoyer chercher un repas chinois et de le manger là, dans le bureau, à la bonne franquette », commença-t-il. C'était la phrase qu'il avait répétée toute la matinée, mais il ne l'eut pas plus tôt proférée qu'il comprit son erreur.

Victoria tourna vers lui un regard froissé : « Vous avez honte qu'on nous voie ensemble ou quoi ? Parce que si c'est ça, je préfère rentrer chez moi tout de suite. Je n'ai vraiment pas besoin de ce genre de camouflet, j'ai déjà pris assez de gifles comme ça dans mon existence !

— Je suis désolé ! s'écria Roy. Ce n'était pas du tout pour ça que je vous faisais cette offre. Jamais je ne pourrais avoir honte d'être vu avec vous, vous êtes la femme la plus merveilleuse que j'ai jamais rencontrée. Tenez, si ça vous fait plaisir, j'appelle ma femme à l'instant même et je la mets au courant de votre existence ! »

Victoria hésita et, pendant un bref, mais terrible, instant, Roy crut qu'elle allait le prendre au mot. Puis, à son grand soulagement, elle répondit : « Non, bien sûr que non. Je suis hyper-sensible, vous comprenez. Si vous saviez tout ce que j'ai enduré !

— Mais je comprends très bien, protesta-t-il. Je vous assure. Enfin, je crois comprendre. A quoi faites-vous allusion exactement ?

— Aux hommes, à la façon dont ils me traitent. C'est ça le drame, quand on a un physique comme le mien. Evidemment, c'est sur le plan professionnel que j'en souffre le plus : on me distribue automatiquement les rôles de pute, de maîtresse ou d'idiote. Notez que je ne m'en fais pas trop, parce que je sais bien qu'un jour, quelqu'un me donnera ma chance. Et, à partir de ce moment-là, les gens seront bien obligés de ravaler leurs critiques.

— Eh bien cette chance, vous allez peut-être l'avoir plus tôt que vous ne pensez, déclara Roy. Je vais vous expliquer ça en allant à la cantine. »

Ils longèrent une rue bordée de maisons en grès brun des années trente, passèrent devant un vieux cinéma à l'ancienne mode et un music-hall, le tout n'étant bien sûr que de simples façades en bois ou en plâtre.

« Voyez-vous, je ne pense pas que nous pourrons effectuer tous nos changements avec la postsynchronisation, comme nous en avions l'intention, expliqua Roy. C'est vraiment trop astreignant. Il va sans doute falloir refaire certaines scènes. Or, étant donné qu'il n'y a pas moyen de mettre la main sur Rebecca Weiss, j'ai suggéré à Mack de retourner le rôle entier avec quelqu'un d'autre.

— Quelqu'un que je connais ? demanda hypocritement la jeune femme en lui prenant le bras pour le presser contre son sein.

— Ce n'est pas impossible, répondit-il, facétieusement. Elle est grande, avec des jambes superbes, gracieuse comme une liane et pourrie de talent. Elle s'appelle Victoria. Et un vieux scénariste grisonnant du nom de Roy est bien décidé à s'assurer qu'elle aura sa chance.

— Un vieux scénariste grisonnant ? répéta Victoria, sur un ton de feinte perplexité. Je ne connais pas de vieux scénaristes grisonnants. Je connais bien un scénariste aux merveilleux cheveux argentés, mais il n'est pas vieux. En tout cas, pas quand il est avec moi.

— Que diriez-vous si je vous apprenais qu'il va avoir soixante-cinq ans en janvier ? »

Victoria lui lâcha le bras et mit les mains sur ses hanches, pour le regarder, incrédule : « Je vous donnais cinquante ans !

— Soixante-cinq, assura Roy, en hochant la tête. Sans rire ! Eh oui, je suis un vieux scénariste grisonnant qui en a vu de toutes les couleurs et qui a vécu assez vieux pour pouvoir en parler. »

Elle lui reprit le bras, en le serrant encore plus fort qu'avant, et ils continuèrent leur chemin.

Roy lui narra l'anecdote du cheval qu'il avait acheté à sa fille adolescente, quelques mois auparavant. On lui avait réservé un pré entier, dans un coin de leur propriété de Malibu Canyon, mais ce gredin de cheval avait un appétit insatiable et après avoir littéralement rasé l'herbe de son enclos, il avait sauté par-dessus la barrière et s'était mis en quête de nourriture. A cette époque-là, Roy travaillait justement chez lui, et sa machine à écrire était placée juste au-dessous d'une fenêtre ouverte, pour qu'il pût profiter de la fraîcheur de la brise et des senteurs d'herbe coupée. Ayant atteint un passage fort épineux de son récit, il était allé se chercher à boire à la cuisine et, à son retour, il avait trouvé le cheval, la tête passée par la fenêtre, en train de résoudre le problème épineux à sa façon en dégustant la page !

Victoria s'esclaffa consciencieusement, mais à part soi, elle ne croyait pas un mot des innombrables histoires de Roy. En sa qualité de menteuse consommée, elle les trouvait d'une invraisemblance et d'une sensiblerie consternante et elle espérait vivement que ses scénarios étaient de meilleure qualité.

En tournant un coin, ils tombèrent sur un homme en costume bleu ciel, qui devait être une vieille connaissance de Roy, car le scénariste lui lâcha aussitôt le bras et s'écarta de quelques pas. Il fit néanmoins très courtoisement les présentations, ce qui permit à Victoria d'apprendre que leur interlocuteur était lui aussi scénariste et qu'il travaillait avec un producteur indépendant. Les deux hommes bavardèrent quelques instants, échangeant une série de platitudes concernant les atrocités commises sur leurs chefs-d'œuvre par les metteurs en scène avec qui ils avaient travaillé jadis et se félicitant de travailler à présent avec des metteurs en scène dignes de ce nom. Tout en parlant, le costume bleu ciel jetait des regards inquisiteurs à Roy et Victoria ; il essayait manifestement de deviner la nature exacte de leurs rapports et d'estimer les possibilités de ragots. En les quittant, il recommanda à son vieil ami d'aller faire un tour sur le plateau numéro huit, s'il voulait avoir l'impression d'avoir remonté le temps.

Le plateau en question ne nécessitait qu'un minuscule détour et Roy y entraîna Victoria, en évitant soigneusement tout contact physique de peur de faire une nouvelle rencontre inopportune. La lumière rouge au-dessus de la porte était éteinte, indiquant que l'on pouvait entrer sans risquer d'interrompre le tournage. Roy poussa la lourde porte insonorisée et dès les premiers pas, ils se retrouvèrent au milieu d'une jungle du Pacifique sud, où des chars, des abris et des filets de camouflage indiquaient que la deuxième guerre mondiale n'était pas encore terminée.

Les caméras, les spots et les micros étaient en place, mais les techniciens étaient partis déjeuner, si bien que les deux arrivants avaient le plateau pour eux tout seuls.

Roy, dont la nostalgie chaque fois qu'il évoquait ses souvenirs de guerre dans le Pacifique aurait stupéfié les nouvelles générations, était enchanté, tout spécialement par l'énorme char Patton qui encombrait toute une extrémité du plateau.

« Figurez-vous que j'en conduisais un, de ces joujoux-là, confia-t-il à Victoria. Allons y jeter un coup d'œil. » Et il se mit aussitôt à escalader les barreaux qui menaient à la tourelle.

« Vous êtes sûr qu'on a le droit ? s'inquiéta la jeune femme. Ça m'ennuirait de déranger quelque chose.

— Mais non, regardez, la caméra est tournée de l'autre côté. Ne vous en faites donc pas. »

Il se pencha pour l'aider à grimper. Elle eut du mal à se hisser jusqu'en haut, avec ses talons aiguilles, mais elle s'escrima vaillamment en voyant combien cette aventure plaisait au scénariste. Le capot de la tourelle était ouvert et Roy se glissa à l'intérieur, imité par Victoria qui faillit bien lui atterrir sur la tête. L'habitacle était le type de l'endroit à éviter pour quiconque souffrait de claustrophobie ; l'air y était chaud et rance et puait la vieille ferraille et le gas-oil. Elle se glissa sur le siège voisin, si bien que Roy et elle

271

n'étaient plus séparés que par un imposant changement de vitesse, tout bardé de leviers.

« Bon Dieu, tous les souvenirs que ça me rappelle ! » soupira Roy en caressant les commandes du bout des doigts. Il se mit en devoir de lui expliquer quel levier correspondait à quelle fonction et au bout de quelques minutes, il était lancé à fond de train dans ses souvenirs de guerre, alors que d'habitude il lui fallait au moins trois verres d'alcool ou la présence d'un ancien camarade pour le déclencher. Victoria, dont l'enfance avait été bercée par le récit des exploits de son père, exactement au même endroit et à la même époque, sombra immédiatement dans un ennui irrépressible, un de ces ennuis cuisants et mortels auquel elle eut la présence d'esprit de couper court en embrassant le narrateur sur la bouche.

« Je crois que nous avons besoin d'un peu plus d'intimité », dit-il en tendant le bras pour fermer le capot au-dessus d'eux.

Galvanisé par la perspective de pouvoir enfin culbuter Victoria dans un endroit pour le moins inorthodoxe, et même de pouvoir la culbuter tout court, il l'empoigna sans plus de façons et l'attira sur ses genoux par-dessus le redoutable changement de vitesse, qu'elle ne parvint à négocier que grâce à ses dons exceptionnels de contorsionniste. A présent, placée comme elle l'était, c'est-à-dire à califourchon sur Roy, elle sentait se dresser sous elle le petit levier personnel du scénariste. Haletant de désir, il s'attaqua maladroitement aux boutons de son corsage et parvint tant bien que mal à lui dégager les épaules et la poitrine. Serviable, elle cambra le dos pour lui permettre de dégrafer son soutien-gorge, manœuvre qu'il exécuta avec tout le doigté d'un débutant de quinze ans. Les seins de Victoria jaillirent de leur prison avec une telle précipitation qu'on aurait dit qu'ils manquaient d'air et remontaient respirer à la surface. Roy voulut se pencher pour lui mordiller les mamelons, mais un panneau couvert de compteurs l'empêchait d'avancer suffisamment la tête. Victoria se tortilla de son mieux pour essayer de se placer davantage de profil afin d'agrip-

272

per le fameux levier de son compagnon, et dans le feu de l'action ses seins s'aplatirent comme deux grosses crêpes. Elle tenta d'actionner la fermeture de sa braguette, mais le tableau de bord la gênait.

« Essayons plutôt ça, conseilla Roy d'une voix hachée. Posez un pied de ce côté-ci et l'autre là-bas, et puis mettez-vous debout ; moi, je ferai glisser votre jean et vous pourrez vous rasseoir sur moi »

Victoria parvint à placer ses pieds dans la position indiquée et se releva, cassée en deux pour ne pas se cogner la tête au toit de l'habitacle. Roy ouvrit son pantalon et sortit son pénis, pendant qu'elle dégrafait son jean et le faisait glisser jusqu'à ses pieds, en même temps que sa culotte, avant d'essayer de se rasseoir. Hélas, les vêtements roulés en boule autour de ses chevilles entravaient ses gestes et l'empêchaient de bouger.

« Je suis coincée, dit-elle, prise d'un début de panique.

— Ne vous crispez pas, recommanda Roy. Détendez-vous. »

En levant les yeux, il aperçut à quelques centimètres de son visage l'appétissante figue de sa compagne ; en se soulevant de son siège et en tirant la langue, il atteignait tout juste son clitoris.

« Pas maintenant, lança-t-elle agacée, je suis coincée, je veux sortir d'ici.

— Allons, détendez-vous et...

— Arrêtez ! Laissez-moi tranquille ! Je veux sortir ! »

En proie à une soudaine vague de terreur incoercible, elle ouvrit à la volée le capot situé juste au-dessus de sa tête et redressa avec volupté son dos, sa nuque et ses épaules ankylosées, en aspirant une grande goulée d'air frais.

« Merde ! » s'écria-t-elle.

Pendant que Roy et elle avaient été occupés à se contorsionner à l'intérieur du char, l'équipe technique était revenue de déjeuner et ses membres étaient à présent en train de tout mettre en place pour la première prise de l'après-midi. Ils regardèrent avec surprise la jolie frimousse de Victoria surgir du haut de la tourelle, suivie de ses larges épaules, de son corsage grand ouvert et de ses seins rebondis, et ils se mirent à applaudir comme un seul homme.

En reconnaissant au téléphone la voix de Victoria, Roy Gleason lança : « Tiens, salut, Mack. Tu as des ennuis avec le scénario ? Bon, alors dans ce cas, il vaut mieux que je prenne la communication dans mon bureau. Patiente deux minutes, tu veux »

Victoria attendit, gênée, comme toujours, par la pauvreté de ses improvisations. Si elle avait été Mme Roy Gleason, elle n'aurait pas été dupe un seul instant. Mais peut-être la malheureuse était-elle aveugle et sourde, ou bien alors peut-être ne voulait-elle pas savoir, tout simplement.

« Victoria ? chuchota Roy. Je croyais vous avoir demandé de ne pas m'appeler chez moi, sauf cas de force majeure.

— C'en est un, répondit-elle sur le même ton. Vous vous souvenez de ce qui s'est passé la semaine dernière, dans le char ?

— Bon Dieu, vous pensez si je m'en souviens ! Mais vous m'avez assuré que personne ne nous avait reconnus. J'avais relevé ma chemise pour me cacher le visage, vous vous rappelez ? Et heureusement, tout le monde riait tellement...

— Ecoutez, c'est ce que je croyais, mais ce matin j'ai reçu la visite d'un type. C'est le photographe des studios et, en me voyant surgir du char, il a commencé à prendre des photos, comme ça, pour s'amuser. Il en a pris de vous aussi.

— Oh, mon Dieu, mon Dieu !

— Roy, mon chéri, ce n'est pas trop grave. Il y a en tout dix photos et il accepte de me les céder, avec les négatifs, pour cent dollars pièce.

— Dites-lui que vous êtes preneuse. Tout de suite !

— D'accord, mais le problème, c'est que je n'ai absolument pas de liquide sous la main et qu'il est trop tard pour aller à la banque.

— Venez me retrouver aux studios dans une heure.

— Roy, je vous aime.

— C'est ça ! » Et il raccrocha.

274

Lorsque Victoria arriva dans le bureau de Roy, il lui tendit une enveloppe qui contenait dix beaux billets de cent dollars tout neufs, qui craquaient agréablement sous les doigts. Il avait la mine pâle et défaite et il refusa ses offres de coït oral, volupté qu'il prisait pourtant par-dessus tout. Il se faisait tant de mauvais sang qu'il lui fit pitié et qu'elle faillit lui dire la vérité ; mais non, elle savait que ce serait une erreur. Si elle lui avait tout simplement demandé de lui donner mille dollars, il aurait pu croire qu'elle ne l'aimait pas vraiment, qu'elle cherchait simplement à se faire entretenir. Il était d'une telle sensibilité. Oui, c'était vraiment pour son bien à lui qu'elle avait été inventer toute cette histoire de photos. Elle avait bien fait.

Des studios Burbank, elle se rendit directement au siège du quotidien *Daily Variety*, où elle remit à qui de droit une lettre tapée sur du papier à en-tête qu'elle avait subtilisé dans le bureau de Roy ; il s'agissait d'un placard publicitaire, conçu par un de ses anciens flirts qui travaillait dans une agence de publicité, auquel elle joignit sept cent cinquante dollars, le tarif normal pour une pleine page. On pouvait lire :

Les Films Arachnides
ont le plaisir d'annoncer
que certaines scènes du film
La toile d'araignée
vont être refaites avec le concours de

VICTORIA DUNBARR

l'extraordinaire jeune vedette qui monte

Au-dessous s'étalait une photo provocante, mais sans excès, de Victoria assise sur les rochers de Malibu, au soleil couchant.

Evidemment, Mack Gordon n'était pas tout à fait sûr de vouloir recommencer les scènes de Rebecca, en tout cas pas encore, mais peut-être cette publicité ferait-elle pencher la balance en sa faveur. Et s'il décidait finalement de s'abstenir, l'annonce n'en aurait pas moins paru, et c'était ça le plus important. Pour Victoria, c'était même plus important que de supplanter Rebecca dans *La toile d'araignée*, car Billy Rosenblatt ne manquerait pas de lire cette annonce. Or chaque jour qui passait les rapprochait inexorablement du premier jour de tournage de *L'autre femme* et à présent tous les moyens étaient bons pour inciter Billy à envisager de lui confier le rôle de Jacqueline.

Le rôle qui ferait d'elle une star.

Pour fêter l'événement, munie des deux cent cinquante dollars qui lui restaient, elle se rendit directement dans son magasin de prêt-à-porter préféré, où elle acheta une merveilleuse robe noire collante, ornée de sequins.

Un après-midi, Rebecca descendit à la cuisine pour regarder Henri préparer le dîner — il lui avait depuis longtemps pardonné sa malencontreuse grimace — et pour bavarder avec David dont la sensibilité homosexuelle lui rappelait agréablement Leslie.

Au moment où elle poussa la porte, une poêle en fonte fendit les airs à quelques centimètres de son visage. Il lui suffit d'un coup d'œil pour comprendre ce qui se passait : Henri, le visage cramoisi de rage, les cheveux argentés en bataille, faisait feu de tous les ustensiles suspendus à une grande grille fixée au mur ; David, prudemment replié derrière un comptoir, réclamait un armistice, voulait parlementer, mais à chaque fois qu'il se hasardait à passer la tête, le cuisinier lui décochait un nouveau missile.

« Salaud ! hurlait Henri d'une voix de fausset. Tu me trompes, tu me tortures, tu me rends malheureux ! Va-t'en, sors de ma vie pour toujours !

— Mais tu es le seul homme qui ait jamais compté pour moi, répondit David. Je te le jure ! »

Il passa la tête sur le côté du comptoir pour faire profiter Henri de l'extraordinaire sincérité de son expression, mais aussitôt une casserole en cuivre lui siffla à l'oreille.

« Menteur ! hurla Henri. Tu m'as trompé ! Bafoué ! » Son visage devenait de plus en plus violacé, ses cheveux de plus en plus blancs, si bien qu'il finissait par ressembler à sa propre photo en négatif.

« Pour l'amour de Dieu, cria David, ne te mets pas dans un état pareil, pense à ton cœur ! »

Comme en réponse à cette mise en garde, Henri parut brusquement manquer d'air et se raidit de douleur, la main crispée sur son épaule gauche.

David ne fit qu'un bond de derrière son comptoir, rattrapa son ami au vol au moment où il s'effrondrait et l'allongea doucement sur le sol. Il fouilla dans les poches du cuisinier à la recherche d'un petit flacon de pilules et lui en glissa une sous la langue.

« Allez chercher le Dr Resnick, vite ! » aboya-t-il et Rebecca partit en courant.

Heureusement, le laboratoire était situé tout à côté de la cuisine. C'était le seul endroit de la maison, en dehors des appartements privés de Beeze, où elle ne s'était jamais aventurée, car elle savait que les deux médecins s'y livraient à des expériences où la vivisection avait sa part, et elle adorait les animaux. Elle envoyait régulièrement de l'argent pour la protection des bébés phoques ou pour empêcher les pêcheurs japonais de massacrer les dauphins lorsqu'ils allaient pêcher le thon. A chaque fois qu'elle passait devant la lourde porte battante du laboratoire, avec ses sinistres vitres dépolies, elle pensait à son bien-aimé Charlemagne et l'imaginait soumis à d'innommables tortures sous le couteau de médecins déments. Aujourd'hui, cependant, la vie d'un homme était en jeu et ce n'était pas le moment de fantasmer. Elle fonça dans le laboratoire, sans même frapper, et s'arrêta net au bout de quelques pas, confondue par le spectacle qui s'offrait à elle.

Un sol carrelé, des murs blancs, des comptoirs en zinc étincelants, sous la lumière fluorescente ; contre le mur du fond, un réfrigérateur et d'autres machines plus difficiles à identifier dont l'une comportait une cage tournante, une autre maintenait en mouvement constant un râtelier garni d'éprouvettes et une autre encore semblait être une sorte de four. Des rangées de flacons remplis de liquide incolore et soigneusement étiquetés, et tout un réseau d'instruments en verre, permettant à des substances chimiques d'évoluer entre diverses cornues par le truchement de tubes en forme de tire-bouchon. Par la porte qui ouvrait sur une pièce attenante, elle apercevait des cages remplies de cochons, paisiblement endormis ou occupés à fouiller du groin les morceaux de journal qui tapissaient le sol de leur logement. Ce qui retint presque tout de suite son attention, cependant — et qui déclencha immédiatement une dangereuse faiblesse au niveau des genoux —, ce fut la table d'opération située juste devant elle, brillamment éclairée par un puissant projecteur. Un cochon était attaché le ventre en l'air sur le froid lit d'acier, aussi rose, nu et sans défense qu'un petit bébé, les yeux vitreux fixés au plafond, le ventre béant, les entrailles pendant jusque sur le sol aseptisé.

Le Dr Resnick était penchée en avant, cramponnée au bords de la table — sans paraître prendre garde au sang qui lui coulait sur les mains — tandis que le Dr Chin, debout derrière elle, pressait violemment son bassin contre le postérieur de sa collègue. Rebecca ne comprit pas tout de suite ce qu'ils étaient en train de faire (elle crut un bref instant, dans sa candeur naïve, qu'il s'agissait d'un nouveau procédé scientifique), puis elle s'aperçut que la robe du Dr Resnick était relevée et le pantalon du Dr Chin baissé et qu'ils étaient tout simplement en train d'exécuter une variation inédite sur un thème vieux comme le monde. Le Dr Chin interrompit ses coups de boutoir et le Dr Resnick ses râles de plaisir, et ils levèrent sur Rebecca quatre yeux stupéfaits.

Elle murmura : « Excusez-moi — elle arrivait à peine à parler — mais Henri vient d'avoir une crise cardiaque... ». Brusquement, la pièce se mit à tourner et le sol carrelé lui sauta à la figure avec un craquement sourd.

Rebecca se réveilla dans son lit à baldaquin, la tête lourde, la gorge en feu ; les chérubins semblaient flotter autour du ciel de lit, comme un dessin animé rococo. Le Dr Resnick était à son chevet, assise sur une chaise en bois doré, un livre à la main. En entendant la voix de sa malade, elle leva le nez.

« Comment va Henri ?

— Très bien, mon petit. Il s'agit plutôt de savoir comme voux allez, vous. »

Elle se mit aussitôt en devoir d'interroger la jeune femme pour s'assurer que le cerveau fonctionnait normalement, mais Rebecca ne tarda pas à l'interrompre.

« Qu'est-ce que vous étiez en train de faire ? C'était une espèce de culte démoniaque, n'est-ce pas ? De la magie noire...

Dr Resnick se mit à rire : « De nos jours, on appelle ça la science, mon petit.

— Mais je vous ai vus, le Dr Chin et vous...

— Parfois, la vue du sang peut causer des troubles étranges, chez ceux qui n'y sont pas habitués. Le choc, et l'hystérie qui s'ensuit, vont même jusqu'à donner naissance à des hallucinations. Ce n'est pas rare du tout dans les cas de commotion cérébrale.

— Mais le cochon mort...

— Ecoutez, je vais tout vous expliquer. Comme vous le savez peut-être, la seule séquelle durable de l'accident de Beeze, c'est la perte de son pancréas. Au cours de l'accident, un morceau d'aluminium lui a transpercé l'abdomen, déchirant l'épiploon et provoquant une importante hémorragie dans cette zone. Le foie a été touché, mais avec les nouvelles techniques chirurgicales, on a pu le remettre en état. La rate a éclaté, mais on peut vivre sans rate. Donc le plus sérieux, c'était indiscutablement la perte du pancréas, car celui-ci accomplit deux fonctions vitales : c'est lui qui expédie les enzymes digestifs dans le duodénum et c'est lui qui sécrète l'insuline et le glucagon qui passent dans le sang pour décomposer les hydrates de carbone. Fort heureusement, de nos jours, ces deux fonctions peuvent être menées à bien par l'ingestion et l'injection de produits chimiques. En prenant quatre pilules d'enzymes pancréatiques synthétiques à chaque repas, il est possible de parfaitement digérer la nourriture ; et en injectant chaque jour quarante unités d'insuline, on peut empêcher l'acido-cétose ; c'est une condition dans laquelle, en l'absence d'insuline, le sang ne parvient pas à brûler les hydrates de carbone et se trouve donc obligé de brûler de la graisse à la place ; de ce fait, la concentration de céto-acides dans le sang augmente progressivement, le niveau de potassium s'élève et entraîne finalement un arrêt du cœur qui provoque la mort.

« Donc, même sans pancréas, Beeze pourrait mener une vie relativement normale. Malheureusement, Beeze n'est pas un homme normal. La seule idée de dépendre d'un produit chimique lui était insupportable. Il déteste la faiblesse et la dépendance, quelles qu'elles soient, je suis sûre que vous l'avez remarqué. C'est pourquoi il nous a engagés, le Dr Chin et moi-même — les deux grands spécialistes des greffes du pays — pour mettre au point une greffe du pancréas. Je ne sais pas si vous êtes très au fait des greffes d'organes. Disons, très simplement, que le gros problème, c'est que l'organe greffé est un corps étranger et que le corps humain tend à rejeter les corps étrangers. En dépit de sa merveilleuse organisation, il est incapable de faire la différence entre un micro-organisme assassin et un organe greffé salvateur. Les facteurs qui contrôlent les phénomènes de rejet s'appellent les antigènes d'histocompatibilité. Il existe différentes méthodes pour tâcher de les dominer et c'est là le véritable propos de nos recherches. Il est évident que si le donneur et le receveur possèdent des antigènes identiques, il n'y aura pas de rejet, mais ordinairement, cela n'arrive que dans le cas des jumeaux monozygotes ; c'est toutefois une voie qu'il serait sot de négliger. On peut néanmoins trouver plus fructueux d'utiliser des drogues douées de caractères immuno-dépresseurs, par exemple les drogues anticancéreuses, comme l'azathioprine et les adrénocorticostéroïdes. La majeure partie de nos recherches, cependant, porte sur la mise au point d'un sérum anti-lymphocyte valable, un sérum qui n'ait pas d'effets secondaires.

« Nous nous servons de cochons pour tester toutes ces drogues, parce qu'ils sont, par bien des côtés, physiologiquement très proches de l'homme. Ils sont de taille suffisante pour faciliter les greffes du pancréas (au cours des huit dernières années, je crois que nous avons effectué plus de trois cents greffes), ils ne coûtent pas cher et ils sont faciles à obtenir. Et ça, c'est important, parce qu'il est bien évident que tant que nous n'aurons pas mis au point notre méthode, tous les cochons opérés mourront. Beeze ne peut pas le supporter, d'ailleurs. Au début, il ne voulait même pas que nous nous servions d'animaux pour nos expériences. Cet espèce de sauvage de Gnesha l'avait persuadé qu'il souffrirait d'un mauvais *karma* pour chaque cochon tué en son nom. C'est incroyable de voir toutes les inepties païennes qu'un homme intelligent comme Beeze est prêt à gober ! Enfin, je suppose que c'est compréhensible si l'on songe à ce qu'il a enduré. Les hommes se tournent bien souvent vers la religion ou la superstition, à la suite de tragédies personnelles. N'empêche que j'aimerais bien pouvoir manger un bon steak de temps en temps ! Tout ça pour vous dire, mon petit, que ce que vous avez vu était tout simplement une énième biopsie sur un énième pauvre diable de cochon auquel nous avons essayé, sans succès, de greffer un pancréas.

— Ce que j'ai vu, corrigea froidement Rebecca, c'était le Dr Chin et vous en train de baiser.

— Ecoutez, mon petit, vous ne pensez pas que vous feriez mieux de...

— Ah, et puis vous commencez à me gonfler avec vos *écoutez, mon petit* ! Je sais bien ce que j'ai vu ! Vous étiez en train de baiser. Et je crois bien que ce cochon mort vous excitait. » A cette seule pensée, elle frissonna de dégoût.

« Très bien, dit le Dr Resnick, changeant brusquement de tactique. Je vais être franche avec vous. Après tout, nous sommes deux femmes qui avons vécu, deux grandes professionnelles, hautement considérées, chacune dans notre sphère. Nous sommes toutes les deux plutôt plus intelligentes que la moyenne et nous savons l'une et l'autre ce que nous voulons et comment l'obtenir. La grande différence entre nous, c'est notre âge. Vous êtes jeune et belle et moi — eh bien, moi, disons que j'ai connu des jours meilleurs.

Mais à l'intérieur, mon petit, à l'intérieur, je suis toujours une toute jeune fille et j'ai besoin d'être admirée, d'être aimée. Or, qui y a-t-il pour m'admirer ici, dans ce curieux petit univers que s'est fabriqué Beeze ? Il n'y a qu'un seul homme féru de science et de médecine, un seul homme que je peux espérer éblouir par mon talent professionnel. Eh oui, vous avez votre physique, mon petit, moi, je n'ai que mon cerveau. Et s'il se trouve que l'homme en question est excité par le jaillissement du sang, par le halètement étranglé et par le dernier râle d'une pauvre bête, je suis bien obligée de profiter de la circonstance. Dans votre cas, mon petit, les hommes tombent tout rôtis dans votre lit, si je puis dire, mais avec moi, ils ont besoin d'encouragements.

— C'est dégueulasse ! murmura Rebecca.

— Le savant s'efforce de ne pas fétichiser la mort, vous savez. Nous considérons la vie comme un accident, un bref éclair dans une mer de méthane originelle, et la conscience comme une coïncidence. La mort n'est donc qu'un événement dépourvu de signification, ce n'est qu'une machine qui tombe en panne, voilà tout. Et s'il se trouve que l'événement stimule sexuellement mon collaborateur, tant mieux pour moi.

— J'ai l'intention de mettre Ann au courant, annonça Rebecca.

— Libre à vous. Etes-vous jamais allée au Japon, mon petit ? Si je vous demande ça, c'est parce que les maisons là-bas sont minuscules et surpeuplées ; et les plus anciennes ont même des murs en papier. Inutile de vous dire qu'on entend tout ce qui se dit, mais cette surpopulation étant la condition prédominante de leur société, les Japonais *font semblant* de ne pas entendre. Notre demeure est une espèce de Japon miniature. Nous y sommes tous coincés, les uns sur les autres, et personne ne peut en sortir, quoi qu'ait pu vous raconter Beeze. Nous avons donc le choix entre nous dire toutes nos vérités et voir s'il est agréable de vivre avec, ou bien imiter les Japonais. Et à présent, je crois qu'il vaut mieux vous reposer. »

Elle fit une piqûre à sa malade et lorsque celle-ci rouvrit

les yeux, la nuit était tombée. Le mal de tête et l'envie de vomir avaient disparu, remplacés par une faim de loup. Elle appela Samson et lui réclama à manger. Quelques instants plus tard, David arrivait avec du thé, des toasts et un bol de bouillon sur un plateau.

« Comment va Henri ? » demanda-t-elle.

Le jeune homme esquissa un geste rassurant de sa main libre : « Il paraît qu'il s'en sortira indemne. Heureusement qu'ils ont des tonnes d'équipement médical pour leurs satanées expériences ! Ça leur a permis d'improviser une véritable salle de réanimation. Ils sont vraiment très forts, tu sais. J'ai été vraiment impressionné de les voir à l'œuvre !

— Pas tant que moi ! » déclara Rebecca, avec une ironie à peine déguisée.

David s'assit au bord du lit et se mit à la nourrir à la petite cuillère, exactement comme l'avait fait sa mère dans le temps.

« Si seulement il voulait bien m'écouter ! reprit David. Je lui ai dit sur tous les tons de prendre de l'exercice. Tous les médecins disent que c'est souverain pour les cardiaques. Et j'ai tout ce qu'il faut dans ma salle de gymnastique — des haltères, un banc, des extenseurs, un vélo. Mais non ! Il n'accepte de faire qu'un seul mouvement, celui qui consiste à porter sa fourchette à sa bouche. Et toutes ces recettes qu'il nous mitonne ! Végétariennes d'accord, mais pour ce qui est du cholestérol, pardon ! Dis-toi bien que pour nous douze, il utilise près de deux kilos et demi de beurre par jour. Et plus de deux douzaines d'œufs et au moins un litre de crème double. Chaque fois que je le lui fais remarquer, il s'écrie : Ah, mon cher enfant, il a déjà fallu que je renonce au bœuf, et maintenant tu voudrais que je renonce aussi au lait et aux œufs ! Mais alors, que veux-tu que je cuisine ? Du riz blanc, comme les Chinois ? »

L'imitation était si parfaite que Rebecca éclata de rire.

« Oui, tu ris, mais moi, je suis furieux contre lui, déclara David. Qu'est-ce que je vais devenir s'il meurt... » Et il fondit en larmes.

Rebecca lui caressa les cheveux : «Allons, ne pleure pas, dit-elle gentiment. Il va se rétablir, j'en suis sûre.

— Nous nous entendions tellement bien, avant. Jamais la moindre dispute. C'était comme une éternelle lune de miel. Oh, ça me démangeait bien un peu de temps en temps — il y avait des jours où je me faisais l'effet d'un animal en cage — mais de toute façon, j'étais le seul pédé de la maison. Et puis, ton ami Leslie est arrivé et tout a changé. Henri est redevenu exactement comme à Paris, nerveux, irritable, rongé par la jalousie. Je lui ai dit que Leslie n'était rien pour moi — ce qui n'était pas tout à fait vrai — que ce n'était qu'une passade sans importance, mais il a refusé de m'écouter. La situation n'a pas cessé d'empirer et à présent... »

Et de nouvelles larmes lui montèrent aux yeux.

Rebecca se sentait responsable. Leslie et elle avaient envahi cette petite communauté stérile comme une espèce de virus, mais elle était trop fragile pour résister à leur attaque. Qu'avait donc dit le Dr Resnick ?

Le corps humain tend à rejeter les corps étrangers. En dépit de sa merveilleuse organisation, il est incapable de faire la différence entre un micro-organisme assassin et un organe greffé salvateur.

Au moment où David s'apprêtait à repartir, on frappa à la porte et Ann Chin parut, accompagnée de sa fille.

« Les visites sont autorisées ? demanda-t-elle.

— Et comment ! répondit Rebecca avec véhémence.

— Tiens, voilà une carte que j'ai faite pour toi ! » annonça Jasmine en lui tendant un morceau de papier à dessin violet, sur lequel elle avait dessiné, à grands traits vigoureux, un portrait de Rebecca, reconnaissable à son épaisse chevelure noire, en train d'embrasser un homme devant une caméra.

Au-dessous, elle avait écrit : « Gairi vite ! Bisous, Jasmine ». Le J était à l'envers.

« Oh, c'est superbe ! s'écria Rebecca. Qui est le monsieur ?

— C'est un monsieur, répondit la petite.

284

— Mais il porte un masque.

— Mais non, c'est pas un masque, déclara Jasmine, agacée par le manque de discernement de son modèle, c'est le bord de sa figure.

— En tout cas, c'est vraiment très joli. » Rebecca se pencha hors de son lit pour embrasser l'artiste. « Ann, continua-t-elle sur un ton moins guilleret, je voudrais te dire quelque chose en particulier.

— Est-ce que David peut me mettre au lit ? demanda aussitôt Jasmine. Et me raconter une des histoires épouvantables qui lui sont arrivées à Paris ?

— C'est à lui qu'il faut le demander, répondit sa mère.

— Tout le plaisir sera pour moi », assura le jeune homme en s'inclinant profondément. Il prit la fillette sur un bras, le plateau sur l'autre, et se dirigea vers la porte.

« Pas trop épouvantable, l'histoire ! recommanda Ann. Rappelle-toi que tu as affaire à une petite fille de huit ans.

— N'ayez crainte, chère petite madame. Toutes mes histoires pour les petites sont garanties inoffensives par l'Office catholique. Evidemment pour ce qui est des grandes, c'est parfois autre chose, comme vous pourrez le constater si vous me permettez de m'arrêter chez vous, plus tard, pour vous en raconter une...

— Voyons ! se récria Ann, feignant d'être choquée. Je suis une honnête mère de famille ! » Mais un sourire radieux illumina son visage.

Lorsque les deux jeunes femmes se retrouvèrent seules, Rebecca déclara : « Jasmine est vraiment une adorable petite poupée. Dès que je la vois, j'ai envie de rire. » (Elle avait décidé de commencer tout doucement et d'amener progressivement la sordide révélation des rapports qu'entretenaient le Dr Chin avec la mort et accessoirement avec le Dr Resnick.)

« Ça m'inquiète parfois qu'elle passe si peu de temps avec son père. Il va encore travailler tard, ce soir.

— Tant qu'elle a quelqu'un pour s'occuper d'elle, c'est le principal. Et tu es vraiment une mère formidable. Si je pensais pouvoir en faire autant, je me ferais faire un gosse tout de suite.

— Sans te marier ?

— Mieux vaut un seul parent bien dans sa peau que deux parents complètement tordus, tu ne crois pas ? S'il faut que j'attende de rencontrer un homme avec qui j'ai envie de vivre, je risque d'y passer le reste de ma vie.

— Mais cet enfant n'aurait pas de père !

— Si c'était un garçon, il aurait au moins une mère !

— Rebecca, il ne faut pas plaisanter avec la vie d'un enfant. J'ai lu quelque part que le taux de divorce chez les enfants de parents divorcés était plus de deux fois plus élevé que chez ceux dont les parents étaient restés mariés.

— Voyons, Ann, ne prends pas ça au tragique, j'ai dit ça pour rire. De toute façon, mariée ou célibataire, je n'aurai probablement jamais d'enfant, alors n'en parlons plus !

— Excuse-moi, je ne voulais pas te faire de peine, mais je suis terriblement sensibilisée aux problèmes de divorce. J'ai été obligée de faire de gros efforts pour préserver mon mariage, tu sais. Enfin, j'ai mauvaise grâce à me plaindre d'un mari qui travaille si dur et qui traite sa femme avec tant de respect ! Bon, et maintenant, qu'est-ce que tu voulais donc me dire en particulier ?

— Je voulais te dire — Rebecca hésita — que j'étais rudement contente de t'avoir pour amie !

— Et moi aussi, je suis ravie de t'avoir rencontrée », répondit Ann. Elle éclata de rire : « Ouf, quel soulagement ! J'ai vraiment cru que tu avais quelque chose de grave à me dire.

— Oh, non ! » Rebecca secoua la tête. « Que pourrait-il arriver de grave au pays des contes de fées ? »

Peut-être l'élément le plus époustouflant de la demeure de Beeze était-il le merveilleux jardin à la française qui se trouvait derrière — deux hectares de fontaines, de haies artistement taillées, de parterres et d'avenues, d'arbres touffus et de bancs de marbre, disposés avec toute la symétrie et la précision d'un parc de Le Nôtre et environnés d'un mur en pierre de quatre mètres de haut. Il y avait même, tout au bout, un labyrinthe, un petit sentier, bordé par deux hautes haies, qui virevoltait et serpentait avec tous les détours et culs-de-sac de rigueur. Un jour, en fin d'après-midi, Jasmine y avait entraîné Rebecca et elles avaient bien erré une demi-heure avant de déboucher dans un exquis jardin miniature, orné d'un cadran solaire en cuivre.

Le jardin tout entier aurait été brûlé en quelques heures par le soleil du désert sans le choix judicieux de la végétation, la nappe d'eau souterraine — proche de la surface, comme dans toutes les oasis — et le système d'arrosage à jets rotatifs qui douchait le jardin toutes les heures, sauf entre onze et quatorze heures, où l'intensité du soleil était vraiment par trop violente. Toutes les heures, donc, une cloche retentissait pour annoncer à ceux qui se promenaient au milieu des parterres qu'ils avaient tout intérêt à regagner au plus vite les grandes avenues, s'ils ne voulaient pas être trempés. Lorsque Rebecca prenait son bain de soleil toute nue, cependant, ce qu'elle s'efforçait de faire tous les matins depuis que son urticaire avait disparu, au premier coup de cloche, elle s'allongeait bien à plat sur sa serviette, à quelques mètres de l'arroseur, et se crispait dans l'attente du jet d'eau froide sur sa peau brûlante, exquise torture qui ne pouvait que combler tous ses instincts masochistes. Si, d'aventure, elle avait raté l'arrosage, elle piquait une tête dans le grand bassin de marbre et se laissait doucher par l'eau que crachaient les grands dauphins.

Personne, hormis Rebecca, n'avait le droit de mettre le nez dans le jardin avant quatorze heures, car l'édit de Beeze à l'encontre d'éventuels voyeurs était toujours en vigueur. Passé cette heure, cependant, M. et Mme Munckle, Samson parfois, et à l'occasion Beeze lui-même, si l'envie lui en prenait, se précipitaient dehors pour mettre de l'engrais, arracher les mauvaises herbes, élaguer, tailler et planter des plates-bandes entières de fleurs directement importées de Los Angeles. A dix-sept heures, les travaux de jardinage étaient terminés ; c'était l'heure où l'air se refroidissait, annonçant la fraîcheur vespérale, l'heure où le jardin était à son apogée. Tous les habitants de la demeure se retrouvaient au détour des allées, pour bavarder tranquillement, profiter de l'air pur et de la paix. C'était l'heure où la perfection sur terre paraissait brusquement possible.

Un après-midi, Rebecca trouva Beeze dans le jardin, assis sur un banc à l'ombre d'un grand parasol, un bloc de papier sur les genoux et plusieurs énormes volumes ouverts devant lui ; il était fort occupé à écrire, raturer, corriger. Elle s'avança vers lui d'un pas sautillant, se sentant très à son avantage dans la nouvelle robe bain-de-soleil qu'elle avait découverte dans sa penderie ce matin-là. (Elle n'avait qu'à mentionner, le soir, un quelconque caprice vestimentaire, pour le voir satisfait dès le lendemain matin, comme par magie.)

« Qu'est-ce que vous faites ? demanda-t-elle, en examinant un des gros livres. C'est du chinois ? » Elle s'agenouilla devant lui, avec un grand sourire, attendant sa réponse.

Beeze secoua la tête. Il était si accaparé par son travail qu'il semblait l'avoir à peine remarquée, malgré sa robe neuve. Il était souvent comme ça, lorsqu'il était plongé dans un problème ou qu'il jouait du violon, si extraordinairement concentré que le reste du monde semblait avoir disparu pour lui. Il lui rappelait un peu son père, quand il travaillait à une nouvelle sculpture, entièrement absorbé par son œuvre et sourd à toutes ses demandes.

« Bee-eeze ! lança-t-elle doucement pour le taquiner. Ici Rebecca, qui vous parle de la planète Terre. Vous me recevez ? Répondez, s'il vous plaît. A vous !

— Une seconde ! » marmonna-t-il, en griffonnant sur son bloc.

Il posa enfin son crayon et leva la tête.

« C'est du grec classique, annonça-t-il. Je l'ai appris de façon à pouvoir traduire Platon, surtout Le banquet, que je considère comme un des ouvrages essentiels de la pensée occidentale. Vous comprenez, aucune des traductions existantes ne me semblait intelligible, alors j'ai décidé de m'y risquer moi-même.

— Nom de Dieu, Beeze, ce que vous pouvez être futé quand même ! Quand j'allais à l'école, j'avais horreur des cracks dans votre genre !

— Je suis désolé, répondit-il. Dorénavant, je resterai dans ma chambre pour travailler.

— Oh, voyons, je rigolais, vous n'allez pas monter sur vos grands chevaux ! Si vous voulez vraiment savoir, j'adore vous regarder travailler. J'ai l'impression de regarder Einstein en train de découvrir : $E = mc^2$.

— N'exagérons rien, protesta Beeze, mais elle vit bien que la comparaison lui avait plu. Vous voulez que je vous en lise un peu ?

— J'en serais ravie. » Elle s'installa confortablement en tailleur et attendit.

« Je ne sais pas si vous connaissez *Le banquet*. Je crois qu'on peut dire, tout simplement, qu'il s'agit de philosophie présentée sous une forme dramatique. La scène se passe chez un certain Agathon, un grand poète tragique, qui donne un banquet auquel assistent plusieurs des hommes les plus érudits et les plus brillants de l'époque : Eryximaque, le médecin ; Aristophane, le poète comique ; Alcibiade, qui était un très puissant général. Et aussi, bien sûr, Socrate, le plus grand de tous les philosophes grecs, maître de Platon et personnage principal de ses dialogues. Au cours de ce banquet, les invités décident de discourir, chacun à son tour, sur le sujet de l'amour. Evidemment, ce qui fascine le plus, en ce qui concerne l'amour, c'est qu'il existe à tant de niveaux divers, depuis la luxure et l'obsession, jusqu'au moyen d'atteindre aux domaines les plus élevés de l'expérience, un terme qui, très librement traduit du grec, pourrait se dire "connaissance suprême". Chacun des invités parle des différentes sortes d'amour et c'est finalement Socrate qui les remet toutes dans leur juste perspective, avec son propre discours, d'une confondante universalité. Le sommet de ce discours — tant sur le plan dramatique que philosophique — c'est le passage au cours duquel Socrate relate sa propre initiation aux mystères de l'amour, aux pieds d'une femme d'une grande sagesse, Diotima de

289

Mantinea. C'est justement ce passage-là que je suis en train de terminer. »

Il s'éclaircit la gorge et se mit à lire ce qu'il avait écrit, s'arrêtant à l'occasion pour corriger un mot.

« Et Diotima, la femme de Mantinea, la grande préceptrice de l'amour, dit à son disciple Socrate : Si un homme désire quitter ce royaume des ombres que nous habitons et s'élever vers les royaumes supérieurs de la conscience, pour avoir un aperçu de la Beauté Absolue, qui est la connaissance suprême, il faut qu'il se laisse guider par l'Amour. Il doit d'abord apprendre à aimer un exemple de la beauté terrestre, une œuvre d'art ou un bel adolescent ; puis il doit passer d'un seul objet à deux, apprenant ainsi que l'amour ne doit pas se limiter à un objet unique ; puis il doit passer de la beauté physique à la beauté morale, apprenant ainsi que l'amour ne réside pas seulement dans les choses physiques ; puis de la beauté morale, il doit passer à la beauté de la connaissance, et tendre de plus en plus vers l'abstrait, jusqu'à ce qu'il arrive enfin à la connaissance suprême, qui est justement la Beauté Absolue. Ayant enfin atteint ce sommet, il lui faudrait alors passer sa vie à le contempler, car le premier regard, si bref soit-il, le convaincra que ce qu'il vient d'atteindre a infiniment plus de valeur que l'or, les riches vêtements et les beaux jeunes gens. Imaginez la félicité de qui l'a vue dans son essence, pure et sans mélange, cette beauté qui est éternelle, à l'encontre de la beauté fugace de la chair ; immuable, à l'encontre de la ruine qui guette les œuvres d'art. Mènera-t-il vraiment une existence misérable, celui qui garde son regard fixé sur Elle, qui La contemple l'esprit serein, qui vit en union avec Elle ? N'est-ce point à ce moment précis qu'il percevra la réalité elle-même et non son image, reflétée dans son esprit imparfait ? Et pour avoir ainsi perçu la réalité, il recevra le privilège d'être chéri de Dieu et d'obtenir, si tant est qu'un homme le puisse, l'immortalité... »

Beeze leva les yeux de sa page pour observer la réaction de son auditoire.

« C'est très beau, déclara Rebecca, mais je ne suis pas sûre de bien comprendre ce qu'il veut dire.

— Si vous compreniez, vous seriez un des hommes les plus sages du monde.

— *Une des femmes*, corrigea Rebecca, amusée, ou bien ce détail vous a-t-il échappé ? »

Elle voulait lui arracher un compliment sur sa robe, mais il était décidément trop absorbé par son travail pour obtempérer.

« Le plus extraordinaire, en ce qui concerne ce passage, continua-t-il, c'est l'extrême ressemblance qu'il présente avec la technique décrite par Patanjali dans ses Yoga Soutras, un ouvrage en sanscrit que je suis en train d'étudier avec le yogi Gnesha. Patanjali dit que pour obtenir la connaissance suprême, l'esprit doit tout d'abord se fixer sur les objets concrets — *Savichara samadhi* ; puis, sur l'esprit lui-même — *Sa-sananda samadhi* ; puis, en dernier lieu, sur le néant — *Sa-asmita samadhi*. Je suis convaincu qu'il s'agit d'autre chose que d'une simple coïncidence. Platon possède trop d'images en commun avec les textes sanscrits classiques pour qu'il n'y ait pas autre chose. Par exemple, sa métaphore dépeignant l'esprit et les sens sous forme d'un chariot et de chevaux apparaît, légèrement modifiée, dans le Katha Upanishad — le fameux dialogue entre Nichikitas et Yama —, de même que le discours concernant la différence entre "l'agréable" et "le bon". A cette époque, déjà, tout comme aujourd'hui, les brahmanes s'étaient répandus à travers toute l'Europe et l'Orient, et je suis presque certain que Socrate était un de leurs disciples. Toutes les extravagances de Platon sont parfaitement sensées si on les interprète dans le contexte de la tradition mystique indienne.

— Vous voulez faire une partie de dames ? » questionna Rebecca.

La voix de Beeze était combattue par le murmure de la fontaine et elle avait de plus en plus de mal à se concentrer. Elle se sentait belle, sensuelle et prosaïque ; toutes ces considérations métaphysiques lui paraissaient aussi irréelles que l'existence qu'elle avait abandonnée à Los Angeles. En plus de quoi, ces discours pontifiants étaient exactement de la même veine que ceux que leur infligeait naguère son père, lorsqu'il donnait un dîner ; c'était bien la même façon de faire la leçon sur un tel ton qu'on se sentait tenu d'écouter et qu'on n'osait pas répondre. Cette réflexion acheva de réveiller tous ses mauvais instincts.

« Pas maintenant, répondit Beeze, en continuant à corriger son texte.

— Et si nous allions nous promener ?

— Plus tard. »

Elle se tenait debout devant lui, à présent, les mains derrière le dos, s'amusant à se hausser sur la pointe des pieds et à redescendre comme une petite fille, en attendant qu'il voulût bien faire attention à elle. Lorsqu'il devint évident qu'il ne voudrait pas, elle alla chercher plus loin le moyen de l'arracher à ses travaux.

M. Munckle, efflanqué comme un cactus, n'était qu'à quelques pas d'eux, en train d'arroser au jet d'eau une nouvelle plate-bande de fleurs cramoisies, en fredonnant un petit air. Tant qu'avait duré la conversation entre Rebecca et Beeze, il avait évité de jeter le moindre coup d'œil dans leur direction, pour ne pas troubler leur intimité ; mais en voyant approcher la jeune femme, il sourit et porta la main à son chapeau de paille.

« Je suis bien content de voir que le soleil est enfin sorti de derrière les nuages », déclara-t-il.

Rebecca regarda le ciel, sans comprendre, car elle ne se souvenait pas de l'avoir vu couvert depuis son arrivée.

« Non, non, non, s'esclaffa M. Munckle. Je voulais dire que j'étais bien content de voir que vous aviez retrouvé le sourire.

— Je me sens beaucoup mieux, merci. Ecoutez, je meurs de chaud, ça vous ennuierait d'aller me chercher un peu de thé glacé ?

— Mais non, pas du tout. Juste le temps d'arrêter mon jet d'eau.

— Non, ne vous inquiétez pas de ça, dit-elle aussitôt, je vais arroser à votre place.

— Oh, mais vous n'allez pas...

— Mais si ! »

Il lui confia donc son tuyau avant de partir lui chercher le rafraîchissement demandé.

Restée seule, elle commença aussitôt à expérimenter, en plaçant le pouce sur l'extrémité du tuyau pour obtenir un jet beaucoup plus ténu, mais beaucoup plus puissant. Puis, la mise au point terminée, elle dirigea son arme vers Beeze, évalua la trajectoire idéale et lui expédia quelques gouttes d'eau sur la tête. Sans même lever le nez, il se frotta distraitement l'oreille, comme s'il se croyait importuné par un insecte. Rebecca eut du mal à contenir son hilarité. Elle pointa à nouveau son jet, vers le haut cette fois, comme une batterie de DCA, et balança une deuxième giclée. Nouveau geste agacé de Beeze. Sa concentration était vraiment étonnante ; à croire qu'il était déjà en train de pratiquer la mystérieuse technique du *Sa-asmita samadhi*. Finalement, lassée par tant d'indifférence, elle lui lâcha le jet d'eau en plein dessus.

Il poussa un hurlement et bondit sur ses pieds, agile comme un chat ; il était dans tous ses états, les mains levées, prêt à tout.

« Oh, excusez-moi, dit Rebecca imperturbable.

— Mes papiers sont trempés ! Vous l'avez fait exprès, hein ?

— Ecoutez, je me suis excusée très courtoisement, commença-t-elle, mais le fou rire la terrassa.

— Je vais vous faire passer le goût de la plaisanterie ! jura-t-il en s'avançant sur elle.

— Il faudra d'abord m'attraper », rétorqua-t-elle en lui envoyant le jet en pleine figure.

L'eau résonnait sur son masque, comme la pluie sur un toit de tôle. Il se détourna et battit en retraite vers son banc. Tout à coup, il songea au parasol sous lequel il s'était abrité pour travailler, l'enleva de son support et, le tenant devant lui comme un bouclier, il repartit à l'assaut.

« Sauve qui peut ! » hurla son adversaire.

Mais elle eut beau monter son jet à la puissance maximale, il s'écrasait désormais inutilement sur la toile rouge du parasol. Lorsque Beeze ne fut plus qu'à quelques mètres, elle laissa tomber son arme et prit la fuite. Abandonnant la sienne à son tour, il la poursuivit le long des allées, en proférant, entre deux éclats de rire, toutes sortes de menaces sur ce qu'il lui ferait quand il l'aurait rattrapée. Son rire avait des échos rouillés, on aurait dit une machine que l'on venait de remettre en route après des années d'immobilité. Avant de comprendre de quoi il s'agissait, Rebecca s'arrêta un instant, craignant qu'il ne fût malade, et il faillit bien s'emparer d'elle, mais au dernier moment, elle parvint à lui échapper. Légère et vive, elle lui lançait des piques tout en courant devant lui, des piques qui semblaient promettre qu'elle se laisserait bientôt rejoindre. Il faisait si chaud qu'ils furent bientôt trempés de sueur et hors d'haleine. Finalement, en débouchant dans un petit vallon isolé, elle se laissa adroitement tomber et Beeze se jeta à genoux à côté d'elle.

« Et maintenant, vous allez payer ! » promit-il, d'une voix hachée, en lui saisissant les bras. Son odeur musquée, animale, la prit à la gorge.

« J'espère bien ! lança-t-elle sourdement. Vous a-t-on jamais dit que les gens les plus intelligents sont aussi les plus chatouilleux ? » Et elle joignit le geste à la parole.

« A maligne, malin et demi », dit-il en contre-attaquant.

Elle gloussa de plaisir et tenta de se faufiler hors de sa portée. Les mains de Beeze, légères et rapides, mais en même temps pleines d'autorité, n'épargnèrent aucun des endroits que dénudait sa robe, surtout la zone particulièrement sensible des aisselles et des flancs, jusqu'à la taille. Comme par accident, elles lui frôlèrent la poitrine, lui caressèrent les cuisses. Les joues de Rebecca devinrent vite aussi brûlantes que les vastes étendues de sable au-delà du jardin. Elle sentit le membre de Beeze, dur comme un os, faire saillie contre l'étoffe tendue à craquer de son pantalon.

« Oh oui, Beeze, murmura-t-elle, oui, oui... »

Elle se jucha à califourchon sur lui, se demandant s'il pouvait sentir la chaude humidité entre ses cuisses, comme

294

une invite. Le masque lisse et rond flottait à quelques centimètres de son visage, telle une planète inconnue ; les deux fentes ménagées pour les yeux ressemblaient à deux excavations qui menaient droit à l'âme. Elle eut envie de l'embrasser sur la bouche, une envie irrésistible.

« Ce masque est ridicule », dit-elle en le lui enlevant.

Combien de fois s'était-elle mentalement préparée à cet instant ? *C'est tout ?* dirait-elle, en caressant doucement le visage couturé. *C'est pour ça que vous faisiez tant d'histoires ?*

Son imagination, pourtant, ne l'avait nullement préparée à ce qu'elle vit.

Le choc fut tel qu'il fit voler en éclats toute sa belle résolution, qu'il vida son esprit d'admiration, de respect et de désir, comme une grenade vide une tranchée. Elle était néanmoins incapable de détacher les yeux de cette vision de cauchemar. Un gargouillis bizarre, étranglé, sortit de sa gorge, monta du plus profond de son être, de là où la terreur animale, originelle survit même chez les plus civilisés d'entre nous. Elle se remit maladroitement debout et recula, les yeux écarquillés, la respiration saccadée. Elle secoua la tête, c'était un geste d'impuissance qui cherchait à nier l'évidence de ses propres yeux. Puis elle fit volte-face et partit en courant vers la maison.

« Voilà votre thé... », commença M. Munckle en la croisant sur le seuil, et en lui présentant une carafe et un verre sur un plateau, mais elle passa devant lui comme un bolide et il ne put que la suivre des yeux, interloqué.

Elle monta quatre à quatre jusqu'à sa chambre, claqua la porte derrière elle et mit le verrou, avant de se jeter tout habillée dans son lit et de tirer les couvertures au-dessus de sa tête, comme quand elle était petite et qu'elle avait fait un cauchemar. Et malgré toutes les heures passées au soleil, malgré les couvertures et les vêtements, elle ne pouvait s'arrêter de frissonner.

Après cet épisode, Beeze disparut de la circulation. Elle crut d'abord qu'il allait s'isoler pendant un jour ou deux, avant de reprendre progressivement la vie qu'ils avaient menée jusque-là, lui permettant de s'excuser, de panser l'amour-propre qu'elle avait si cruellement blessé. Mais les croix se succédaient sur le calendrier au rouge à lèvres qu'elle avait mis en route aux premiers jours de sa captivité, et Beeze ne donnait toujours aucun signe de vie.

Tous les après-midi, elle arpentait le jardin, scrutant l'un après l'autre tous les bancs abrités sur lesquels il aurait pu venir faire ses traductions, mais sans trouver aucune trace de lui. Tous les soirs, elle se rendait dans la bibliothèque, sortait le jeu de dames et attendait, mais Beeze ne venait pas. Parfois, très tard, elle entendait le son obsédant de son violon, des notes chargées d'un nouveau poids de tragédie, des cadences qui lui crevaient le cœur, mais lorsque ayant quitté son lit en toute hâte, elle enfilait un peignoir et courait jusqu'au salon de musique, elle le trouvait toujours vide. Aucun des autres habitants de la maison ne l'avait vu non plus. Samson, qui portait ses repas au reclus, refusa de répondre par ses signes habituels aux questions de Rebecca et tourna vers elle un regard si lourd de reproches qu'elle n'osa pas insister davantage. David, cependant, lui apprit que les purées dont Beeze s'alimentait trois fois par jour revenaient à la cuisine pratiquement intactes et le Dr Resnick s'inquiéta tout haut de savoir s'il prenait bien ses médicaments.

Il fallait qu'elle le vît face à face. Elle se rendit donc au pied de l'escalier circulaire qui menait à sa chambre, logée dans la coupole octogonale qui couronnait la demeure, et s'arma de tout son courage pour gravir les marches solitaires que nul, hormis Beeze et Samson, n'avait franchies avant elle. Elle était venue jusque-là des douzaines de fois, pour contempler l'escalier et toutes ses ramifications, car les appartements privés de Beeze lui semblaient être le cœur même de la maison, son aspiration la plus intime et la plus élevée. Envahir cet endroit, c'était s'engager à jamais, irréversiblement. Elle commença son ascension et à chaque marche un fil de fer semblait se resserrer de plus en plus étroitement autour de son cœur. Jamais elle n'avait eu aussi peur de sa vie. Au bout d'un million d'années, elle atteignit enfin le palier sur lequel donnait la chambre et frappa à la porte.

« Entrez », répondit-il d'une voix morne et sans vie.

Rebecca ouvrit la porte. Huit murs de plâtre, dont trois masqués par des rayonnages encombrés de livres. Un lit très simple, un bureau, un fauteuil à bascule en rotin, un tapis en rubans tressés et un pupitre à musique, avec le violon bien-aimé sur un coussin tout proche. Aucun luxe, aucun ornement, en dehors des photographies encadrées sur la table de chevet : un jeune garçon en train de jouer du violon — son fils probablement — et un des clichés publicitaires du *Pays des rêves perdus*. Elle fut à la fois attristée et émue de constater qu'elle seule, qu'il ne connaissait que depuis quelques semaines, avait le droit de partager cet espace avec son fils.

« Pose-le sur la table, Samson, dit-il sans même tourner la tête, et laisse-moi seul. » Il était assis dans le fauteuil à bascule, le dos tourné, en train de lire ; le masque était par terre, à côté de lui. Il avait cru que c'était son domestique, avec le déjeuner.

« Je ne suis pas Samson », dit Rebecca.

Beeze saisit aussitôt son masque et le colla contre son visage, avant de se lever d'un bond et de se tourner vers elle.

« Sortez immédiatement !

— Non. Il faut d'abord vider cet abcès !

— Allez-vous-en, je vous en prie ! » Sa voix vibrait de désespoir.

« Pas sans avoir vu votre visage.

— Non, c'est impossible, hors de question !

— Enlevez ce masque.

— Laissez-moi tranquille ! »

Elle leva une main très douce, la posa sur son poignet et baissa le bras qui tenait le masque. Cette fois-ci, elle savait à quoi s'attendre et, quoique incapable de réprimer le frisson d'horreur qui la transperça, elle garda le sourire. Ils restèrent ainsi, les yeux dans les yeux, immobiles, pendant plusieurs minutes. Au début, le visage de Beeze lui sembla encore plus effrayant que la première fois, puis, peu à peu, en examinant la texture si particulière de la peau, l'étrange géométrie des plans faciaux, elle sentit naître une certaine familiarité. Ce visage était incapable d'expression humaine, mais elle crut y lire tant de douleur, de peur et de souffrance que tout son être se gonfla de compassion. Elle se mit sur la pointe des pieds pour embrasser cette bouche sans lèvres, mais il détourna la tête, en murmurant : « Non.

— Si ! » insista-t-elle, et, prenant le visage de Beeze entre ses mains, elle l'embrassa, encore et encore.

Ils se dévêtirent et s'étendirent sur le lit, sans rien faire d'abord que de se regarder. Elle remarqua que la plupart des brûlures étaient confinées dans le haut du torse, sur la droite, et que le reste du corps était loin d'être repoussant : les hanches étroites, les épaules carrées, les bras puissants et une toison cruciforme sur la poitrine. La cicatrice laissée dans son ventre par le morceau d'aluminium formait une longue trace blanche en relief, dure comme un cal sous ses doigts. La main de Rebecca descendit plus bas, jusqu'au membre furieusement dressé et il répondit à cette avance en caressant les douces lèvres de son sexe jusqu'à ce qu'elles fussent humides et gonflées.

« Il faut faire vite, murmura-t-il. Je ne peux plus attendre. »

Elle l'enjamba et à peine l'organe de Beeze se fut-il enfoncé dans son ventre qu'il éjacula en spasmes si violents que Rebecca eut l'impression qu'ils lui déchiraient les entrailles, des spasmes qui le libéraient de la tension engendrée par dix ans d'abstinence. Presque aussitôt, il la fit rouler sur le dos, pour se retrouver au-dessus d'elle, et commença à s'activer, prudemment d'abord, comme s'il avait peur de briser cette charpente si menue sous son énorme masse, puis plus vigoureusement, lorsqu'il fut pleinement rassuré sur ses facultés de résistance, se retenant interminablement tandis qu'elle jouissait à plusieurs reprises, pour se laisser finalement emporter à son tour par la folle explosion libératrice.

Ils passèrent plusieurs heures ainsi, à somnoler et à faire l'amour, les moments de veille se faisant de plus en plus langoureux et sensuels, ceux de sommeil se peuplant de rêves de plus en plus érotiques, jusqu'à ce qu'ils eussent du mal à les distinguer les uns des autres. Le corps de Rebecca, secoué par une succession d'orgasmes, était délicieusement douloureux et son esprit semblait vidé de toute pensée étrangère à Beeze. Dans la pénombre de la chambre, le visage de son amant apparaissait à ses yeux brouillés de sommeil comme un Rorschach — il n'était en effet plus guère qu'une sorte de champ traversé par les ombres et les cicatrices — et elle vit s'y refléter tous les hommes qui avaient compté dans sa vie, son père et Leslie, Will Roach et Jason et Mack Gordon. Soudain, elle crut voir devant elle, grâce à quelque intervention surnaturelle, le visage de Beeze tel qu'il avait dû être avant son accident, l'œil perçant, le froid sourire qui, très rarement et uniquement s'il le voulait bien, venait révéler aux autres l'état d'esprit intérieur qu'il tenait si soigneusement caché.

Elle se l'imagina tel qu'il avait dû être alors, en train de jouer du violon, les yeux mi-clos, le visage serein, contemplatif. C'était comme ça qu'elle voulait se le rappeler, maintenant et toujours.

Quelques jours plus tard, Rebecca apprit que Mme Munckle voulait lui parler. Elle se rendit dans l'appartement que le vieux couple s'était installé au sous-sol, à côté des remises où étaient entreposés les produits d'entretien, suffisamment près des compresseurs de la climatisation pour que le bruit des énormes machines ne cessât de venir ponctuer la conversation. Mme Munckle vint lui ouvrir, les yeux rougis par les larmes. Un peignoir éponge bleu pâle, tout délavé, la couvrait comme une tente et elle avait caché ses cheveux sous un vilain foulard orange. Elle frottait nerveusement l'une contre l'autre ses mains minuscules.

299

Derrière elle, la pièce était sombre et encombrée d'un bric-à-brac hétéroclite : figurines de porcelaines, souvenirs de touristes, ex-votos et plaques de marbre où se trouvaient gravées de pieuses maximes. Une odeur de désinfectant au pin prit la visiteuse à la gorge. Le mobilier semblait avoir été récupéré dans un pavillon de chasse du Grand Nord et partout, les murs étaient couverts de photos d'animaux, certaines manifestement découpées dans des journaux et encadrées telles quelles. Partout, sauf au-dessus de la cheminée où le vaste espace libre était occupé par un tableau grandeur nature de M. et Mme Munckle, raides comme des piquets, dans leurs habits du dimanche.

Lorsque Mme Munckle aperçut Rebecca, elle eut une grimace de révulsion.

« Tiens, voyez-moi ça ! Voilà mademoiselle la Putain de Hollywood qui daigne nous rendre une visite de condoléances.

— Comment ? balbutia Rebecca, interdite. Vous avez demandé à me voir, non ?

— Oui, parfaitement. Je veux vous poser une question. Je voudrais savoir pourquoi vous ne me tuez pas tout de suite, pour que ça soit fini une bonne fois pour toutes. Prenez donc un couteau et frappez-moi *là* (elle ouvrit son peignoir, découvrant le haut de ses énormes mamelles) ça ira plus vite !

— Qu'est-ce que vous racontez ?

— Oui, c'est ça, faites l'innocente, faites donc celle qui ne comprends pas. Vous pouvez peut-être rouler les autres — vous pouvez même rouler Beeze — mais avec moi, ça ne marche pas !

— Mais qu'est-ce que vous racontez, bon Dieu !

— Après tout, vous êtes une actrice, pas vrai ? Eh bien pour moi, la seule différence entre les actrices et les putains, c'est que les putains se donnent plus de mal et que les actrices gagnent plus d'argent.

— Ecoutez, je suis venue ici parce que vous vouliez me parler, dit Rebecca qui commençait à perdre patience, mais

300

si vous me redites une seule fois que je suis une putain, je fous le camp.

— Eh bien, allez-vous-en ! On avait une bonne vie, avant votre arrivée, Munckle et moi. On gagnait plus d'argent qu'on en avait jamais eu, assez pour pouvoir vivre vraiment à l'aise, même après avoir acheté un appartement à Miami pour notre retraite. Et puis il a fallu que vous veniez, et tous les ennuis ont commencé : Beeze s'est mis à se traîner comme une vache amoureuse, Henri et David à se bagarrer toutes les heures du jour et de la nuit, et maintenant mon pauvre Munckle... » Epuisée par sa colère, elle éclata soudain en sanglots.

« Eh bien quoi, votre pauvre Munckle ? Dites-le, à la fin ! »

Mais Mme Munckle pleurait si fort qu'elle ne pouvait plus parler. Rebecca essaya de la consoler, mais la grosse femme fuyait son contact comme la peste. Elle se moucha bruyamment, se frotta les yeux de la paume de ses mains et, plantant son regard droit dans celui de Rebecca, elle articula d'une voix tremblante de haine : « M. Munckle vous a regardée vous mettre à poil dans le jardin. Beeze l'a appris et il va lui crever les yeux. J'espère que vous êtes contente de vous ! »

Rebecca sentit une nausée lui tordre l'estomac. La nuit précédente, au lit avec Beeze, elle se rappelait lui avoir rapporté, uniquement pour le faire rire, qu'elle avait vu M. Munckle l'épier, à travers un trou dans la haie, pendant qu'elle prenait son bain de soleil, et que, pour le faire bisquer, elle lui avait fait tout un numéro, se graissant langoureusement la peau, prenant des poses de pin-up sur son banc de marbre et faisant même semblant d'examiner un bouton juste au bout de son sein. Après tout, n'y avait-il pas un fil d'exhibitionnisme dans la trame de tout comédien ? Comment avait-elle pu être aussi bête ! C'était seulement maintenant, maintenant qu'il était trop tard, qu'elle se rappelait le fameux oukase de Beeze à l'encontre des voyeurs ! Et pourtant, même maintenant, elle n'arrivait pas à y croire.

Elle secoua la tête à l'adresse de Mme Munckle : « Mais

non, il devait... », elle allait dire *plaisanter*, mais elle se remémora subitement les autres exemples de la justice sommaire de Beeze, le malheureux jardinier à la langue arrachée, l'appartement de Leslie mis à sac, et elle ne put achever sa phrase.

« Je vais parler à Beeze, promit-elle. Je l'empêcherai de faire une chose pareille.

— Autant empêcher le vent de souffler, maugréa Mme Munckle, ou la terre de tourner. »

Apprenant que Beeze avait convoqué le coupable dans le salon de musique, Rebecca alla s'asseoir sur une chaise à côté de la porte pour attendre la fin de l'audience. M. Munckle ne tarda pas à sortir, arborant l'air hagard et atterré d'un chien battu. Il s'arrêta en apercevant la jeune femme, à présent au bord des larmes elle aussi, et trouva, Dieu sait où, la force de sourire.

« Il ne faut pas laisser les nuages couvrir le soleil, murmura-t-il, en lui sortant une pièce de dix cents de l'oreille et en la lui laissant tomber dans la main.

— Je vais le faire changer d'avis, souffla-t-elle.

— Beeze s'y connaît en justice, déclara M. Munckle. Sa décision est équitable et j'accepte d'avance ce que le sort me réserve. » Il eut un pauvre sourire et, lui tournant le dos, il partit d'un pas traînant dans le couloir.

Lorsque Rebecca le rejoignit, Beeze était en train de frotter son archet à la colophane, promenant l'applicateur en bois sur les crins, à grands gestes réguliers.

Elle rit gaiement et lança : « Je crois qu'il y a un malentendu ridicule. Tu te rappelles cette histoire que je t'ai racontée hier, à propos de M. Munckle m'espionnant pendant mon bain de soleil ? Eh bien, il n'y a pas un mot de vrai, je l'avais inventée de toutes pièces, je pensais que ça t'exciterait.

— Munckle a avoué, répondit Beeze impassible. Il sera puni.

— Tu plaisantes, n'est-ce pas ? Tu ne vas quand même pas...

— J'ai dit que quiconque t'espionnerait aurait les yeux crevés. Il a désobéi, il en supportera les conséquences.

— Beeze ! » Elle lui tendit les bras. « Tu as dit que tu voulais apprendre à aimer. Eh bien, c'est l'occasion ou jamais, nom de Dieu ! Si tu m'aimes, si tu as jamais aimé quelqu'un, je t'en prie, je t'en *supplie*, ne fais pas de mal à M. Munckle. C'est un pauvre vieux bonhomme inoffensif, qui ne songeait pas à mal. C'est moi qui l'ai provoqué, c'est moi la fautive !

— J'ai fait une loi et je dois m'y tenir. Et si cette loi me ramène de dix mille ans en arrière sur le chemin de la sagesse, eh bien, tant pis pour moi, c'est mon châtiment pour avoir justement été capable de faire une telle loi !

— Tu ne peux pas faire une chose pareille ! cria-t-elle. Je ne te le permettrai pas !

— Il le faut, dit-il simplement.

— Touche à un seul cheveu de sa tête et tout est fini entre nous. Je ne peux pas aimer un homme capable d'une telle cruauté.

— Ce n'est pas de la cruauté. J'ai fait une loi et...

— Si, c'est de la cruauté, de la cruauté gratuite et monstrueuse. Tu n'es absolument pas différent de l'homme que tu étais quand tu travaillais pour l'industrie de guerre. Tout ce mysticisme, cette philosophie, ce végétarisme, c'est de la frime. Tu es toujours le même monstre et je te hais, je te hais, je te hais ! »

9

Un jour, la Bête trouva la Belle en pleurs, toute seule dans le jardin, sans personne pour la consoler hormis les animaux de la forêt, qui, poussés par la pitié, s'étaient approchés pour se frotter contre elle et lui lécher les mains.

Je vous en prie, Belle, supplia le monstre, dites-moi pourquoi vous pleurez si fort. Ne vous ai-je pas donné tout ce que je possède ? Mon palais et tout ce qui s'y trouve vous appartiennent à jamais.

Hélas, répondit-elle, vous êtes vraiment la meilleure des bêtes, et si je pleure, ce n'est point faute de quelque objet que je voudrais avoir en ma possession. Non, je pleure en songeant à mon pauvre père que je crains fort de ne jamais revoir.

Allez regarder dans le miroir de la grande salle, Belle, lui conseilla la Bête, car c'est un miroir magique, dans lequel il vous sera donné de voir le lieu ou la personne après quoi votre cœur soupire.

A ces mots, la Belle s'empressa de courir jusqu'au miroir et de le regarder, en faisant le vœu d'y voir apparaître son père bien-aimé.

Le miroir se voila un instant, comme s'il était traversé par la brume du soir tombant, puis sa surface redevint limpide et la Belle y vit son père. Mais ce spectacle, hélas ! l'emplit de douleur, car le pauvre homme était étendu dans son lit, pâle comme la mort. Ses deux filles aînées étaient à son chevet, ainsi qu'un médecin et un prêtre, venu lui administrer les derniers sacrements. Et la Belle entendit le médecin dire au prêtre : Hâtez-vous car il se meurt, le cœur brisé par l'absence de sa fille Belle, qui est tout ce qu'il a de plus cher au monde.

La Belle courut aussitôt trouver la Bête et se jeta à ses pieds, en s'écriant : Il faut me laisser rentrer chez nous, car mon père est fort malade et se meurt de mon absence ; je suis sûre que mon retour le guérira. Si vous voulez toujours que je sois votre femme, accordez-moi cette faveur ; je reviendrai dans une semaine et, de ce jour, jamais plus je ne vous quitterai. Je vous engagerai ma foi et nous resterons mari et femme jusqu'à ce que la mort nous sépare.

Allez, Belle, lui dit le monstre, mais sachez seulement ceci : à chaque jour que vous passerez loin de moi, mon chagrin ira croissant et si, au bout de sept jours et sept nuits, vous n'êtes pas revenue, je mourrai certainement de douleur.

Oh, chère Bête, s'écria la Belle, jamais je ne vous laisserai mourir ! Je serai de retour le huitième jour, je vous le promets. Vous pouvez m'attendre, l'esprit en paix.

Prenez cet anneau d'or, dit la Bête, et passez-le à votre doigt. Lorsque vous l'ôterez, vous vous retrouverez au chevet de votre père. Il vous suffira de le remettre pour être transportée dans mon palais.

Vos bontés me confondent, répondit la Belle en prenant l'anneau qu'elle passa à son doigt. Je jure devant Dieu de revenir auprès de vous dans sept jours et d'être votre femme.

Et dès qu'elle eut prononcé ces paroles, elle retira l'anneau de son doigt...

«Voilà la chambre, annonça Fifi en allumant la lampe de chez Ambiente.

— Un lit à une place ? s'étonna Samantha en haussant un sourcil soigneusement épilé à l'institut de beauté Georgette Klinger.

— Mon mari, Charley Goldenblatt, le producteur mondialement célèbre, travaille énormément. Nous avons donc décidé qu'il serait plus commode de faire chambre à part.

— Pauvre Fifi », dit Samantha, en s'asseyant d'un mouvement plein de sensualité sur le lit, ça fait bien longtemps que personne ne vous a fait goûter au plaisir, n'est-ce pas ? Elle passa la langue sur ses lèvres dessinées au rouge à lèvres Payot et lui décocha un regard rendu plus brûlant encore par l'ombre à paupières Estée Lauder, qui le soulignait.

« Je... je ne comprends rien à ce que vous dites, bredouilla Fifi.

— Venez vous asseoir près de moi, ordonna Samantha, en tapotant le joli couvre-lit en tissu Laura Ashley.

Fifi obéit.

Il ne fallut qu'une fraction de seconde à Samantha pour déboutonner le haut de l'ensemble en tricot Missoni que portait sa compagne. Après avoir écarté le collier en or de chez Bulgari, serti de plusieurs petits diamants et d'un gros rubis, elle dégrafa le soutien-gorge en soie, fait à la main par Bendel's, et se mit à dévorer de baisers la magnifique poitrine de Fifi. « N'aie pas peur... laisse-moi t'aimer... je sais comment te donner du plaisir... tu n'as qu'à t'allonger et ne plus bouger... c'est moi qui ferai tout...

— Jamais je n'aurais imaginé que ça pouvait être ainsi, souffla Fifi, grisée par le parfum de son amie, Bal à Versailles.

— Quand ton mari doit-il rentrer ? demanda Samantha en enfonçant son visage dans la toison auburn qui couvrait le mont de Vénus de l'autre femme.

— Dieu seul le sait ! Il m'a dit qu'il allait aux studios, mais je crois plutôt qu'il va voir sa maîtresse. Il y a des moments où je me demande où il trouve le temps de faire un film. »

Billy Rosenblatt reposa violemment le manuscrit sur son bureau en grommelant : « Riri, Fifi et Loulou ! », puis il décocha un crochet du droit à son interphone et aboya : « Flossy, venez ici tout de suite ! »

Elle arriva presque aussitôt. « Oui, patron ? dit-elle, en faisant de louables efforts pour masquer son sourire.

— Qu'est-ce que vous pensez de ça ?

— Eh bien... — elle formula rapidement sa réponse dans son esprit avant de parler — l'histoire en elle-même est tout à fait passionnante, c'est un de ces livres qu'on ne peut plus lâcher. Et, bien sûr, par les temps qui courent, le thème de la femme seule qui parvient à se libérer, envers et contre tout, est très à la mode dans le monde de l'édition. Il n'y a qu'à voir *Princesse Daisy*, par exemple.

— Dites-moi une chose, Flossy. » Il était très étonné par son propre flegme. « Vous croyez que ça va se vendre ?

— Ma foi, d'après ce que j'ai pu comprendre, il est encore trop tôt pour se prononcer. Mon amie Harriet, de chez Butterfield Press, dit que pour le moment les clubs du livre ne sont pas intéressés et que les éditions de poche préfèrent attendre de voir comment marche le premier tirage.

— En d'autres termes, dit Billy Rosenblatt, légèrement rasséréné, il est fort possible que ce livre disparaisse sans laisser de traces.

— C'est possible, bien sûr, mais il vaut mieux que je vous signale quelque chose : certaines compagnies cinématographiques sont intéressées. Votre ex-femme a été contactée par la Fox et par trois indépendants. Ils voudraient en faire un de ces films à grand battage, avec une pléiade de vedettes, dans le genre de *La vallée des poupées*.

— Nom de Dieu, je suis foutu !

— Et il y a aussi Universal sur le coup.

— Flossy, ça vous paraît normal, tout ça ? Ça vous paraît normal qu'un homme qui est une des figures légendaires d'Hollywood soit exposé à ce genre d'humiliation ? »

Flossy regarda le bout de ses souliers : « Non, patron.

— Ça vous paraît juste que la femme de ce malheureux décide de se retourner contre lui et d'écrire un livre où elle révèle tous les secrets les plus intimes de leur mariage ? Ça vous paraît propre ? Et qu'elle se permette de ravaler ce mariage au rang de mauvaise pantalonnade pornographique ? »

Flossy secoua la tête. Il se leva et se mit à arpenter la pièce.

« Flossy, je vais vous le dire, moi, pourquoi les compagnies cinématographiques s'y intéressent. Ce n'est pas parce qu'elles pensent que ce tas de merde, écrit par une illettrée pour des débiles mentaux, va faire un bon film. Oh non, ce n'est pas du tout pour ça ! » Il se parlait à lui-même à présent et brusquement il paraissait très vieux et très fatigué. « C'est parce qu'au fil des ans, je me suis fait un certain nombre d'ennemis. Laissez-moi vous dire une bonne chose, Flossy : si vous faites du bon boulot, vous vous ferez forcément des ennemis. Oh, je sais très bien de qui il s'agit. Ça fait un moment qu'ils m'attendent au tournant, qu'ils guettent une bonne occasion de m'avoir. Et cette fois-ci, ils la tiennent ! Vous savez ce qu'ils vont faire, Flossy ? Ils vont dénicher un vieux cabot qui me ressemble trait pour trait pour jouer mon rôle. Et ils se feront un plaisir de le placer dans toutes sortes de situations plus humiliantes les unes que les autres avec les femmes. Et puis, ils en feront un producteur de second ordre. Un frimeur. Une fripouille. Fffff !

— Oh non, Billy, non, je ne peux pas croire qu'ils feraient une chose pareille !

— Mais si, mais si, ils le feront. Et c'est bien pour ça qu'il faut que je trouve un moyen de les en empêcher.

— Si vous les attaquiez en diffamation ?

— Il faudrait d'abord prouver que je suis effectivement l'odieux personnage que dépeint le livre. Sans compter que la publicité ferait monter les ventes. Non, ce serait vraiment donner des verges pour me faire battre ! »

Flossy réfléchit un instant : « Et si vous achetiez les droits cinématographiques et que vous mettiez ensuite le projet sous le coude ? Vous pourriez même carrément l'annuler et empocher la déduction.

— Jamais elle ne voudra me les vendre. Elle me connaît

trop bien pour ça. » Il frappa rageusement du poing droit dans sa main gauche. « Bon Dieu, il doit bien y avoir un moyen ! »

Le téléphone sonna et Flossy répondit.

« Ici le secrétariat de Billy Rosenblatt. Qui est à l'appareil ? Oh, je suis désolée, mais je crois qu'il est en réunion. Ne quittez pas, s'il vous plaît, je vais m'en assurer. »

Elle mit la communication en attente et annonça : « C'est Leslie Horowitz qui vous rappelle comme vous l'aviez demandé. Vous préférez le rappeler quand vous serez un peu plus calme ?

— Calme ! Mais je suis parfaitement calme ! » Billy Rosenblatt retourna s'asseoir derrière son bureau et donna un violent coup de poing sur le bouton approprié.

« Horowitz, lança-t-il, où est Rebecca Weiss ? Ça fait des semaines que j'essaie de la joindre. Je veux la voir, vous entendez ! N'oubliez pas que j'ai un morceau de papier signé de sa main. Le tournage commence dans dix-huit jours et si elle n'est pas là, je lui colle aux fesses le procès le plus retentissant du siècle. Elle passera le reste de sa vie à me payer des dommages et intérêts ! Et je veillerai personnellement à ce qu'elle ne trouve plus jamais de travail à Hollywood ! Ni vous non plus ! Ni aucun de vos clients ! »

Il raccrocha brutalement, en soufflant comme un phoque ; il était écarlate, ses mains tremblaient.

« Heureusement que vous êtes calme, fit remarquer Flossy, sans quoi je finirais par m'inquiéter. »

Il bondit sur ses pieds et lui montra la porte du doigt, en hurlant : « FOUTEZ-MOI LE CAMP !

— Oui, patron », dit-elle et elle fila sans demander son reste.

Resté seul, Billy se rassit à son bureau et enfouit son visage dans ses mains. Pourquoi fallait-il que toutes les tuiles lui tombent dessus en même temps ? Il était absolument grotesque d'être à deux semaines du tournage et de ne toujours pas savoir qui jouerait le rôle principal. Démentiel ! A travers tous les aléas d'une carrière difficile, il avait toujours trouvé le moyen de conserver une certaine sérénité, mais récemment de petits tiraillements du côté de l'estomac avaient semblé suggérer un début d'ulcère.

Il prit son exemplaire de *Daily Variety* et se mit à le feuilleter distraitement, mais il s'arrêta net en tombant sur une annonce pleine page, faisant savoir que Mack Gordon avait l'intention de refaire son film *La toile d'araignée*, avec Victoria Dunbarr dans le rôle principal. A quelles abominables turpitudes avait-elle bien pu consentir, se demanda Billy, pour persuader un reptile tel que Gordon de changer ainsi de vedette à la dernière minute ? Et pourtant, il ne pouvait s'empêcher d'être impressionné. Si Mack Gordon pensait vraiment que Victoria avait les épaules assez solides pour supporter le poids de son film, peut-être lui, Billy, l'avait-il sous-estimée ? Peut-être était-elle capable, après tout, d'incarner Jacqueline ? Elle serait en tout cas moins difficile et moins capricieuse que Rebecca Weiss et il y aurait en outre certains avantages non négligeables, d'un caractère plus personnel — par exemple une reprise de la merveilleuse scène qu'elle lui avait interprétée dans le sauna. Oui, plus il y réfléchissait, plus l'idée lui paraissait raisonnable. Parfois, les jeunes inconnus qui se voyaient confier un rôle exceptionnel étaient littéralement transcendés par l'événement — il n'y avait qu'à se rappeler Brando dans *Un tramway nommé désir* ou James Dean dans *La fureur de vivre* pour s'en convaincre.

Il appuya sur l'interphone d'un doigt impérieux et demanda à Flossy de venir lui installer la cassette où était enregistré le bout d'essai de Victoria Dunbarr.

Plus que dix-huit jours. Il fallait faire quelque chose !

Leslie raccrocha et jeta un regard lugubre à Sheila Gold, de l'autre côté de la pièce.

« Qu'est-ce qu'il a dit ? » s'enquit-elle.

— Il a dit, répondit Leslie, qu'il allait lui coller aux fesses le procès le plus retentissant du siècle. »

Le local qu'ils occupaient était une grande pièce tout en longueur et ils avaient installé leurs bureaux respectifs chacun à un bout, ce qui les obligeait à hurler pour parvenir à s'entendre, car le rez-de-chaussée abritait un studio d'enregistrement qui paraissait spécialisé dans les groupes rock les plus bruyants de Los Angeles, vitupérant leurs chefs-d'œuvre du matin au soir et même parfois tard dans la nuit. Leslie refusait cependant de déménager, d'une part parce que l'immeuble, une construction en brique crème à un seul étage, dans Sunset Boulevard, était tout proche de chez lui, et de l'autre parce que les spécialistes du rock, qui s'aventuraient parfois jusqu'au premier étage, avaient pour la plupart à leur disposition de la drogue de première qualité. C'était d'ailleurs par leur entremise que Leslie s'était procuré la cocaïne qu'il était en train d'arranger en petits tas sur son presse-papiers en verre à l'aide de son coupe-papier.

« Note que ça pourrait être pire, déclara Sheila.

— Ah bon ? Comment ?

— Tu pourrais avoir un cancer.

— Bah, comme ça au moins je serais mort. Je n'aurais plus besoin de me ronger les sangs. » Il indiqua la cocaïne. « Tu en veux ?

— Non merci. Je suis en train de diminuer mes rations. »

Sheila était une petite Juive boulotte, originaire de l'ouest de Greenwich Village, avec un visage rond, des traits harmonieux et des cheveux noirs et raides coupés court. Elle portait en permanence un collant académique noir sous une jupe portefeuille ; c'était un style auquel elle se cramponnait parce qu'il lui donnait l'illusion qu'elle n'était à Los Angeles qu'en visite et qu'elle allait bientôt repartir pour New York. Pourquoi tant de New-Yorkais répugnaient-ils à s'avouer qu'ils étaient définitivement installés à Los Angeles ? Elle avait certains clients qui s'y trouvaient depuis des années, mais qui n'en conservaient pas moins leur appartement à New York, en prévision du jour où ils y repartiraient — un jour qui ne viendrait jamais.

« Et tu devrais bien en faire autant ! » ajouta-t-elle.

Elle n'aimait pas faire la morale, mais au cours des semaines qui avaient suivi la disparition de Rebecca, Leslie s'était mis à boire si immodérément et à absorber une telle quantité de drogue que son travail commençait à s'en ressentir. Il arrivait tard au bureau, neuf fois sur dix avec la gueule de bois et le teint jaune et brouillé, et à plusieurs reprises il n'avait même pas été capable de se rappeler à qui il venait de parler au téléphone. En dépit de son refus obstiné d'en parler, elle soupçonnait qu'il se sentait responsable de ce qui était arrivé à Rebecca et que son sentiment de culpabilité se révélait progressivement trop lourd à supporter.

« *Je diminue mes rations, je diminue mes rations !* répétat-il, en singeant son accent new-yorkais. Tout le monde diminue ses rations, ma parole !

— Tout le monde sauf toi. On dirait plutôt que tu augmentes.

— Eh oui, j'augmente. C'est parce que ça rime avec tante ! »

Il porta le presse-papiers à son nez et commença à aspirer goulûment les petits tas de poudre blanche, en utilisant un billet de cinquante dollars comme entonnoir.

Après quoi, il se renversa dans son fauteuil pour mieux sentir la drogue imprégner progressivement les muqueuses de son nez et lui monter au cerveau, engourdissant la matière grise, mais émoussant momentanément l'angoisse qui lui vrillait le cœur. Il regarda le plafond, une vaste surface carrelée, agréablement dépourvue d'intérêt, constellée de petits champignons métalliques qui étaient en fait des extincteurs.

« Leslie, dit doucement Sheila, il faudrait appeler Mack Gordon au sujet de l'annonce parue dans *Daily Variety*. S'il a vraiment l'intention d'évincer Rebecca, il faudrait — je ne sais pas, moi, mais il faudrait quand même faire quelque chose !

— Il bluffe ! affirma Leslie. Je ne sais pas pourquoi, mais il bluffe.

— Comment peux-tu en être aussi sûr ?

— Parce que personne n'a jamais recommencé un film qui est déjà dans la boîte. Une scène ou deux, oui, à la rigueur, mais Rebecca intervient dans plus de la moitié.

313

— Bon, eh bien, moi, en tout cas, je vais l'appeler pour savoir un peu de quoi il retourne.

— Fais comme chez toi », dit courtoisement Leslie.

Dès qu'elle eut composé le numéro, Leslie souleva son propre écouteur, avec des ruses de Sioux, et le porta à son oreille, en veillant bien à ne pas respirer dans le micro.

« Ouais ? dit la voix de Mack Gordon.

— Bonjour, ici Sheila de chez Horowitz et Gold. Quelqu'un vient d'attirer mon attention sur une annonce parue dans *Daily Variety* où il est question de votre intention de...

— Ah oui ? Bon, écoutez, je ne sais pas encore qui est le connard qui a fait passer ça, mais j'ai bien l'intention de le découvrir et de lui faire une grosse tête ! Je ne vais rien retourner du tout, vous entendez ? Le film est visuellement parfait. Qu'est-ce que je dis parfait, c'est un chef-d'œuvre, bordel ! Emilio Pugliosi a visionné le premier montage avec moi et il pense que c'est la plus belle réalisation cinématographique américaine depuis *Nashville*. Je vous préviens, en revanche, que je compte refaire entièrement la synchro. Je vous dit ça, parce que ça fait plusieurs fois que j'entends dire que Rebecca Weiss est partie en Inde avec son gourou, ou bien qu'elle est rentrée à New York, où encore qu'elle passe ses vacances à Tombouctou. Comprenez-moi bien, ce qu'elle fait et où elle le fait, je n'en ai rien à foutre, mais j'exige qu'elle soit au studio d'enregistrement lundi matin à la première heure, vu ? Et j'aurai besoin d'elle pendant deux semaines.

— Excusez-moi, monsieur Gordon, mais il me semble que le contrat de Rebecca ne stipule que deux jours de synchro.

— Ouais ? Eh bien, moi, je m'en vais vous stipuler toutes les emmerdes qu'elle m'a déjà values et je vous fiche mon billet que si elle m'en cause d'autres, je lui réclame dix millions de dollars de dommages et intérêts. Et par-dessus le marché, je veillerai personnellement à ce qu'elle ne trouve plus jamais de travail à Hollywood. Ni aucun de vos clients, compris ?

— Merci, monsieur Gordon, répondit Sheila imperturbable. M. Horowitz et moi étudierons votre offre avec notre cliente.

— Vous avez intérêt, bordel ! grommela Mack avant de lui raccrocher au nez.

— Quel sympathique garçon ! s'exclama Sheila en raccrochant à son tour.

— Oh, c'est le charme incarné, renchérit Leslie.

— Il n'y a qu'une seule chose qui m'échappe.

— Ah bon ? quoi ?

— Qui diable est Emilio Pugliosi ?

— Quelqu'un qui a de drôles de goûts », répondit Leslie.

Ce soir-là, Leslie ne put quitter son bureau qu'à sept heures et demie. Il se dépêcha de rentrer chez lui, espérant voir Tommy avant qu'il ne fût parti pour son cours d'art dramatique, mais il trouva l'appartement vide. Il éprouvait un besoin presque maladif de parler à quelqu'un de tous les soucis qui l'accablaient, mais ni Rebecca ni Tommy, les deux seuls êtres à qui il pouvait se confier, n'étaient disponibles. Il sombra soudain dans la solitude et la dépression. Sa vie d'homosexuel lui apparaissait comme une espèce de plaisanterie démente et douteuse. Il prit une douche, renifla une nouvelle (énorme) dose de cocaïne et descendit au garage. Il avait décidé de faire un tour jusqu'au Santa Monica Boulevard, là où les garçons faisaient commerce de leurs charmes, et de se payer un compagnon pour la soirée. Cela faisait près d'un mois que la police de la route avait récupéré sa belle Lincoln Continental, mais en raison de diverses inepties administratives et de la difficulté qu'il y avait à trouver un conducteur assermenté pour la ramener jusqu'à Los Angeles, il se déplaçait toujours à bord d'une voiture de louage. L'entreprise de location était parvenue à lui trouver, non sans mal, une énorme Continental blanche, presque identique à la sienne, car c'était le seul modèle qu'il acceptât de conduire.

Il monta dedans et mit le contact. Rien. Lorsqu'il devint évident que le moteur ne voudrait rien savoir, il fit, en jurant, le tour du véhicule et lui décocha un coup de pied si rageur que le pare-chocs se ratatina comme une boîte de bière dans le poing d'un hercule. Il remonta quatre à quatres jusque chez lui et appela l'entreprise de location pour leur hurler sa façon de penser et les accuser de toutes les malhonnêtetés possibles et imaginables. Lorsque son interlocuteur eut enfin compris que c'était Leslie Horowitz qu'il avait au bout du fil (un homme à qui ils étaient très redevables, car il les recommandait à tous ses clients newyorkais en visite sur la côte Ouest), il s'excusa platement et promit de lui envoyer un autre véhicule dans les plus brefs délais. Leslie rétorqua qu'il exigeait une Lincoln Continental blanche, de 1979, précisant avec cette mauvaise foi irrationnelle qui caractérise l'homme en colère qu'il n'accepterait aucun substitut. On lui assura qu'il aurait la meilleure voiture disponible jusqu'à ce que son véhicule attitré fût réparé, ce dont on s'occuperait le lendemain matin à la première heure.

Il descendit attendre dans le hall et frémit d'horreur en voyant une Toyota rouge vif se ranger devant l'immeuble. C'était le genre de véhicule qu'on imaginait volontiers dans un cirque, bourré d'un nombre déconcertant de clowns et de nains, avec une ribambelle de chiens savants cramponnés aux portières. Ce qui ne l'empêcha pas de signer le reçu et de prendre le volant. Quelques instants plus tard, il longeait Santa Monica Boulevard, en quête de chair fraîche.

Assez loin devant lui, il repéra un jeune homme blond et mince, vêtu d'un jean qui lui moulait les fesses et d'une chemise de cow-boy. C'était son type préféré, pas trop costaud, mais souple et musclé, un danseur, comme Tommy. Il ralentit et baissa la vitre côté passager, préparant nerveusement dans sa tête une entrée en matière, une bêtise du genre : *Vous me faites monter l'eau à la bouche*, ça les faisait généralement rire. Sans sa longue voiture blanche, il se sentait nu et vulnérable, dépouillé de tout son savoir-faire.

A son grand dam, la Porsche noire qui le précédait s'arrêta à la hauteur du jeune homme blond et Leslie vit le conducteur s'incliner pour faire sa proposition et conclure son marché. Le jeune homme s'accroupit à côté de la portière pour discuter, présentant son profil à Leslie.

C'était Tommy.

Indubitablement.

Les deux hommes parlementèrent quelques instants, puis le conducteur ouvrit la portière et Tommy monta à côté de lui. Ils disparurent dans un rugissement de moteur gonflé et un nuage de fumée noirâtre nauséabonde. Leslie resta cloué sur place, trop bouleversé pour démarrer. La voiture qui le suivait klaxonna impatiemment, mais il ne parut pas entendre. Les coups de klaxon furibonds se répétèrent à plusieurs reprises et il comprit enfin qu'il s'était arrêté en plein milieu du boulevard. Il débraya et se remit en route, sourd aux offres de service des éphèbes sur le trottoir.

Lorsqu'il rentra, vers deux heures du matin, Tommy trouva son ami avachi dans le grand fauteuil de leur chambre, en train de vider une bouteille de bourbon. La télévision était allumée et le son marchait à plein volume. Heureusement, les émissions étaient terminées et il n'y avait plus que l'éclat bleuâtre de l'écran vide et un chuintement abrutissant.

« Bon Dieu ! » s'exclama Tommy.

Il courut éteindre le poste.

« Arrête ! dit Leslie d'une voix pâteuse. C'est mon film préféré.

— Il n'y a rien, voyons, les émissions sont terminées.

— Tu es sûr ? » Leslie fixa sur l'écran un regard papillotant et soupçonneux.

« Je suis sûr que tu as besoin d'une douche froide et d'un bon café, oui », déclara Tommy.

Il voulut aider son ami à se lever.

«Ne me touche pas ! aboya Leslie.

— Qu'est-ce qui te prend ?

— Tes cours d'art dramatique, tu ne m'avais pas dit qu'ils avaient lieu au Santa Monica Boulevard ! »

Tommy ouvrit la bouche, bredouilla quelques mots inintelligibles, voulut poursuivre, mais ne trouva rien à dire. Eprouvant néanmoins le besoin de s'extérioriser après un tel choc, il poussa un long sifflement de pneu crevé. Il se dirigea vers le buffet qui faisait office de bar et se pencha avec une grâce merveilleuse, pour prendre une bouteille de scotch. Il se versa un fond de verre qu'il avala d'un trait, en frissonnant, puis un autre. Ouf, ça allait mieux ! A présent, il pouvait parler.

« Bon d'accord, je plaide coupable. J'aurais dû t'en parler, mais j'avais peur que ça ne fiche tout par terre. Et ce qui existe entre nous est si précieux que je ne voulais prendre aucun risque. Je t'aime, vois-tu, Leslie. Je t'aime vraiment. Jamais je n'ai éprouvé pour personne ce que j'éprouve pour toi et je crois bien que ça ne m'arrivera pas deux fois. Seulement, j'ai besoin d'aller faire le tapin. » C'était une supplication montée du plus profond de son être, remplie d'angoisse. « C'est ma drogue, tu comprends. Tu sais bien ce que tu ressens, quand tu es au bout du fil et que tu négocies un contrat fantastique pour un de tes clients ? Le cœur battant, le feu aux joues, l'impression d'être un surfeur juché en haut d'une vague de trente mètres qui ne se brisera jamais ? Eh bien moi, c'est exactement la même chose quand je me fais une bonne nuit sur le trottoir. C'est une de ces sensations extraordinaires qui font que la vie vaut la peine d'être vécue. Si ce n'était pas si merveilleux, je te jure que je laisserais tomber, je te le jure ! »

Il se tut et attendit.

Leslie gardait les yeux braqués sur le téléviseur à présent froid et silencieux. Au bout d'une minute, il dit : « Fous le camp !

— Leslie, tu ne peux pas me faire ça ! Enfin quoi, toi aussi tu es sorti draguer ce soir ! Tu étais du côté des acheteurs et moi des vendeurs, mais il n'y a pas une telle différence !

— Si tu avais été *ici*, je n'aurais pas eu besoin d'aller *là-bas* !

— Tu parles ! Tu adores draguer, tu le sais très bien. Et il n'y a pas de quoi avoir honte d'ailleurs. Moi, j'aime me vendre et toi, tu aimes acheter, ça ne nous empêche pas de former un couple.

— Non, je ne peux pas vivre comme ça.

— Mais au contraire, Leslie, c'est justement la seule façon de vivre.

— Tu ferais mieux de reconnaître la vérité, tu sais. La seule raison pour laquelle tu es venu ici, avec moi, c'est parce que tu as cru que je pourrais t'être utile sur le plan professionnel.

— Alors ça, tu ne me le rediras pas deux fois ! » Tommy quitta la chambre et revint presque aussitôt avec une valise qu'il posa sur le lit, grande ouverte. Après quoi il se mit en devoir de sortir ses vêtements de la penderie.

Leslie se leva, maladroitement : « Qu'est-ce que tu fais ? »

Sans lui prêter la moindre attention, Tommy alla chercher ses affaires de toilette dans la salle de bains et les fourra dans la valise par-dessus les vêtements. Il fut obligé de s'asseoir dessus pour la fermer et plusieurs morceaux de chemise et de cravate restèrent coincés dans la rainure.

« Arrête ! » hurla Leslie. D'un geste mélodramatique, il ouvrit la grande porte-fenêtre qui donnait sur Foutain Avenue et sortit sur le balcon. La brise fit voler les voilages et les bruits de la rue montèrent jusqu'à eux, brusquement amplifiés. « Un pas de plus et je saute ! »

Tommy poussa un soupir excédé : « On n'est jamais qu'au premier, tu sais. Au pire, tu te foulerais la cheville.

— Je tomberai sur la tête. Je me ferai écraser par une voiture !

— Au revoir, dit Tommy et il se dirigea vers la porte.

— JE SAUTE ! » hurla Leslie en le voyant disparaître.

Le jeune homme eut le temps de descendre la moitié de l'escalier intérieur, en marmonnant : « De toutes les menaces débiles et infantiles... », avant d'entendre un *floc* sourd, un peu comme un sac de pommes de terre jeté d'un camion, suivi d'un hurlement de freins et d'un bruit de tôles froissées. Il lâcha sa valise et remonta en courant jusqu'à la chambre. Penché par-dessus la rambarde en fer forgé du balcon, il comprit comment les deux voitures s'étaient heur-

319

tées : elles avaient brusquement déboîté pour éviter un objet tombé du ciel, le corps de Leslie, à plat ventre sur la chaussée, immobile.

Plutôt que de continuer à partager, comme elle en avait pris l'habitude, le lit de Beeze dans la chambre octogonale, tout en haut de la maison, Rebecca réintégra la chambre d'amis. Depuis qu'il avait pris la décision de crever les yeux de M. Munckle, elle ne pouvait plus supporter sa présence. Elle passa la nuit à se tourner et se retourner dans son lit, en essayant fiévreusement d'imaginer comment la sentence serait exécutée. Traînerait-on le malheureux Munckle, hurlant et gesticulant, jusqu'à la blancheur stérile du laboratoire, avec son sol lubrifié par le sang des cochons assassinés, ou bien s'emparerait-on de lui, par surprise, dans le hall, sans crier gare ? Serait-il anesthésié, ou l'obligerait-on, au contraire à sentir ses yeux cruellement crevés, comme des jaunes d'œuf sous les dents d'une fourchette ? Et qu'adviendrait-il de lui ensuite, puisqu'il serait devenu incapable d'exercer son métier de projectionniste ? Rebecca se jura de le prendre en charge. Elle logerait les Munckle dans sa chambre d'amis (après tout, elle y logeait bien Victoria qui était tout le contraire d'une handicapée) et elle trouverait au vieil homme une occupation à la fois absorbante et utile à la société. Ce ne fut qu'après avoir pris cette résolution qu'elle parvint à trouver le sommeil.

Le lendemain matin, en descendant prendre son petit déjeuner, elle croisa Samson dans le couloir. Il portait un plateau d'argent garni d'un napperon en lin immaculé, sur lequel était posé une espèce de bistouri, dont le long manche, lisse et chromé, étincelait et dont la pointe était aussi acérée que celle d'un pic à glace. Elle aperçut aussi des tampons d'ouate, une bouteille d'alcool et plusieurs pansements stérilisés. Elle eut brusquement envie de vomir.

« Où allez-vous ? cria-t-elle.

Le géant fit semblant de ne pas entendre.

Elle se planta devant lui, mais il la repoussa comme il

aurait écarté un meuble. Elle se mit à lui courir derrière, cherchant à le retenir par les pans de sa veste, le bourrant de coups de poing, avec une frénésie qui décuplait à mesure qu'ils se rapprochaient de l'appartement des Munckle. Samson, cependant, avançait inexorablement, comme une sorte de machine infernale, sans prendre garde à ses interventions intempestives, sauf lorsqu'elles menaçaient de renverser le plateau ; alors, il l'écartait de son chemin, d'un bras sans brutalité, mais ferme. Lorsqu'ils atteignirent le sous-sol et que Rebecca comprit qu'il n'y avait plus d'illusion à se faire quant à la destination du géant, elle le dépassa et courut à toutes jambes jusqu'à l'appartement des Munckle, où elle se mit à tambouriner à la porte.

Mme Munckle vint lui ouvrir, sévère et calme. Derrière elle, Rebecca aperçut M. Munckle, assis tout raide dans un des grands fauteuils, fixant droit devant lui un regard si vacant qu'on aurait dit qu'il était déjà aveugle.

« Le voilà ! haleta Rebecca. Vite, il faut que M. Munckle aille se cacher... »

Mme Munckle la contempla froidement, sans un mot.

« Vite, je vous en prie, insista la jeune femme. Nous n'avons pas beaucoup de temps devant nous !

— Beeze a été très bon pour nous, déclara Mme Munckle d'une voix morne et résignée. Nous avons largement profité de sa générosité, à présent nous devons nous soumettre à sa loi.

— Mais enfin, vous n'allez pas rester là pendant que votre mari...

— Ne me dites pas ce que j'ai à faire ou à ne pas faire, ma petite fille ! Mes ordres, je les reçois de Munckle. Et lui préfère accepter son sort.

— Monsieur Munckle ! s'écria Rebecca. Allez vous cacher, je vous en prie ! »

Munckle secoua la tête, les yeux toujours rivés au mur. Il était manifestement terrifié et faisait un effort presque surhumain pour dominer sa peur.

Au même instant, Samson la bouscula pour entrer dans la pièce.

321

« Non ! hurla-t-elle. NON ! »

Elle tomba à genoux, et cacha son visage dans ses mains, refusant de regarder l'atroce spectacle. Mais au lieu du hurlement de souffrance attendu, elle entendit un bruit de papier déchiré qui lui fit relever la tête, juste à temps pour voir Samson plonger son bistouri dans le grand tableau au-dessus de la cheminée et arracher les yeux peints sur la toile. Lorsqu'il eut terminé, il repartit comme il était venu, sans manifester la moindre émotion.

Mme Munckle éclata en sanglots et serra son mari dans ses bras en s'écriant : « Tu es sauvé, tu es sauvé ! », mais M. Munckle refusa de tourner les yeux vers elle. Elle fut obligée de se pencher au-dessus de son mari, d'interposer sa masse entre lui et le mur, pour lui expliquer que tout était fini et que Beeze l'avait gracié. Et même alors, il ne parut guère rassuré.

Rebecca quitta la pièce sans un mot.

Le soir venu, elle se rendit dans la bibliothèque, où Beeze l'attendait, assis devant le damier, en train de disposer les pions. Il portait son masque, comme toujours en la présence de Rebecca, sauf lorsqu'ils faisaient l'amour. (En fait, elle était à présent parfaitement habituée à son visage et nullement gênée par sa vue, mais c'était lui qui s'était si bien accoutumé à son masque qu'il ne se sentait pas à l'aise sans lui.)

« Les rouges ou les noirs ? demanda-t-il.

— Merci, répondit-elle.

— Merci de quoi ?

— Merci d'avoir — changé. » Devinant son embarras, elle continua très vite. « Bon, faisons une partie de dames. Je me sens très en veine, ce soir.

— Attends, j'aimerais d'abord te montrer quelque chose. Disons qu'il s'agit d'un cadeau de Noël anticipé. »

Il l'entraîna vers un coin de la pièce où deux fauteuils étaient installés face aux rayonnages garnis de livres. Au milieu des étagères était logée une petite armoire en bois, mais Rebecca fut incapable de se rappeler si elle l'avait déjà remarquée ou non. Après l'avoir fait asseoir dans un des fauteuils, Beeze alla ouvrir les portes de l'armoire et s'écarta fièrement pour lui laisser voir l'intérieur.

« Vingt dieux ! » Ce fut tout ce qu'elle trouva à dire.

Elle avait devant elle un petit téléviseur couleur, relié, lui expliqua Beeze, à un puissant amplificateur et à une antenne de vingt mètres de haut, près de la maison. Il l'avait fait installer tout exprès pour que Rebecca pût regarder les nouvelles en provenance de Los Angeles et savoir ce qui se passait chez elle.

Après plusieurs semaines d'abstinence, ce fut un réel plaisir que de regarder la télévision. Elle avait un peu l'impression d'observer un autre monde par une fenêtre ; son séjour chez Beeze avait déjà fait d'elle une étrangère et, comme cela arrive souvent lorsqu'on est étranger, certains détails si banals qu'en temps ordinaire elle ne les aurait même pas remarqués lui firent un effet saisissant. Ainsi, l'histoire de réfugiés vietnamiens dont le frêle vaisseau, renvoyé de port en port par les pays voisins, avait fini par sombrer et les noyer, comme autant de chatons indésirables, lui fit monter les larmes aux yeux. Heureusement, un autre reportage, sur un brave corniaud de chien qui avait remporté le concours du Plus Vilain Museau et sur la gloire et les honneurs que lui avait valus cette victoire, lui mit un peu de baume au cœur. Ce fut l'information suivante, cependant, qui la fit s'asseoir tout au bord de son siège, une boule dans la gorge, les poings crispés sur ses genoux.

« La circulation a été interrompue tôt ce matin, dans Fountain Avenue, par la chute d'un homme qui s'est jeté du premier étage à la suite d'une dispute particulièrement violente. Le désespéré, Leslie Horowitz...

— Oh, non ! souffla Rebecca.

— ... un agent qui compte parmi ses clients certains des acteurs les plus connus d'Hollywood, a été transporté d'urgence à l'hôpital de l'UCLA où son état a été jugé critique par les médecins. Une nouvelle flambée de violence vient d'éclater parmi les bandes de voyous de...

— Beeze, c'est Leslie, s'écria Rebecca cramponnée à son bras. Il est blessé, il a besoin de moi. Laisse-moi aller passer une semaine auprès de lui. Je te jure que je reviendrai et que je ne te demanderai plus jamais rien ; je t'épouserai, je resterai avec toi, je te serai fidèle tant que tu voudras de moi, ici, ou à Los Angeles — où tu voudras — mais, je t'en prie, laisse-moi aller trouver Leslie !

— Va », dit Beeze, très simplement.

Elle ravala ses larmes, leva les yeux vers lui, essayant de plonger son regard tout au fond des deux fentes du masque, de croiser celui de Beeze, ce miroir de son âme, mais il était trop loin, il faisait trop sombre. Elle avait été tellement sûre de son refus qu'elle ne savait plus quoi dire.

« Je peux ?

— Oui.

— Oh, Beeze ! »

Elle se remit à pleurer, mais de joie cette fois-ci. Elle lui couvrit les mains de baisers.

« Je serai de retour dans une semaine, murmura-t-elle. Je te le jure. Et après ça, nous ne nous séparerons plus jamais. »

Beeze ne répondit pas. Il se laissa câliner encore une ou deux minutes, puis il la repoussa doucement.

« Pardonne-moi, dit-il tranquillement, mais j'ai énormément de choses à régler. »

Et il la laissa seule, bercée par l'inconséquent bavardage de la télévision.

Cette nuit-là elle rêva qu'elle errait au milieu d'une forêt vierge, à la recherche du monde civilisé.

Il faut que je sois de retour à temps pour le tournage, répétait-elle inlassablement.

Beeze parut à ses côtés, vêtu d'un rutilant uniforme de chef de train, tenant à la main une rose fanée. *Tu y seras*, promit-il, *je me suis occupé de tout. Tout est réglé.*

Pourtant à chaque instant, des lianes lui emprisonnaient les chevilles, l'empêchant d'avancer, et le sol mouvant semblait engloutir ses pas. Et puis soudain, les moustiques attaquèrent par milliers, certains gros comme des moineaux, vrombissant de plus en plus fort. Assise dans son lit, elle comprit que c'était un bruit d'hélicoptères qui l'avait réveillée, plusieurs hélicoptères qui survolaient la demeure. Elle mit longtemps à se rendormir, se demandant ce que tout cela présageait.

Le lendemain matin, la maison était déserte. Elle sonna pour avoir son petit déjeuner, mais personne ne vint. Elle courut jusque chez Ann et cogna à la porte ; celle-ci s'ouvrit sous son poing, l'appartement était nu, vidé de toutes ses belles antiquités, des peintures sur soie qui ornaient les murs, vidé de ses meubles et de ses tapis. Toutes les autres pièces étaient vides, elles aussi, et Rebecca partit en courant dans le couloir, le claquement de ses talons résonnant de façon sinistre comme un roulement de tambour avant une exécution, en proie à une peur panique qu'elle n'avait plus ressentie avec autant d'acuité depuis son enfance, la peur d'être abandonnée.

Elle tendit l'oreille pour guetter tous les bruits familiers, les tintements de casseroles dans la cuisine, les remontrances de Mme Munckle à son époux, la bande sonore d'un film en provenance de la salle de projection, le murmure de l'eau sur les plantes du jardin, la psalmodie d'un Soutra, mais ils s'étaient tous tus, il ne restait plus rien, pas même le sourd ronron du climatiseur qui était un peu le battement du cœur de la maison.

Peur d'être abandonnée, peur d'être trahie. Une peur pire encore que la mort. Rebecca descendit comme une folle le grand escalier de marbre, manquant de dévaler les marches trop lisses, et se rua à travers le grand hall d'entrée — pour s'arrêter net. Beeze l'attendait, à l'endroit exact où il s'était avancé pour l'accueillir, quelques semaines auparavant, des semaines qui, rétrospectivement, semblaient recouvrir plusieurs existences.

« Bonjour, Rebecca, dit-il. Tu es prête ?

— Où sont les autres ?

— Partis.

— Partis ? Partis où ?

— Repartis vers leurs anciennes vies. Le Dr Resnick et

le Dr Chin ont été nommés professeurs dans deux des principales universités du pays. Henri et David ont acheté — avec mon aide — un restaurant en Bourgogne qui ne devrait pas tarder à glaner ses trois étoiles. Le yogi Gnesha est allé retrouver ses disciples à New York — à présent, il leur est plus nécessaire qu'à moi — et les Munckle sont désormais les propriétaires d'un coquet appartement à Miami. M. Munckle ira faire des tours de magie dans les hôpitaux pour distraire les enfants.

— Tout ça du jour au lendemain ?

— Toutes les dispositions avaient été prises il y a plusieurs années. Il a suffi de tout mettre en branle.

— Et Samson ?

— Samson reste ici. Il est simplement allé préparer l'hélicoptère. »

A ces mots, Rebecca sentit son sang chanter dans ses veines. Il allait vraiment la laisser partir. Jusque-là elle n'avait pas osé y croire.

« Qu'est-ce que ça signifie ? demanda-t-elle.

— Viens avec moi. »

Il l'entraîna au sous-sol, dans le laboratoire où elle avait surpris les deux médecins en train de forniquer devant un cochon mort. Ils étaient partis à présent, de même que les cochons, leurs cages et tous les instruments en verre et les étranges machines qui avaient encombré la pièce. Il ne restait plus que l'énorme réfrigérateur avec sa double porte métallisée. Beeze l'ouvrit et sortit de l'intérieur immaculé un plateau sur lequel était posée toute une armée de flacons remplis d'un liquide transparent.

« C'est de l'insuline, précisa-t-il en les montrant à Rebecca. Sans elle, je suis un homme mort. »

Il prit un flacon et le laissa tomber ; il le fracassa sur le sol. Il en prit un second et recommença, puis un troisième. Un par un, les flacons se brisèrent contre les dalles de pierre. Rebecca resta un instant sans réaction, puis elle hurla : « Arrête ! » et tenta de lui arracher le plateau des mains. Il la repoussa et elle dut regarder, impuissante, les flacons exploser, les uns après les autres, comme de minuscules bombes, et répandre leur précieux liquide sur le sol.

« Arrête, je t'en prie ! supplia-t-elle. Je t'en prie ! »

Il finit par obéir, lorsqu'il ne resta plus que deux flacons. Il les fit miroiter à la lumière, un dans chaque main.

« Chacun contient trois centimètres cubes d'insuline », expliqua-t-il. C'est tout ce qui reste. Il me faut quarante unités par jour pour survivre. » Il remit un des flacons dans le réfrigérateur. « Etant donné qu'il s'agit d'une solution U-100, chaque flacon me durera très exactement sept jours et demi, une semaine et douze heures. » Il tendit l'autre fiole à Rebecca qui s'en saisit comme s'il s'agissait d'une simple relique. « Emporte-le avec toi à Los Angeles, poursuivit-il. Si tu reviens ici dans sept jours, tu me rapporteras la vie. Alors peut-être te suivrai-je dans cette ville et essaierai-je de mener la vie d'un homme normal. Mais si dans sept jours tu n'es pas revenue, je mourrai. Ce ne sera pas un bien grand sacrifice, car je n'ai aucune envie de vivre sans toi.

— Beeze, je ne...

— Ta valise est prête. Elle t'attend dans l'hélicoptère. Au revoir, Rebecca. »

10

La Belle enleva l'anneau magique que lui avait donné la Bête et aussitôt elle se retrouva sur le seuil de la maison paternelle. Le cœur gonflé d'allégresse, elle courut à l'intérieur et trouva son père dans son lit, entouré du physicien et du prêtre, avec ses deux filles aînées à son chevet, exactement comme elle l'avait vu dans le miroir enchanté. A la seule vue de sa fille préférée, il retrouva ses forces et quitta aussitôt son lit, renvoyant le médecin et le prêtre, non sans les avoir remerciés de leurs bons soins et généreusement récompensés.

Les deux sœurs de la Belle, cependant, étaient moins satisfaites, surtout lorsqu'elles découvrirent le coffre rempli de superbes robes et de bijoux que la Bête avait, par magie, fait parvenir à leur sœur. Elles-mêmes avaient, en effet, épousé deux bons à rien dont elles s'étaient éprises en raison de leurs jolies figures, de leur bel esprit et de leur élégance. La Belle ayant remercié tout haut son aimable Bête pour ce somptueux présent, ne garda pour elle que la plus simple des robes et offrit toutes les autres à ses sœurs, en leur assurant qu'elle n'en avait aucun besoin. A présent qu'elle s'était engagée à épouser la Bête, elle possédait la plus grande richesse qui fût au monde : le bonheur d'une union fondée sur l'amour et le respect.

Hélas, ce trait si louable de générosité ne servit qu'à alimenter les feux de l'envie que lui portaient ses sœurs. Celles-ci descendirent dans le jardin, pour cacher à tous leurs larmes de rage et échanger des propos pleins d'amertume : En quoi cette vilaine petite créature nous est-elle supérieure pour être tellement favorisée par le sort ?

Ma sœur, dit l'aînée, il me vient une idée : si nous tâchions de la retenir au-delà de la semaine permise, peut-être son affreux monstre serait-il si fâché de voir qu'elle manque à sa parole qu'il refuserait de la recevoir.

Tu as raison, ma sœur, repartit l'autre. Il faudra donc nous montrer fort aimables avec elle, pour qu'elle ne risque point de percer au jour notre stratagème.

Ayant pris cette résolution, elles remontèrent dans la chambre de leur père où elles manifestèrent à leur cadette tant de bonté et d'affection que la pauvre Belle en pleura de joie. Lorsque la semaine toucha à sa fin, ses sœurs jetèrent de tels cris et s'arrachèrent les cheveux en telles quantités, que la Belle, touchée par leur douleur, promit de rester auprès d'elle une semaine de plus.

La Belle, cependant, sensible comme elle l'était, ne pouvait manquer de songer au chagrin que son absence prolongée devait causer à la malheureuse Bête, qu'elle aimait sincèrement et qu'elle brûlait de retrouver. La dixième nuit qu'elle passa sous le toit paternel, elle rêva qu'elle était de retour dans le parc de la Bête et qu'elle apercevait celle-ci, étendue dans l'herbe, l'implorant d'une voix mourante de revenir s'agenouiller auprès d'elle et lui tenir la main, pour l'aider à quitter cette vallée de larmes.

La Belle s'éveilla aussitôt, se reprochant amèrement d'avoir ainsi manqué à sa promesse. Elle remit à son doigt l'anneau magique qu'elle portait accroché à une chaîne autour de son cou, et se retrouva sans tarder dans le palais enchanté. Elle le parcourut de fond en comble à la recherche de la Bête et, ne l'ayant point trouvée, elle sortit dans le parc. Lorsqu'elle eut gagné l'endroit qu'elle avait vu en rêve, elle aperçut le pauvre monstre étendu sans connaissance, mort peut-être...

Leslie n'avait pour se distraire d'autre ressource que de regarder la petite télévision suspendue au-dessus de lui. La lecture exigeait, en effet, un mouvement de la tête et des bras, qui, en faisant imperceptiblement bouger son bassin fracturé, lui envoyait une pointe acérée de douleur à travers tout le corps. Ses pensées formaient une boucle infernale qui, partant de l'impossibilité de vivre désormais avec Tommy, aboutissait inévitablement au suicide. Quant à la conversation, il n'avait sous la main aucun interlocuteur valable. Sheila était passée le matin même lui porter du bouillon de poulet (elle ne cherchait nullement à jouer les mères juives ; face à la crise qui venait de s'abattre sur eux, sa réaction semblait presque atavique), des bonbons et des livres. Elle s'était attardée une demi-heure à son chevet et c'était lui qui avait fini par la mettre dehors. Il n'avait rien à lui dire, tout simplement. Il n'avait rien à dire à personne, en dehors de Tommy et de Rebecca, et aucun des deux n'était là.

Ce qui n'était pas rigoureusement exact. Au cours de sa visite, en effet, Sheila lui avait annoncé que Tommy attendait dans le petit salon au bout du couloir, qu'il y avait passé la nuit et qu'il était fou d'inquiétude ; il l'avait chargée de demander à Leslie s'il acceptait de le voir, ne fût-ce qu'un instant.

« Non », avait répondu Leslie, coupant court à toute discussion.

Les plus affreuses prisons, les pires enfers, ce sont ceux qui nous dressons nous-même autour de nous.

Il ne lui restait plus, par conséquent, qu'à regarder la télévision. Ce ne serait peut-être pas si mal, avait-il commencé par se dire. C'était une chose qu'il avait rarement le temps de faire d'habitude — exception faite du cinéma de minuit chaque fois qu'il souffrait d'insomnie — et il était assez curieux de voir ça. Jadis, dans son enfance, lorsqu'une mauvaise bronchite l'empêchait d'aller à l'école, sa mère lui improvisait un lit sur le canapé du salon et elle laissait le vieux poste branché toute la journée. C'était merveilleux de passer des heures en compagnie de toutes les familles d'« Américains moyens » qui peuplaient les feuilletons et dont les plus graves problèmes étaient de savoir si Beaver parviendrait à récupérer son gant de base-ball à temps pour le match ou si sa grande sœur réussirait à se faire inviter par le capitaine de l'équipe de football. Le petit Leslie rêvait qu'il devenait à son tour le héros « moyen » d'un de ces feuilletons, ce qui lui donnait, pour la première et la dernière fois de sa vie, l'impression d'appartenir à un groupe, à une communauté, à une famille. Oui, c'étaient vraiment des souvenirs formidables !

Malheureusement, il avait dû changer, ou bien c'était la télévision qui avait changé, ou les deux, car à présent il trouvait toutes ces émissions insipides, voire horripilantes.

Lorsque à midi une des chaînes régionales annonça *Barracuda*, un extraordinaire vieux film, avec Marlene Dietrich, il eut un peu la réaction d'une victime de l'Inquisition graciée en pleine séance de torture. Et pourtant, cette rose avait son épine, car le producteur du film, comme vint le lui rappeler en énormes lettres le générique, au son d'une musique assourdissante, n'était autre que Billy Rosenblatt, l'homme qui se préparait à mettre Rebecca sur la paille pour rupture de contrat. Il ne tarda pas cependant à oublier cette menace, succombant une fois de plus à la magie du film. Il oublia Tommy et Mack Gordon et même le monstre du désert qui retenait Rebecca captive, il oublia enfin le réseau de fils de fer étincelants, de poulies et de contrepoids qui, tel le gréage de quelque navire diabolique, maintenait ses jambes à la verticale, comme des mâts, pour permettre aux os de son bassin de se ressouder. Lorsqu'il entendit frapper et que la porte s'entrebâilla très légèrement, il grommela sans même détourner les yeux de l'écran : « Allez-vous-en !

— Sale mufle ! » répondit une voix familière.

Leslie tourna la tête avec tant de brusquerie que l'assortiment de fils et de poulies le rejeta en arrière, lui arrachant un gémissement étouffé.

« Non, non, ne te lève pas », plaisanta Rebecca en entrant dans la pièce, chargée de fleurs, de fruits et de divers magazines spécialisés dans les choses du cinéma, dont elle savait son ami particulièrement friand.

« Oh, je suis si heureux de te voir que j'ai envie de pleurer !

— Moi aussi ! » Elle l'embrassa sur le front.

« Comment as-tu réussi à t'échapper ? » Les larmes roulaient le long des joues de Leslie.

Avant de répondre, Rebecca sonna l'infirmière et lui demanda de mettre les fleurs dans un vase, ce qu'elle fit en plaisantant avec son malade au sujet du film qu'il devait lui faire tourner dès que possible. Lorsqu'elle fut repartie, Rebecca approcha une chaise du lit.

« Dis-moi d'abord comment tu te sens, insista-elle en lui prenant la main. Qu'est-ce qui s'est passé ? Ils ont dit à la télévision que tu avais sauté par la fenêtre. »

Il lui expliqua comment son terrible sentiment de culpabilité l'avait progressivement fait sombrer au fin fond de la dépression et comment, après sa rupture avec Tommy, il en était venu à la conclusion qu'il n'avait plus envie de vivre.

« Eh bien, tu as intérêt à changer de refrain ! le gronda Rebecca d'un ton sévère. Qu'est-ce que je deviendrais sans toi ?

— Tu penses vraiment ce que tu dis ?

— Tu le sais très bien.

— Si je pouvais croire que ma vie est utile à quelqu'un...

— Elle m'est utile à moi, alors ne parlons plus de suicide, tu veux ? Bon, et maintenant, est-ce qu'on t'a dit que Tommy attendait dehors dans le couloir ?

— Il est toujours là ?

— Oui, et il n'a pas l'air d'avoir dormi depuis Dieu sait quand. Il m'a chargée de te demander...

— Non ! coupa Leslie...

— Tu refuses de le voir ?

— Oui.

— Sais-tu que tu es une vraie tête de lard ?

— J'ai dit *non* !

— Il t'aime et tu l'aimes. Vous êtes heureux ensemble. Ce

n'est pas une chose qui arrive si souvent qu'on puisse se permettre de la fiche en l'air comme un vieux Tampax.

— Ecoute, je ne veux même pas en parler, déclara Leslie. Dis-moi plutôt comment tu t'es échappée !

— Je ne me suis pas échappée, Beeze m'a laissée partir. »

Elle lui raconta comment ses rapports avec le milliardaire s'étaient métamorphosés, passant de la haine d'une prisonnière pour son geôlier à la plénitude d'un amour véritale entre deux pairs ; elle lui expliqua que son plus cher désir était à présent d'épouser Beeze et d'avoir des enfants de lui et elle lui assura qu'il avait changé, lui donnant pour gage de ce renouveau la grâce de M. Munckle, la dispersion de toute la maisonnée et bien sûr son propre retour à Los Angeles, munie du précieux flacon d'insuline. Leslie, pourtant, resta sceptique.

« En ma qualité d'ami, déclara-t-il, je te conseille de rester ici et de le laisser crever dans son désert.

— Leslie !

— Et en ma qualité d'agent, j'exige que tu me promettes de passer les deux semaines qui viennent à postsynchroniser le chef-d'œuvre de Mack Gordon.

— Deux semaines ? Deux jours, tu veux dire ! C'est tout ce que stipule le contrat et je te jure que cet enfant de salaud fera bien de s'en contenter !

— Ce que stipule le contrat, on s'en contrefout. Ce qui compte, c'est que tu commences à avoir une réputation d'emmerdeuse et que tu n'es pas une assez grande vedette pour te le permettre, en tout cas pas encore. Billy Rosenblatt est prêt à t'attaquer en dommages et intérêts pour avoir joué les filles de l'air juste avant le début de son tournage et quelqu'un a fait passer une page de pub dans *Variety*, annonçant que Mack Gordon avait l'intention de retourner toutes tes scènes dans *La toile d'araignée*, avec Victoria Dunbarr dans ton rôle.

— Quoi ?

— Mack prétend qu'il n'est pas au courant, et on peut lui accorder le bénéfice du doute, mais je ne veux lui donner aucune raison de te blackbouler. Son film n'est peut-être

334

pas le chef-d'œuvre du siècle, mais il servira au moins à te faire voir et à asseoir ta réputation de grand premier rôle, et c'est de ça que tu as le plus besoin en ce moment.

— Je n'ai aucune intention de perdre deux nouvelles semaines de mon existence avec ce fumier. Deux minutes, ce serait déjà trop. Dis-lui qu'il ne se gêne surtout pas et qu'il refasse le tout avec Victoria si ça lui chante. Je n'en ai strictement rien à fiche.

— Bon, eh bien, puisque tu le prends sur ce ton, tu peux te chercher un autre agent ! hurla Leslie. J'en ai par-dessus la tête d'essayer de sauver ta carrière malgré toi. Tu es la fille la plus masochiste, la plus destructrice...

— Oh, je t'en prie, laisse-moi rire ! Je suis sûre qu'un Javanais sourd-muet me serait de plus d'utilité que toi ! Si tu crois que je vais me laisser menacer et malmener... »

Elle se tut brusquement et le regarda, les larmes aux yeux, avant de s'écrier d'une voix contrite : « Oh, Leslie, pardon ! Je ferai cette synchro, je ferai tout ce que tu voudras ! » Elle s'agenouilla à côté du lit et posa la joue contre sa main. « Seulement, j'ai promis à Beeze de retourner auprès de lui dans une semaine.

— Et si j'arrivais à persuader Gordon de boucler toute sa synchro en une seule semaine ?

— Mais comment veux-tu faire, cloué dans ce lit ?

— Mon petit chou, tant qu'il restera un souffle de vie dans ce corps sculptural qui est le mien, je serai toujours capable de téléphoner. Appelle-moi immédiatement Mack Gordon. Fais-toi passer pour ma secrétaire. Tu as déjà joué des secrétaires, non ?

— Je peux taper six cent mots à la minute, monsieur Horowitz, mais il ne faut pas compter sur moi pour vous faire du café, dit-elle avec son plus bel accent new-yorkais.

— Bien, n'en rajoute pas trop quand même. Et surtout, ne dis pas que je suis à l'hôpital. »

Rebecca appela le studio et fut aussitôt mise en communication avec la secrétaire de Mack Gordon.

« Je suis désolée, lui répondit celle-ci, mais M. Gordon est en réunion et il m'est très difficile de le déranger. Si vous voulez bien laisser votre numéro...

— C'est Leslie Horowitz qui voudrait lui parler des séances de postsynchronisation de Rebecca Weiss la semaine prochaine, annonça Rebecca de sa voix de secrétaire.

— Un instant, s'il vous plaît, puis : Il vient juste de remonter, je vous le passe.

— Allô ? » C'était la voix bourrue de Mack Gordon et, en dépit de tout, Rebecca sentit les battements de son cœur s'accélérer. Elle respira à fond pour se ressaisir et dit : « Ne quittez pas, s'il vous plaît. »

Leslie lui fit signe de maintenir l'écouteur contre son visage : « Allô ? dit-il. Oui, je voulais juste vous signaler que Rebecca venait de rentrer et qu'elle sera au studio demain matin à la première heure. Où était-elle ? A New York. Vous savez comment ça se passe, ces choses-là. Elle est allée à une soirée où elle a rencontré Arthur Howard, le critique cinématographique du *New York Times*... Quoi donc ?... Oh, non, non, elle n'avait que des compliments à faire de votre film. A ce que j'ai cru comprendre, ils ont eu un véritable coup de foudre ; il l'a même invitée à aller passer la semaine prochaine à la montagne avec lui, dans le Vermont. Il était vraiment très contrarié qu'elle soit obligée de rentrer si vite à Los Angeles... Oui, oui, je crois qu'on pourrait même dire furieux. Il s'est probablement senti rejeté, vous comprenez. Eh oui, c'est bien dommage. Ce n'est vraiment pas de chance que vous ayez besoin de ces deux semaines de synchro, parce qu'évidemment si vous aviez pu tout faire cette semaine, Rebecca aurait pu sauter dans l'avion de New York au week-end et passer la semaine suivante avec lui, pour se faire pardonner et le consoler... Dites donc, vous croyez vraiment que ça serait possible ? Oh, ça, je suis sûr que Rebecca vous en serait éternellement reconnaissante... Oui, comme je vous l'ai dit, elle est très emballée par votre film. Merci beaucoup, Mack. Au revoir. »

Rebecca raccrocha et tourna vers son ami un regard béat d'admiration.

« Comment fais-tu pour raconter toutes ces salades sans rire ? voulut-elle savoir.

— Oh, j'ai beaucoup travaillé, tu sais. Pendant des années, j'ai menti à mes parents, menti à mes professeurs, menti à mes amis, menti à moi-même. »

« Qui est là ? » demanda Victoria, réveillée en sursaut, en proie à d'affreuses visions de cambrioleurs ou de sadiques. Puis elle s'aperçut que c'était le plein milieu de la journée — le réveil de la table de nuit indiquait treize heures quinze — et elle se détendit. C'était probablement Manuella, la femme de ménage, qui venait d'entrer avec sa clef (mais pourquoi Charlemagne miaulait-il comme un perdu ?). Elle sortit de son lit, vêtue du grand tee-shirt de l'université de Princeton qui lui servait de chemise de nuit, et fit quelques rapides mouvements d'assouplissement en se tenant aux montants de cuivre, avant de filer dans la salle de bains s'asperger le visage à l'eau froide. Elle avait rendez-vous à treize heures pour déjeuner avec Roy et il ne fallait quand même pas faire attendre le pauvre homme au-delà du strict nécessaire. Lorsqu'elle regagna la chambre, elle trouva Rebecca sur le seuil de la porte, qui regardait autour d'elle d'un air étonné.

« Becky ! s'écria-t-elle, en courant l'embrasser. Oh, que je suis contente de te revoir saine et sauve !

— Mais qu'est-ce que tu fais dans ma chambre ?

— Eh bien, tu me manquais tellement que je n'ai pas pu supporter ton absence, alors je me suis mise à coucher dans ton lit. Ça paraît idiot, je sais, mais ça m'a fait du bien. Ça ne t'ennuie pas, dis ?

— Non, non, pas du tout. Tu as l'air déçue de me voir ?

— Déçue, moi ? Mais non, je suis enchantée ! Oh, et puis, tiens, ce n'est pas vraiment la peine d'essayer de mentir à quelqu'un qui me connaît aussi bien que toi. Figure-toi que Mack Gordon m'avait promis de refaire *La toile d'araignée* en me donnant ton rôle, mais maintenant que tu es revenue, il va sûrement laisser tomber. Cela dit, je suis si heureuse de te revoir que ça m'est bien égal. Et puis de toute façon, c'est un rôle qui n'a vraiment aucun intérêt. Pour mon premier grand rôle, je veux un personnage qui ait du poids et du relief.

— Décidément, les saloperies dont ce bonhomme est capable m'étonneront toujours ! Il t'a probablement offert ça uniquement pour essaye.· de nous brouiller. Et parce que tu es une excellente actrice, bien sûr ! se hâta-t-elle d'ajouter. Tout va bien ici ? Charlemagne a bien voulu manger ?

— Oh, tu sais ce qu'il a fait Charlemagne ? Je te le donne en mille ! Il a attrapé une souris.

— Non ! »

Rebecca se pencha pour prendre le chat, qui se laissa pendre au bout de ses bras comme un gros morceau d'élastique et plongea les yeux dans son regard ambré.

« C'est vrai ? demanda-t-elle. Tu as mangé une souris ?

— Miaou, répondit-il.

— Espèce de vilain animal ! » lança-t-elle d'un ton accusateur. Puis elle l'embrassa sur le front et le jeta sur le lit.

« Alors, ne me fais pas languir ! s'écria Victoria en joignant les mains. Comment t'es-tu échappée ?

— Il m'a laissée partir. Il n'est pas du tout comme l'a décrit Leslie, tu sais. Enfin, je veux dire, peut-être qu'il l'était, mais il ne l'est plus. D'abord, il est remarquablement intelligent — il traduit Platon dans le texte — et quand il joue du violon, j'ai tout de suite une faiblesse au niveau des genoux. Et en plus il a un corps superbe.

— Rebecca ! Tu n'as quand même pas...

— Mais si !

— Mais enfin, il n'est pas... défiguré ?

— Oh, ce n'est pas si terrible, une fois qu'on le connaît.

— Pourtant Leslie disait qu'il portait un masque.

— Oui, son visage est assez amoché, il faut bien le dire, mais je suis sûre que nous pourrons trouver un chirurgien esthétique capable de faire quelque chose pour lui. Parce qu'enfin si on n'en trouve pas un à Beverly Hills, où le trouvera-t-on, je te le demande ?

338

— Le Dr Martin qui m'a refait le nez était fantastique. Je suis sûre qu'il pourrait vous aider.

— Aide-moi à porter ma valise, tu seras gentille », dit Rebecca.

L'énorme valise était posée à côté du flamant rose, là où Samson l'avait laissée après avoir ramené Rebecca de l'hôpital. Au moment où les deux femmes la traînaient à l'intérieur, la limousine passa silencieusement devant la maison.

« Mais qu'est-ce qu'il y a donc, là-dedans ?

— Des trucs que m'a donnés Beeze. »

Elle la hissèrent sur le lit de Rebecca et commencèrent à déballer tout ce qu'elle contenait. Victoria poussa un cri étranglé en trouvant le collier de diamants. Elle courut l'essayer devant le miroir, s'examinant sous tous les angles.

« Je pourrai le mettre ? supplia-t-elle. Juste une fois ?

— Prends-le, il est à toi, dit son amie.

— C'est vrai ? »

Rebecca inclina la tête : « Tous ces cadeaux somptueux me donnent l'impression d'être une cocotte. Tiens, tu peux tout prendre — sauf ça. » Elle sortit d'entre les piles de robes la boule de cristal dans laquelle était enchâssée la merveilleuse rose rouge.

Mais Victoria était tellement aveuglée par l'éclat des diamants qu'elle ne s'en aperçut même pas.

« Il doit être très riche !

— Un vrai Crésus ! déclara Rebecca. Il songe à venir s'installer à Los Angeles et à se lancer dans la production — en indépendant. Il financerait tout ce que j'aurais envie de tourner. » Elle ne pouvait résister à l'envie de faire un peu bisquer sa petite camarade.

« *Nom de Dieu !*

— Seulement, je ne suis pas sûre qu'un mari et une femme aient intérêt à travailler ensemble.

— Hé là, minute ! Tu vas trop vite pour moi. Mari et femme ? Vous allez vraiment vous marier ?

— Il me l'a demandé, mais je n'ai pas encore dit oui. Je le lui dirai vendredi, à mon retour.

« — Oh, je pourrai être demoiselle d'honneur ?

— Vicky, en ce qui me concerne, tu peux même être rabbin !

— Je mettrai ma robe blanche avec les petits nœuds.

— Hé, attention ! Pas question d'être trop belle ! Je ne voudrais pas que le marié change brusquement d'avis.

— Oh, je suis dans tous mes états. Les mariages me font pleurer ! »

Victoria suivit son amie dans la cuisine.

Rebecca sortit le refrigérateur et sortit de son sac un petit flacon de liquide transparent.

« Qu'est-ce que c'est ? voulut savoir Victoria.

— De l'insuline. Il ne peut pas vivre sans.

— Ah bon ? Il est diabétique ?

— Non, c'est une histoire de pancréas. On a été obligé de le lui enlever, après son accident d'avion, alors son corps ne peut plus fabriquer d'insuline. Je n'ai jamais été très calée en biologie, tu sais. En tout cas, c'est toute l'insuline qui lui reste. Il me l'a confiée et si je ne retourne pas auprès de lui vendredi soir, il mourra.

— Tu veux dire que c'est lui qui a combiné ça comme ça ? Ça me paraît un peu tordu sur les bords, non ?

— Je dois dire qu'il n'est pas comme tout le monde. Sous son écorce de surhomme, il est terriblement sensible et vulnérable. Il a besoin que je lui prouve mon amour, et moi, je comprends ce besoin et je suis prête à le lui prouver.

— Mais, ma parole, tu n'es plus la même ! s'exclama Victoria.

— Peut-être que non ! Peut-être que j'en ai assez des amours d'un jour et des hommes qui me traitent comme la dernière des dernières. »

Elle plaça le flacon d'insuline dans le beurrier en plastique blanc.

« Oh, ça me fait un bien fou de t'entendre parler comme ça, s'écria Victoria. Si nous allions déjeuner en filles, pour fêter ça ? C'est moi qui t'invite — si tu peux me prêter deux dollars pour finir ma semaine.

340

— Je n'ai plus un sou de liquide, déclara Rebecca. Je n'ai plus sur moi que deux millions de dollars en diamants. »

Brusquement, Victoria ouvrit des yeux horrifiés : « Bon Dieu, je dois aller déjeuner avec Roy ! Quelle heure est-il ?

— Deux heures moins vingt-cinq.

— Aïe, aïe, aïe, il va me tuer ! Il va m'écorcher vive ! On se voit pour le dîner, d'accord ? »

Et sans laisser à Rebecca le temps de répondre, Victoria disparut.

Rebecca prit Charlemagne dans ses bras et le regarda droit dans les yeux.

« Je vais te dire une bonne chose, chat. Ici, à Benedict Canyon, rien ne change jamais. Rien de rien.

— Miaou », convint Charlemagne et il lui lécha le bout du nez.

Rebecca passa une semaine si endiablée qu'elle avait à peine le temps de penser. Tous les matins à sept heures, elle prenait sa douche et s'habillait pour partir aux studios. Jour après jour, dans une salle d'enregistrement spéciale, aussi sombre et caverneuse qu'un hangar d'aviation, on leur passait une ou deux minutes de pellicule montée en « boucle », pour pouvoir la regarder indéfiniment, aussi souvent qu'il le fallait. Les deux ou trois premières fois, les acteurs se regardaient sur l'écran et s'efforçaient de faire correspondre les nouveaux dialogues aux mouvements des lèvres. Parfois, lorsque le personnage était loin de la caméra, ou ne lui faisait pas directement face, c'était simple comme bonjour ; mais, d'autres fois, surtout en gros plan, c'était extraordinairement difficile, et il y avait même des moments où les acteurs étaient obligés d'improviser eux-mêmes un nouveau dialogue, avec, bien sûr, l'assentiment de Mack Gordon. Après avoir vu la boucle défiler par trois fois, ils avaient droit à trois prises (plus si nécessaire) pour enregistrer les nouveaux dialogues. La boucle commençait à défiler et, le moment venu de parler, les protagonistes entendaient trois *top* sonores dans leurs casques. Au bout de huit ou neuf heures de synchro, ces trois *top* n'avaient rien à envier à la célèbre torture chinoise de la goutte d'eau.

A sept heures du soir, Rebecca quittait le studio, épuisée, achetait à manger chez un traiteur juif ou chinois et allait dîner avec Leslie dans sa chambre d'hôpital. Tout en faisant la dînette, elle lui racontait la séance de travail de la journée, puis elle lui lisait les petites annonces du *Los Angeles Free Press* (fou rire garanti, comme ils le disaient volontiers), ou bien les histoires de soucoupes volantes du *National Enquirer*, ou encore tous les potins croustillants sur ses clients dont regorgeaient les magazines spécialisés. Et chaque jour, Leslie semblait sortir un peu plus de sa dépression et reprendre goût à la vie.

Tous les soirs, à dix heures, lorsque l'infirmière la mettait dehors, elle retrouvait Tommy qui l'attendait au bout du couloir. Il la questionnait d'un regard pathétique et elle secouait tristement la tête. Elle était tout aussi désolée que lui, car elle savait bien que tant que ses deux amis ne seraient pas réconciliés, ni l'un ni l'autre ne retrouverait sa tranquillité d'esprit.

Après quoi elle rentrait enfin se coucher, trop fatiguée pour lire ou regarder la télévision, mais suffisamment éveillée quand même pour remarquer la grande limousine noire de Beeze, qui passait lentement devant la maison, comme un vaisseau spatial autour d'une planète. Continuait-elle à tourner ainsi toute la journée, pendant qu'elle-même était au travail ? se demandait Rebecca, pelotonnée dans son lit. Le pauvre Samson avait-il le droit de manger et de dormir, de faire le plein et de faire pipi, ou bien était-il obligé de passer ses journées et ses nuits à faire inlassablement le tour du pâté de maisons, afin d'être à pied d'œuvre si jamais elle décidait de repartir plus tôt que prévu auprès de Beeze, et surtout — connaissant Beeze — afin de lui rappeler son autre vie, et le désert, avec son air si pur et son soleil aveuglant ? Et s'il lui arrivait quelque chose — si elle mourait brusquement d'une congestion cérébrale ou frappée par la foudre — la limousine continuerait-elle à tourner à jamais autour de chez elle, deviendrait-elle un mythe, comme le vaisseau fantôme du Hollandais, attendant d'être sauvé par l'amour d'une femme, ou comme la mystérieuse femme voilée qui venait pleurer sur la tombe de Valentino ?

Assise à l'arrière d'un Boeing 747, face à un plateau de déjeuner, Flossy McGee chipotait. Cependant, le repas fût-il sorti tout droit des fourneaux du meilleur chef français, elle en aurait fait autant, car son manque d'appétit était dû davantage à une crise de conscience qu'à l'aspect nauséabond des mets qu'on lui avait servis. Elle était en route pour New York, afin d'acheter les droits cinématographiques du roman à sensation d'Angela Rosenblatt ; elle allait servir de « façade » à Billy, un procédé passablement courant dans les milieux hollywoodiens. Elle devait se faire passer pour une jeune productrice indépendante, aux moyens limités. Selon le scénario qu'ils avaient concocté, Billy et elle, elle compenserait la modicité de son offre par son enthousiasme juvénile, ses prises de position résolument féministes et son intégrité que n'avait pas encore entamée le mercantilisme qui sévissait dans la capitale du cinéma. Elle devait en outre faire miroiter à Angela toutes sortes de possibilités créatrices, dont l'entière responsabilité du scénario. Billy comptait sur le charme, la personnalité et le brio de son assistante pour conclure l'affaire. Il savait pertinemment que son ex-femme avait un faible pour les jeunes industrieux, désireux de gravir un à un les échelons du succès — n'était-ce pas ce qui l'avait séduite chez lui, bien longtemps auparavant ? Une fois qu'elle aurait vendu les droits à Flossy, celle-ci renoncerait à produire le film et les revendrait à Billy pour un dollar ; et ce dernier pourrait alors mettre tout bonnement le projet sous l'éteignoir, le condamnant à l'oubli éternel et s'assurant que sa vie privée ne serait pas étalée au grand jour, en tout cas pas en cinémascope. Le roman, évidemment, serait quand même publié, mais, comme le disait plaisamment Billy, il connaissait si peu de gens à Hollywood qui savaient lire que ça ne l'inquiétait guère.

343

Sur le plateau de Flossy, les aliments refroidirent et la sauce se figea, tandis qu'elle remâchait l'ignominie de sa mission. Le féminisme était l'un des rares idéaux contemporains pour lesquels elle fût prête à se battre et l'idée de s'en servir pour rouler une autre femme — une femme qu'elle ne connaissait même pas — et ce à seule fin d'éviter quelques instants d'embarras à Billy Rosenblatt, lui paraissait hautement répréhensible. En dépit de la maladresse du style, en dépit des ribambelles de marques publicitaires à chaque page, en dépit du côté conventionnel des passages pornographiques (homme-femme, homme-femme-femme, femme-chien), Flossy avait eu un coup au cœur pour ce livre. La voix de la narratrice faisait passer une énergie et un cynisme qui parvenaient Dieu sait comment à charmer. Et la trame proprement dite était merveilleusement bien fichue, avec énormément de suspense et de nombreuses scènes qui ne demandaient qu'à être portées à l'écran. Flossy s'amusa à imaginer comment elle s'y prendrait, si elle devait réellement produire le film, distribuer les principaux rôles, trouver un bon metteur en scène, aider le scénariste à élaguer suffisamment son matériau. C'était un fantasme si absorbant qu'elle ne vit pas passer le temps et fut tout étonnée d'entendre le commandant de bord annoncer leur arrivée au-dessus de l'aéroport John Kennedy.

Le soir, Angela Rosenblatt vint la voir dans la suite qu'elle avait retenu au Sherry Netherland. La femme dont Flossy avait si souvent entendu parler comme d'une « vilaine sorcière de la côte Est » ou d'une « casse-couilles » ou tout simplement d'une « folle », la femme qui, selon Billy, n'avait d'autre but dans la vie que de « le mettre sur la paille », de « lui coller un ulcère » et de « ne jamais se remarier », était en fait éminemment sympathique : la langue bien pendue, pétillante d'esprit, fine comme l'ambre, débordante de vie malgré ses cinquante-huit ans. Physiquement, c'était encore une beauté, blond cendré, dont la peau bien tendue et les yeux légèrement bridés semblaient indiquer un ou deux « liftings » aux mains des plus habiles champions du bistouri. Elle portait un épais tailleur de tweed, un chemisier en soie avec une cravate assortie et elle tenait à la main une serviette en cuir, aux coins renforcés de métal doré. Elle s'assit sur le canapé, les jambes croisées, tirant sur sa cigarette pendant que Flossy lui faisait son offre.

La jeune femme n'en était encore qu'à la moitié, lorsque Angela l'arrêta : « N'en dites pas plus, mon petit chou, les droits sont à vous. »

Flossy la regarda interloquée.

« Inutile de continuer, déclara Angela, je ne crois pas un mot de ce que vous dites. Oh, je n'ai rien contre vous personnellement, mon petit chou, comprenez-moi bien, mais je ne crois jamais un mot de ce que racontent les producteurs. Quand on a passé la moitié de sa vie avec Billy Rosenblatt, ça n'a rien d'étonnant, vous savez. Alors, avant de vous rencontrer, j'avais décidé de vous juger selon mes propres critères et, suivant la note obtenue, de vous céder ou non les droits. Par exemple, je m'étais dit que si la première chose que je voyais en entrant dans votre chambre était toute une panoplie de bagages Vuitton, je vous enlevais deux points ; si vous me faisiez poireauter pendant que vous parliez à un quelconque « Laddie » ou « Swifty » ou « Ray » livré à lui-même sur la côte Ouest, ça faisait quatre points de moins ; et si vous appeliez mon livre « l'objet en question », ou que vous m'assuriez avoir lu un « synopsis », ou que vous m'offriez un « bénéfice fluctuant » ou n'importe quel autre « bénéfice », j'aurais repassé la porte aussi sec. Mais il faudrait être aveugle pour ne pas voir que vous avez à la fois de la tête et du cœur, et ça, ça vous a valu cent points d'emblée. Vous pouvez donc considérer que les droits sont à vous. En sortant d'ici, je téléphonerai à mon agent pour lui signifier ma décision. Il me traitera d'idiote et de poire et me dira combien nous aurions pu obtenir, et puis il finira par faire ce que je lui dis. Vous comprenez, mon petit chou, pour lui, perdre de l'argent, c'est presque pire que de perdre du sang. Moi — eh bien moi, je m'en fiche. J'ai tout ce qu'il me faut. Les enfants sont grands et se débrouillent tout seuls, j'ai mes investissements et ma petite pension alimentaire que je tiens absolument à toucher, juste histoire de

345

m'assurer que Billy n'a pas la vie *trop* facile. Cher Billy !
Comme il les regrette ses millions ! Vous le connaissez ? »
Flossy reconnut que oui.

« Vous ne trouvez pas qu'il est plus vrai que nature dans
son rôle de vieux bouc ? Avec lui, les femmes c'est sacré —
faut qu'elles y passent ! A son âge ! C'est curieux qu'il ne
se rende pas compte que ça devient ridicule. Cela dit, n'allez surtout pas croire que je n'ai aucun respect pour lui. Au
contraire. Pour moi, il reste ce qu'on a fait de mieux dans
l'ancienne race de producteurs. Et vous, mon petit chou,
mon instinct, mon instinct *infaillible*, me dit que vous êtes
ce que l'on fait de mieux dans la nouvelle. Croiriez-vous
qu'un temps, j'ai pensé que Billy allait me faire une offre
pour les droits de mon livre ?

— Non ? Quelle drôle d'idée ! fit nerveusement Flossy.

— Alors, nous sommes bien d'accord ? demanda Angela,
en écrasant sa cigarette et en se levant. Bien. Et maintenant,
allons fêter ça !

— Je crois que je vais rester ici pour me tuer, marmonna
Flossy.

— Pardon ?

— Je dis : je crois que je vais rester ici pour me tuer à
la tâche — mettre le contrat au point dans ses moindres
détails, les clauses et tout ça, vous savez.

— La voilà, la différence entre les vieux et les jeunes !
triompha Angela. Prenez Billy, par exemple : à peine arrivé
à New York, il serait déjà en train de faire la tournée des
grands ducs avec une douzaine de maîtresses. Tandis que
vous, vous restez dans votre chambre d'hôtel à travailler.
Sérieuse, consciencieuse. Vous ferez de grandes choses,
mon petit chou, de grandes choses ! »

Le lendemain, au cours d'un déjeuner d'affaires, aux Quatre Saisons, avec Angela Rosenblatt et son agent, Flossy conclut son marché. L'après-midi même, elle reprenait l'avion
pour la Californie, en se demandant combien de points on
vous retirait pour vous être fait passer pour un être humain
digne de ce nom.

« Je crois qu'on aura bel et bien fini cette synchro demain, annonça Rebecca, confortablement installée au chevet de Leslie.

— Demain ? Tu veux dire qu'on n'est encore que jeudi ? Bon Dieu ! J'ai l'impression d'être coincé ici depuis des mois. La prison, ça doit être exactement comme ça. Sauf que les prisonniers, au moins, n'ont pas de plâtre qui les démange là où ils ne peuvent pas se gratter.

— Tu veux que j'essaie ?

— Non, laisse, je finis par y prendre goût. Je m'imagine que je suis un hérétique aux mains de l'Inquisition et qu'un ravissant petit prêtre est en train d'essayer de me faire avouer mes turpitudes.

— Tu sais que tu es vraiment un drôle de zèbre ?

— Merci. »

Rebecca hésita, répugnant à aborder le sujet tabou, mais se sentant pourtant tenue de le faire.

« Leslie, j'ai quelque chose à te dire. Ça fait une semaine que tu es ici, à présent, et tous les soirs, Tommy...

— Ah, je t'en prie, ne recommence pas !

— *Leslie, écoute-moi !* Tous les soirs, Tommy m'attend dans le couloir et tous les soirs il me demande si tu acceptes de le voir.

— La réponse est non !

— Ah ! ce que tu peux être têtu, bordel !

— Il m'a menti. Il m'a raconté qu'il prenait des cours d'art dramatique, alors qu'il était en train de faire le trottoir. Et tu voudrais que je le revoie ?

— Mais enfin, Leslie, ce n'est quand même pas un crime, de faire le tapin !

— Ah non ? Pourtant je te vois mal au coin d'une rue, en minirobe et perruque nylon, en train de lancer : *Coucou, chéri, viens chez moi, j'ai des caramels* à tous les gars qui passent.

— Pour vous autres, c'est différent et tu le sais très bien. Ce n'est pas une question de femmes exploitées par les hommes.

— Non, c'est une question d'hommes exploités par les hommes.

— Mais non, pas du tout. Tu ne te rappelles donc pas que tu m'as expliqué en long, en large et en travers ce que représentait le tapin pour les homosexuels ? Tu m'as dit que l'argent ne comptait pas vraiment, que c'était simplement pour la frime, pour se donner des sensations ? A t'entendre, ça paraissait vraiment anodin.

— Bon, eh bien si je lui en veux, ce n'est pas parce qu'il se vend, mais parce qu'il m'a menti !

— Parce que toi, tu ne lui as jamais menti ? demanda perfidement Rebecca.

— Nous nous étions juré d'être fidèles !

— Leslie, tu n'es qu'un dégonflé, une lavette !

— Notre amour devait être beau, précieux, parfait, comme celui de Gable et Claudette Colbert dans *New York-Miami* !

— Mais, mon pauvre chou, la vie n'est pas un film, dit-elle doucement, et toi, tu n'es pas Clark Gable.

— Tu es obligée de m'enlever toutes mes illusions ?

— Alors, tu lui pardonnes ?

— J'y songerai, répondit-il, obstiné.

— Leslie, il est dix heures moins dix. Dans deux minutes, ton adjudant d'infirmière va débarquer pour me foutre à la porte. Je t'en prie, laisse-le entrer tout de suite. Je t'en prie. Pour moi. Pour me faire plaisir ! »

Leslie poussa un soupir : « Bon, d'accord. »

Elle bondit vers la porte.

« Attends ! glapit-il. De quoi j'ai l'air ? Oh bon Dieu, si seulement je pouvais aller me repeigner ! Et cette foutue chemise de nuit qui me donne l'air d'un tonneau !

— Tu es superbe. Du calme, voyons, tout va aller comme sur des roulettes. »

Rebecca sortit et longea le couloir. Le petit salon d'attente était vide.

« Je n'y comprends rien, dit-elle en regagnant la chambre. Il n'est pas là.

— Bien sûr que non ! dit amèrement Leslie. On est jeudi,

n'est-ce pas ? Il est sur le trottoir, en train de faire le tapin ! » Il semblait au bord des larmes. « Eh bien, je m'en fous pas mal, tu entends ? Il peut bien se taper tous les garçons de Los Angeles, si ça lui fait plaisir. Grand bien lui fasse ! »

On frappa à la porte et l'infirmière passa la tête. « Il faut partir, à présent, annonça-t-elle. Il est dix heures. »

Rebecca embrassa Leslie, mais il ne réagit même pas. Il regardait fixement le plafond, les yeux mouillés de larmes, les lèvres tremblantes. Elle suivit le couloir et arriva dans le hall au moment où l'ascenseur s'arrêtait à l'étage. La porte s'ouvrit et Tommy en sortit, un Coca à la main.

« Où étais-tu ? s'écria Rebecca.

— En bas, au distributeur automatique. J'avais soif. »

Elle l'attrapa par la main et l'entraîna en direction de la chambre de Leslie, en lui expliquant le malentendu qui venait de les amener au bord de la catastrophe irréparable. Au moment où ils arrivaient devant la porte, la redoutable infirmière — Gengis Conne, comme l'avait baptisée Leslie — sortit et les toisa d'un air revêche.

« Qu'est-ce que vous faites là ? Il est dix heures ! Les visites sont terminées.

— Oh, je vous en prie, s'écria Rebecca, laissez-nous dire juste un mot à Leslie ! »

— *Les visites sont terminées !*

— Mais c'est terriblement important, vous ne vous rendez pas compte ! Je vous jure que nous en avons pour une minute !

— Ecoutez, mademoiselle, l'hôpital possède un règlement et il n'a pas été fait pour les chiens. Il est dix heures passées et... »

Rebecca poussa une espèce de cri étranglé, porta la main à son sein gauche et s'écroula lentement jusqu'au sol, le visage tordu par la douleur. Elle semblait avoir le plus grand mal à respirer.

« Qu'est-ce qui se passe ? s'écria l'infirmière. Qu'avez-vous ?

— Mal... » Les mots refusaient de sortir.

« Ne bougez pas, dit l'infirmière, restez là, je reviens tout de suite. » Elle partit en courant vers le bureau de permanence : « Docteur Greenstone ! Docteur Greenstone ! Vite, un infarctus ! »

Tommy s'agenouilla à côté d'elle : « Tu souffres beaucoup ?

— Bof, ça pourrait être pire ! » Elle lui fit un clin d'œil.

« Ça alors, tu es drôlement fortiche ! » Il était sidéré.

« Pour une actrice, c'est le B.A. BA, voyons. Bon, et maintenant file vite te réconcilier avec Leslie avant que cette vieille sorcière ne revienne nous empoisonner. »

Tommy entra dans la chambre. Leslie était immobile dans son lit, les joues inondées de larmes.

« Salut ! lança Tommy. J'étais simplement descendu chercher un Coca au rez-de-chaussée. Je n'ai pas fait le trottoir une seule fois depuis que tu es ici. Et je ne le ferai jamais plus si ça te déplaît.

— Non, tu as besoin de draguer, dit Leslie, en reniflant, et moi, il faudra bien que je m'y fasse. »

Tommy s'assit au bord du lit et prit tendrement la main de Leslie dans la sienne ; ils restèrent un long moment ainsi, les yeux dans les yeux, la main dans la main. Brusquement des éclats de voix de l'autre côté de la porte vinrent rappeler au jeune homme que Rebecca avait peut-être besoin d'aide.

Il la trouva aux prises avec un médecin et deux brancardiers — sans compter l'infirmière — qui essayaient de la coucher de force sur une civière.

« Mais non, je n'ai pas de crise cardiaque ! protestait-elle. C'était simplement une farce !

— Il faut coopérer ! insistait le médecin. Plus vite vous serez en réanimation, plus vous aurez de chances de vous en tirer. »

Elle aperçut Tommy et lui cria : « Au secours ! »

Il l'arracha aux mains bienveillantes qui la retenaient, l'entraîna en courant dans le couloir, la poussa dans l'ascenseur au moment où les portes se refermaient et se faufila de justesse derrière elle. Lorsque l'appareil commença

sa descente, ils se laissèrent aller contre les parois, étouffés de rire, sous le regard médusé des autres passagers.

« Ils ne voulaient pas croire que c'était de la frime, expliqua Rebecca.

— Tu es merveilleuse ! » dit Tommy, en la serrant dans
ses bras, et ils éclatèrent de rire.

John Guilford, couvert d'ecchymoses, les vêtements en
lambeaux, dégoulinant de sueur, remplissait l'écran entier.
Il était agenouillé devant une fenêtre, armé d'un fusil calibre douze, et tirait inlassablement sur toutes les araignées
géantes qui se présentaient. La caméra prit du champ pour
laisser apercevoir Rebecca, en jean moulant et chemise
ajustée (toujours déchirée par les soins d'Olga), accroupie
sur le sol, très occupée à confectionner des cocktails Molo-
tov en remplissant des bouteilles de sable et d'essence avant
de boucher le goulot avec du tissu imbibé d'essence.

Ayant tiré ses deux cartouches, John lui passa le fusil à
recharger et elle lui tendit en échange le plateau de bombes incendiaires qu'il s'empressa d'allumer, une à une, et
d'expédier sur les araignées.

« Vite ! haleta-t-il. Elles gagnent du terrain.

— Je fais ce que je peux, répondit Rebecca.

— Ecoute, j'ai quelque chose d'important à te dire.

— Oui ?

— Il n'y a jamais rien eu entre Janice et moi.

— Ce n'est pas le moment, dit Rebecca d'une voix hachée.
Il me faut d'autres bouteilles. » Malgré cette apparente
indifférence, on voyait bien qu'elle était soulagée.

« Sous l'évier ! » répondit-il.

La caméra la suivit jusque dans la cuisine où elle s'agenouilla devant le placard pour en sortir des bouteilles vides.
Elle était si absorbée par sa tâche qu'elle ne remarqua pas
la longue patte velue qui venait d'apparaître derrière la
fenêtre, au-dessus de l'évier. Brusquement, la patte brisa la
vitre et, l'enlaçant par la taille, se mit à l'entraîner au-
dehors avec autant de facilité qu'un enfant sort une poupée

d'un coffre à jouet. Elle hurla. Se débattit. Puis, s'emparant d'un couperet à viande qui traînait fort opportunément sur la paillasse, d'un seul coup bien assené, elle trancha net la patte tentaculaire qui se mit aussitôt à s'agiter dans tous les sens en pissant le sang comme une lance d'incendie devenue folle. Rebecca ramassa ses bouteilles, comme si de rien n'était, et partit aussitôt rejoindre John Guilford.

« Eh bien, moi aussi, j'ai quelque chose à te dire », annonça-t-elle, en se remettant à l'ouvrage.

Face à l'écran, Rebecca et John entouraient le même micro, leur texte à la main, regardant défiler la bande muette pour bien synchroniser leurs paroles.

« Ah bon ? fit John.

— J'attends un enfant.

— Si jamais nous sortons d'ici vivants, je t'épouse.

— Dis-moi simplement que tu m'aimes.

— Je t'aime. »

Les acteurs attendirent sans bouger ; presque aussitôt la projection s'interrompit, l'écran s'assombrit, les lumières de la salle se rallumèrent. Dans la cabine d'enregistrement, Mack Gordon se leva, se frotta les mains et déclara : « Pour moi, ça va très bien comme ça. C'est fini les enfants. Vendredi, cinq heures du soir, comme promis. »

Tout le monde soupira de soulagement, presque en chœur, et applaudit avant de se mettre à ramasser qui son scénario, qui son bloc-notes, qui sa tapisserie pour rentrer chez soi. Mack descendit remercier personnellement Rebecca et John pour avoir travaillé si bien et si dur et s'excusa de leur avoir fait passer de si mauvais moments, imputant ses sautes d'humeur au soleil écrasant du désert et aux déficiences des araignées mécaniques. Il fallait bien reconnaître que tout au long de la semaine de synchronisation, il s'était tenu de façon exemplaire. Ce n'était plus le même homme, il était devenu patient, poli, encourageant — et même chaleureux. Il intercepta Rebecca au moment où elle se dirigeait vers la porte.

« Je donne une petite fête ce soir, dit-il tout bas. Chez moi, à Malibu. Ce serait formidable si tu voulais bien être des nôtres.

— Non, je ne crois pas, répondit-elle. Je suis vannée, tu sais.

— Depuis que je suis rentré du désert, je n'arrête pas de penser à toi. » Il avait encore baissé la voix, il chuchotait presque à présent et elle sentait sur sa peau son haleine chargée de tabac. « Tu te souviens de l'après-midi où nous sommes partis nous promener à cheval et où nous avons découvert cette extraordinaire formation rocheuse et fait l'amour en plein soleil ? Ça a été un des grands moments de ma vie.

— Et la fois où tu m'as dit que j'étais une grosse vache pleurnicharde et que je pouvais prendre des cours du soir avec Sandra Dee, c'était quoi ?

— Mais enfin, tu n'as pas pris ça au sérieux, si ? Bon Dieu, mais c'est ma façon de travailler, voilà tout ! C'est comme ça que j'arrive à stimuler mes acteurs.

— C'est vrai ?

— Notre liaison dans le désert m'a valu quelques-unes des heures les plus passionnées et les plus belles que j'aie jamais vécues.

— A moi aussi, reconnut Rebecca.

— J'ai été vraiment très malheureux que tu décides de repartir si vite. J'étais sur le point de te demander de venir vivre avec moi à Malibu, pour voir si ça pouvait coller, nous deux. Et si ça avait marché, on aurait pu se mettre ensemble de façon permanente.

— Tu connaissais mon numéro à Los Angeles, il me semble. » Elle baissa la voix. « De toute façon, à présent je suis amoureuse de quelqu'un d'autre.

— Je crois que c'est pour ça que je m'en veux tellement. J'ai laissé toute la magie de ces moments-là me filer entre les doigts. C'est entièrement ma faute. Enfin, j'espère que toi et ton mystérieux milliardaire...

— Quel milliardaire ? demanda-t-elle en se rappelant la conversation téléphonique qu'il avait eue avec Leslie. C'est

Arthur Howard, le critique du *Times*. Je file à New York demain pour passer la semaine avec lui, à la montagne.

— Et mon cul ? dit Mack en souriant. Tu vas dans le désert de Mojave retrouver un milliardaire reclus, défiguré par des brûlures. »

Rebecca le dévisagea un long moment, ne sachant trop s'il valait mieux continuer à bluffer ou reconnaître la vérité. Bah, et puis qu'est-ce que ça changeait, à présent que la synchro était terminée ?

« Qui te l'a dit ? demanda-t-elle.

— Il n'y a pas de secret, dans notre capitale de la pacotille. »

Il eut un sourire taquin de grand frère.

« *Qui te l'a dit ?*

— Bon, ne crie pas. C'est ta copine Victoria. Elle couchaille avec un scénariste de mes amis.

— La salope !

— Oh, ça n'a aucune importance, voyons. Mais tu aurais pu me dire la vérité dès le départ. Je t'aurais laissée partir au bout d'une semaine. Je ne suis pas si mauvais bougre, tu sais.

— Tu es un fils de pute, répondit Rebecca.

— Victoria doit venir ce soir. Tâche de l'accompagner. Ce serait merveilleux d'avoir — il lui caressa le bras et le contact de ses doigts rugueux la fit frissonner — une dernière nuit ensemble.

— Merci, Mack, mais c'est impossible. » Elle lui sourit, dit « au revoir », et s'éloigna.

« *Connasse !* » jeta-t-il entre ses dents, lorsqu'elle fut hors de portée de voix.

Victoria était assise devant la coiffeuse de son ancienne chambre, en train de mettre des faux cils. Elle portait une robe bordeaux moulante, décolletée et sans manches, et le collier de diamants que Beeze avait offert à Rebecca. Les filaments incandescents des ampoules électriques qui faisaient le tour de sa glace intensifiaient l'éclat des pierres de façon presque douloureuse. Devinant soudain une présence, elle leva les yeux et fut étonnée de voir l'air contrarié de Rebecca qui se tenait dans l'encadrement de la porte.

« Salut, Becky ! s'écria-t-elle d'une voix chaleureuse. Tu as des ennuis ?

— Pourquoi as-tu parlé de Beeze à Mack Gordon ?

— Oh, je suis désolée, mon chou, je croyais qu'il était au courant. C'était un secret ? Tu aurais dû me le dire !

— Parce qu'il faut que je te demande expressément de garder le secret, si je ne veux pas que tu mettes la Californie entière au courant ?

— Voyons, Becky, je n'en ai pas parlé à la Californie entière ! Uniquement à Mack, et encore, si je l'ai fait, c'était parce que je sais que tu le détestes et que je voulais le rendre jaloux ! » Elle fixa une touffe de cils à sa paupière et cligna une ou deux fois l'œil pour s'assurer qu'elle tenait bien. « Cela dit, depuis le temps, je devrais savoir qu'il est inutile d'essayer de te rendre service. Tu es tellement paranoïaque. Le Sagittaire type ! Eh bien, à partir d'aujourd'hui, je te jure de fourrer mon nez hors de tes précieuses affaires et de ne m'occuper que des miennes !

— Je te demande pardon, dit Rebecca. Je ne voulais pas te faire de peine.

— Tu as suffisamment d'ennemis comme ça, sans aller dire des méchancetés aux gens qui t'aiment vraiment, tu sais ! »

Par une étrange coïncidence, c'était exactement la phrase dont se servait sa mère, chaque fois que Rebecca tentait d'exiger d'elle un peu de respect ; sous-entendu : *Comment oses-tu élever la voix pour me parler, moi qui ai tant souffert à cause de toi !* Dans un petit coin de son cerveau, Rebecca ne put s'empêcher de remarquer qu'à chaque fois qu'elle se fâchait contre Victoria, celle-ci parvenait à récupérer cette colère pour l'utiliser contre elle, exactement comme sa mère. Elle eut soudain une peur panique de perdre l'amour de Victoria — ou bien était-ce celui de sa mère ?

« C'est vrai, dit-elle aussitôt, tu es ma meilleure amie

— et la plus belle ! ajouta-t-elle, sachant que c'était le compliment dont Victoria ne se lassait jamais. Tu es absolument sensationnelle, ce soir. » Puis elle continua timidement : « Mais tu crois vraiment que c'est prudent de porter ce collier ?

— Bien sûr, dit Victoria en appliquant soigneusement son rouge à lèvres. Tout le monde croira que c'est du toc. Personne ne s'amuse à porter un collier pareil, quand il est vrai, sauf peut-être pour aller à l'opéra. Qu'est-ce que tu vas mettre, toi ?

— Une chemise de nuit.

— Sans blague ? » Victoria leva les yeux de son miroir et vit que son amie plaisantait.

« Je me couche tôt, ce soir. Je suis claquée. »

Victoria se leva : « Mais, Rebecca, tu ne peux pas faire ça ! C'est toi qui es l'invitée d'honneur ! Mack donne la soirée exprès pour toi !

— Eh bien, il la donnera sans moi.

— Mais écoute, depuis le début de la semaine, j'attends le moment de passer un peu de temps avec toi. Nous avons des emplois du temps tellement démentiels, toutes les deux !

— C'est vrai, tu as envie d'être avec moi ? » Cette réflexion lui fit chaud au cœur. Victoria lui avait pardonné.

« Demain tu repars dans le désert. Qui sait quand je te reverrai ?

— Mais nous allons venir nous installer à Los Angeles...

— Crois-tu ? Vous déciderez peut-être d'aller plutôt à New York, ou sur la Côte d'Azur, ou d'acheter une villa à Majorque ? Avec une fortune comme celle de Beeze, vous pourrez faire ce qui vous plaît !

— Non, non je veux revenir à Los Angeles — c'est le seul endroit où je me sente normale. Et puis, si nous achetions effectivement une villa à Majorque, je t'enverrais un billet d'avion et tu pourrais venir passer des mois. »

Victoria fit face à son amie, les jambes légèrement ployées, pour réduire la différence de taille, et la regarda droit dans les yeux.

« Tu sais, Becky, que tu te plains souvent que ce sont toujours les hommes qui mènent la belle vie et les femmes qui paient les pots cassés ? Eh bien, en voilà un parfait exemple ! Si tu étais un homme et que tu doives partir demain retrouver la femme que tu aimes et peut-être te marier, tu passerais ta dernière nuit de liberté à faire une foire à tout casser ! Tu réunirais tous tes vieux copains, rien que des hommes naturellement, et vous vous soûleriez la gueule avant de regarder des films porno. Peut-être même que les autres gars t'offriraient une pute, en guise de cadeau d'adieu ! C'est ce qu'ils faisaient à la base de San Diego, quand j'étais gosse. Je me rappelle encore les histoires qu'on entendait raconter sur ces soirées. C'étaient de vraies orgies, la folie complète. Mais comme tu es une jeune femme bien élevée, tu décides d'aller au lit à neuf heures et de faire de chastes rêves de ton bien-aimé, avant de courir te jeter dans ses bras dès demain. » Elle abandonna son ton sucré pour continuer d'une voix plus naturelle. « Loin de moi l'idée de t'importuner, mais je serais vraiment contente si tu venais ce soir chez Mack, pour que nous puissions passer quelques heures ensemble. Sans compter que j'aimerais bien te voir t'amuser un peu, parce que malgré tout le bien que tu m'as dit de Beeze, j'ai comme l'impression que les deux premières années de vie commune ne seront pas toutes roses. Dieu sait qu'elles sont déjà suffisamment pénibles avec un homme normal, un homme qui n'est pas un monstre ! Je me suis bien fait comprendre ? »

Rebecca hésita encore, puis elle dit : « Donne-moi dix minutes pour prendre une douche et cinq pour m'habiller ! », et elle disparut dans sa chambre.

« Fichtre ! » s'écria Victoria en la voyant reparaître, une bonne heure plus tard. Rebecca avait mis la robe en velours rouge que lui avait donnée Beeze pour son anniversaire ; elle avait natté ses cheveux sur le devant, assujettissant les longues tresses avec les peignes en nacre, tandis que derrière, sa chevelure cascadait librement dans toute sa splendeur.

« Oh, on dirait la Belle au bois dormant ! s'écria Vicky. Attends, un dernier petit détail ! » Elle retira le collier de diamants et le passa autour du cou de Rebecca. Elles examinèrent ensemble son reflet dans la glace. Finalement, Rebecca secoua la tête : « Non, trop tape-à-l'œil.

— Ça me désole, déclara Victoria, mais je dois bien reconnaître que tu as raison.

— Porte-le, toi. »

Une brève discussion s'ensuivit, et Victoria finit par se laisser convaincre, sans trop se faire prier. Parmi les petits détails oubliés de dernière minute, toujours si nombreux lorsqu'on est sur le point de sortir et qui semblent d'ailleurs augmenter en fonction directe du nombre de partants, de leur hâte d'être partis et de leur retard, il y avait un coup de téléphone que Victoria devait donner, un tout petit coup de téléphone très rapide, promit-elle. Rebecca attendit sur le seuil de la porte, en piétinant d'impatience, que son amie eût terminé. Le téléphone était dans la cuisine, mais cela ne l'empêcha pas d'entendre la majeure partie de la conversation.

« Oui... d'accord... Oh, ce serait formidable ! Tu peux me déposer un exemplaire du scénario avant de partir ?... Ce soir ? Mais j'étais sur le point de sortir ! Oh, Roy, mais si, c'est spécial, c'est la dernière nuit de Rebecca à Los Angeles... Tu peux être là d'ici une heure ? Tu es un amour ! Au revoir. »

Elle rejoignit son amie en courant : « Oh, Becky, je suis désolée, mais c'est un cas de force majeure. Roy Gleason, le scénariste avec qui je sors, vient de terminer un scénario et il pense qu'il y a un joli rôle pour moi. Seulement il est obligé de partir pour New York ce soir et il voudrait passer me le déposer avant, alors j'ai promis...

— N'en dis pas plus, je comprends parfaitement.

— Ecoute, pars donc devant. Je te retrouve chez Mack d'ici une heure ou deux.

— Et si je t'attendais ici ? proposa Rebecca. Ça nous laisserait le temps de bavarder.

— Oh ma chérie, ce serait formidable, mais Roy et moi avons besoin d'être seuls. Nous avons des choses très importantes à nous dire. » Elle fit une moue significative.

« Bon Dieu, Victoria, mais combien as-tu d'hommes dans ta vie ?

— Bah, je les échangerais tous contre un seul qui vaudrait la peine, déclara Victoria en portant la main au collier. Un homme comme Beeze. Tu crois qu'il a un frère ? »

Elles s'embrassèrent sur les deux joues et Rebecca partit. Victoria resta seule, immobile, au milieu du living, guettant le bruit du moteur de son amie. Elle courut jusqu'à la fenêtre et regarda les phares éclairer leur petite allée, puis tourner dans la rue. Ce ne fut que lorsque les feux arrière ne furent plus que deux petites braises lointaines qu'elle commença soudain à s'activer. Elle fila d'abord dans la cuisine, où elle sortit l'insuline du beurrier ; de là, elle courut dans sa chambre, où elle fourra le flacon dans son sac du soir, pluis elle passa dans l'entrée où elle se drapa dans la cape de Rebecca. Après quoi, elle sortit à son tour, traversa la pelouse et s'arrêta au bord du trottoir, serrant frileusement contre elle la vaste cape pour lutter contre la froidure de la nuit de décembre. A mesure que neuf heures approchaient, elle se mit à consulter sa montre avec une inquiétude croissante.

Depuis le retour de Rebecca, elle avait eu le temps d'observer la longue limousine noire de Beeze, qui passait devant la maison à toutes les heures du jour et de la nuit. Rebecca, coincée toute la journée au studio d'enregistrement, n'avait pas eu le loisir d'étudier la fréquence de ses passages, mais Victoria qui n'avait rien de mieux à faire que de rester à la maison et d'envier peut-être l'activité débordante de son amie, avait guetté les allées et venues du véhicule et s'était aperçue qu'il passait toutes les trois heures, avec la régularité d'un train de banlieue : neuf heures, midi, quinze heures, dix-huit heures, vingt et une heures, minuit. Elle n'avait pas eu le courage de veiller jusqu'à trois heures du matin, ni de se lever à six pour vérifier, mais elle était sûre qu'elle aurait vu la voiture glisser devant la maison, aussi silencieuse qu'un fantôme.

Il était à présent neuf heures moins cinq. Les grillons stridulaient au ralenti, engourdis par le froid et, à quelques maisons de la leur, un raton-laveur entreprenant renversa une poubelle. A ses pieds s'étendait Beverly Hills, dont les piscines luisaient comme des turquoises au clair de lune. Soudain, Victoria se figea en entendant un bruit de moteur. Quelques instants plus tard, la limousine tournait le coin de la rue. La jeune femme descendit sur la chaussée et leva la main, s'efforçant de bouger comme Rebecca lorsqu'elle était emmitouflée dans sa cape. Elle redoutait de voir le véhicule passer sans s'arrêter, mais non. Il ralentit et vint s'immobiliser à sa hauteur. Elle s'engouffra en toute hâte dans le luxueux intérieur.

Qu'il était donc agréable d'être ainsi entrée de plain-pied dans la vie de Rebecca, d'être enfin le personnage principal et non plus le second plan, la grande bringue idiote, la garce, le faire-valoir. Samson tourna la tête pour la regarder fixement, monstrueux et verdâtre à la lumière du tableau de bord. En le voyant ainsi de tout près, pour la première fois, elle éprouva un mélange de plaisir et de crainte.

« Je ne sais pas trop comment vous annoncer la nouvelle, commença-t-elle, mais figurez-vous que Rebecca a changé d'avis. Ça lui a beaucoup coûté, remarquez, mais elle a fini par décider que son art primait tout. Alors comme elle doit commencer un nouveau tournage dans une quinzaine de jours !... Bref, toujours est-il qu'elle vous tire sa révérence. Elle m'a donné l'insuline — Victoria fouilla dans sa pochette et lui montra le flacon — et un message pour Beeze, que j'ai promis de lui transmettre personnellement. Moi aussi, je suis très occupée, bien sûr — j'ai des tas de projets en cours — mais Rebecca est ma plus chère amie et quand elle m'a demandé de lui rendre ce service, il m'était difficile de dire non. C'est une fille épatante, seulement elle a tendance à être un peu égocentrique. Figurez-vous qu'elle voulait tout simplement vous remettre l'insuline, à vous, et vous demander de la rapporter à Beeze avec ses excuses. Mais moi, je lui ai dit : *Becky, tu ne peux pas faire une chose pareille. Beeze t'aime, c'est tout son bonheur qui est en jeu !* Vous voyez, elle m'a tout raconté. Et elle m'a répondu : *Ecoute, Victoria, si tu veux y aller, ça te regarde, mais moi, j'ai vraiment trop à faire.* Alors, me voilà ! »

Elle attendit, mais le géant se contenta de la contempler en silence.

« Ecoutez, ce que j'essaie de vous faire comprendre, c'est que je suis prête à partir. Je n'ai pas de bagages, je n'aime pas me charger inutilement. » Elle rit.

Samson resta sans réaction.

« Mais puisque je vous dis que je suis prête ! » Elle commençait à s'impatienter à présent. « Vous ne comprenez donc pas ? Rebecca ne viendra pas. Elle m'a envoyée à sa place. C'est moi qui ai l'insuline. Sans elle, il va mourir. »

Toujours rien.

« Je vous en prie, poursuivit-elle, je vous en prie, emmenez-moi. Il tombera amoureux de moi, vous verrez, tous les hommes tombent amoureux de moi. Et moi, je serai bonne pour lui, vraiment bonne ! Il serait bien plus heureux avec moi qu'il n'aurait jamais pu l'être avec Rebecca. Elle se lasserait de lui au bout de huit jours — jamais aucune de ses liaisons n'a duré plus longtemps — mais moi, je resterai toujours avec lui, je vous le jure. Je serai à ses côtés jour et nuit. J'abandonnerais ma carrière, s'il l'exigeait, je quitterais Los Angeles, tous mes amis, et je passerais le restant de ma vie dans le désert avec lui. Emmenez-moi, je vous en supplie, emmenez-moi ! »

Samson, qui ne l'avait pas quittée des yeux, secoua la tête, presque imperceptiblement.

« Va te faire foutre, espèce de vilain monstre ! siffla-t-elle, subitement folle de rage. Si je ne peux pas l'avoir, moi, personne ne l'aura ! »

Elle sortit de la voiture en claquant la portière, jeta le flacon dans l'herbe à la volée et regagna la maison.

Ce soir-là, le tronçon de plage sur lequel donnait la villa de Mack Gordon était illuminé par des guirlandes de petites lampes colorées, accrochées à des poteaux, et d'autres lumières brillaient dans les branches d'un épicéa de deux mètres de haut, au bout du grand jardin d'hiver qui faisait face à la mer. A l'intérieur et à l'extérieur de la villa, une construction de style méditerranéen, les gens se bousculaient, bavardant, riant, dansant au son de l'assourdissante musique disco que diffusaient des haut-parleurs. Des couples se promenaient au clair de lune, faisant tomber le sable de leurs chaussures, roulant le bas de leurs jeans de luxe pour patauger dans l'eau glacée. Vue de loin, la scène paraissait idyllique. Dès que l'on s'approchait, cependant, l'illusion volait en éclats. On s'apercevait, en effet, que la plupart de ces couples étaient formés par des hommes occupés à parler affaires — affaires de cinéma, bien entendu —, cherchant à s'impressionner mutuellement en se confiant combien leur dernier film avait rapporté, dans l'espoir de se faire mousser et d'obtenir ainsi l'appui financier ou le rôle qu'ils guignaient pour un prochain film.

Il y avait aussi des femmes, bien sûr, mais celles qui fréquentaient les soirées de Mack Gordon se rangeaient automatiquement dans deux catégories : les femmes qui avaient brillamment réussi dans l'industrie cinématographique et que l'on traitait exactement comme des hommes, car on risquait un jour ou l'autre d'être obligé de travailler avec elles ; et les femmes qui avaient moins bien réussi dans cette même industrie et que l'on traitait en gibier de plumard, car l'idée de ne pas exploiter son prochain dans la plus capitaliste des sociétés capitalistes était parfaitement inconcevable.

Mack Gordon était justement en train de se livrer à cette saine occupation. Tout de blanc vêtu, à l'exception de ses bottes de cowboy à hauts talons, la chemise ouverte jusqu'au nombril, la barbe poivre et sel soigneusement taillée, les yeux rougis par le gin et la marijuana, il avait réussi à coincer une cover-girl dont les cheveux servaient à vanter les mérites d'une bonne douzaine de shampooings, mais dont le ravissant visage restait pourtant relativement inconnu. L'ayant acculée contre un mur, il avait appuyé ses bras de part et d'autre de sa proie, pour lui chuchoter quelques propositions salaces, en lui soufflant à la figure une haleine si chargée d'alcool qu'il aurait été dangereux d'en approcher une allumette.

362

« Si on filait jusqu'à Ensenada, cette nuit, tous les deux ? On pourrait se baigner à poil et regarder le soleil se lever ?

— Ce serait formidable, mais malheureusement je dois être au boulot à six heures demain matin.

— A six heures ? Un samedi ?

— Eh oui. C'est un reportage de mode pour *Playboy*. Ils ont loué un remorqueur du côté de Long Beach et ils veulent que je... »

La sonnette de la porte d'entrée retentit longuement, mais personne ne se donna la peine d'aller ouvrir.

« Merde ! fit Mack Gordon. Excusez-moi une seconde, j'y vais — mais surtout, ne bougez pas de là !

— Ça dépend combien de temps vous allez mettre », riposta-t-elle, mutine.

Mack se dirigea d'un pas vacillant vers la porte, avec une moue écœurée, et l'ouvrit toute grande pour se trouver nez à nez avec Rebecca.

« Entre, entre, dit-il aussitôt. Je constate avec émotion que la grande vedette a daigné se joindre au menu fretin.

— Mack ! » dit-elle d'un ton glacial.

Il se reprit immédiatement : « Excuse-moi, Becky. Je suis ravi de te voir, tu le sais bien.

— Je ne peux rester qu'une heure ou deux. J'ai un long trajet en perspective demain matin. »

Mack scruta l'obscurité : « Vicky n'est pas avec toi ?

— Elle a été obligée d'attendre à la maison. Roy Gleason doit passer lui déposer un scénario.

— Ah bon ? C'est drôle, ça ! » Le metteur en scène fronça les sourcils. « Il est ici, Roy. Qu'est-ce que tu bois ?

— Un Perrier rondelle.

— Oh, allons, tu ne vas pas me faire ça. On est ici pour s'amuser, bon Dieu ! Tiens, je me rappelle que tu as une passion pour les Margarita. Prépare-toi à déguster le meilleur Margarita que tu aies jamais bu de ta vie.

— Mack, je ne veux pas... »

Mais il était déjà en route vers le bar. Pendant qu'elle attendait son retour, John Guilford, son partenaire de *La toile d'araignée*, vint lui faire la bise et en profita pour lui fourrer un joint entre les lèvres. Elle voulut le lui rendre.

« Non, merci, j'ai trop à faire demain.

— Tu le regretteras, Becky. C'est la meilleure herbe que j'aie jamais goûtée. Elle arrive tout droit d'une minuscule vallée mexicaine où les fermiers dispersent leur engrais selon des dessins psychédéliques. Après quoi, ils placent un électrophone au milieu des champs et diffusent *Grateful dead* aux plantes, pour les encourager à pousser de travers. Puis, lorsque l'époque de la récolte est venue, ils font venir par camions toute une cargaison de hippies sur le retour, avec des bandeaux dans les cheveux et des colliers qui symbolisent l'amour. Bref, c'est ce qu'on fait de mieux en matière de marijuana. N'en prends qu'une bouffée, si tu veux.

— Oh, bon, d'accord. » Rebecca, charmée par toutes ces bêtises, aspira longuement et garda la fumée à l'intérieur. Dans l'état de fatigue où elle se trouvait, la drogue la sonna comme un coup de massue. Prise de vertige, elle dut se raccrocher à une table. « Qu'est-ce qu'il y a là-dedans ? demanda-t-elle en regardant la cigarette d'un air soupçonneux.

— Rien que ce que je t'ai dit. De l'herbe qui arrive tout droit d'une petite vallée mexicaine où...

— Oh non, pitié ! » Elle aspira une seconde bouffée, la garda à l'intérieur.

« Le seul effet néfaste de la marijuana, assura John, c'est qu'on finit par voir des araignées géantes partout, avec de tout petits bonshommes à l'intérieur. »

Rebecca recracha sa fumée, toussant et riant à perdre haleine : « Et Mack Gordon ! croassa-t-elle quand elle eut repris son souffle. On finit par voir Mack Gordon ! »

John redevint grave. « Ecoute, Becky, j'ai un projet dont je veux te parler. Quand *La toile d'araignée* sortira, j'ai l'intention de me faire agréer comme revendeur par McDonald's — ma carrière d'acteur sera terminé, n'est-ce pas ? Ça te dirait de t'associer avec moi ? Tu pourrais plier les petits cartons où on enferme les hamburgers.

364

— D'accord, mais uniquement si j'ai droit à un de ces coquets petits uniformes et si tu m'autorises à sourire comme pour une réclame de dentifrice. » Brusquement, elle se rembrunit : « Tu crois vraiment que ça va nous couler ?

— Penses-tu ! dit-il avec insouciance. Réfléchis un peu à tous les navets qu'ont pu tourner les grands acteurs. Sir Ralph Richardson dans *La crypte des morts*, Jack Nicholson dans *Le corbeau* et même notre grand Sir Laurence Olivier dans ce machin d'Harold Robbins. Ne t'en fais surtout pas, Rebecca, tu sortiras de cette galère comme un diamant sur un tas de merde. »

Le mot diamant la fit penser à son collier, son collier à Victoria et Victoria à Roy Gleason.

« John, dit-elle, tu connais Roy Gleason, le scénariste ? Il est ici de soir ? »

John lui indiqua aussitôt un homme au bon visage sympathique. Malgré ses cheveux grisonnants et ses épaules légèrement voûtées, il était vêtu comme un jeune homme, pantalon blanc, blazer bleu marine, chemise Lacoste et chaussures de toile.

Rebecca quitta son partenaire avec un murmure d'excuse et s'approcha du groupe qui entourait le scénariste, l'écourant poliment discourir. Il était en train de parler d'un scénario qu'il avait écrit, un scénario merveilleux, celui dont il était peut-être le plus fier, et il expliquait qu'Untel, producteur bien connu, avait engagé pour le modifier une armée de tâcherons qui l'avaient irrémédiablement saboté, ce qui ne laissait plus à Roy qu'une seule échappatoire pour s'assurer que personne ne s'aviserait dorénavant de massacrer son travail, se tourner vers le roman. Rebecca avait déjà entendu ce genre de propos dans la bouche d'autres scénaristes, mais Roy avait l'air si gentil, si doux, si paternel qu'elle n'eut aucun mal à compatir du fond du cœur.

Lorsqu'il eut terminé sa petite histoire, et que tout le monde eut fini de lui témoigner sa commisération, Rebecca s'avança vers lui et se présenta.

« Quel plaisir ! s'écria-t-il aussitôt. Vous êtes une de mes actrices préférées. Ah, ce *Pays des rêves perdus* — vous étiez éblouissante !

— Merci », répondit-elle avec modestie, puis elle s'empressa de lui renvoyer l'ascenseur en le complimentant sur le plus célèbre de ses scénarios.

« Alors, Rebecca, continua Roy, comment ça s'est passé, cette synchro ? Je ne sais pas si Mack vous l'a dit, mais j'ai activement collaboré au nouveau scénario. C'est rudement difficile, ce genre d'exercice. Si on ne fait pas très attention, ça finit par ressembler à un doublage.

— Oh, je crois que ça s'est bien passé, dans l'ensemble. Mais je voudrais vous demander quelque chose : avez-vous, oui ou non, dit à Victoria que vous deviez passer à la maison ce soir ? Parce que figurez-vous qu'en ce moment, elle est en train de vous attendre là-bas. Je sais bien que ça ne me regarde pas, mais quand on sort avec une fille et qu'on lui dit qu'on va faire quelque chose... »

Roy pâlit et jeta un coup d'œil apeuré à la femme qui se trouvait à sa gauche, une grande femme maigre, d'une cinquantaine d'années, au visage boucané par de longues heures de présence sur le terrain de golf. Elle répondit par un regard torve qui disait clairement : Bon, ça suffit comme ça, c'est la goutte d'eau qui fait déborder le vase, il est temps de mettre toute cette vilaine affaire entre les mains des avocats. Rebecca, voulant rattraper sa gaffe, continua très vite en s'adressant autant à la femme de Roy qu'à Roy lui-même.

« Oui, quand on sort ensemble pour parler affaires, on n'a pas le droit de se poser des lapins. Elle meurt d'envie de le voir, ce fameux scénario que vous avez promis de lui déposer. D'ailleurs, son petit ami est avec elle. Il est écrivain, lui aussi, et quand il a appris que vous deviez passer, il a absolument tenu à rester pour faire votre connaissance. »

Elle s'aperçut avec consternation que cette piètre improvisation ne faisait qu'aggraver les choses. La femme de Roy toisa son époux d'un air glacial, style : Je te verrai à la conciliation, et s'éloigna à grands pas. Il la suivit un instant des yeux, bouche bée, ne sachant trop comment réagir, puis il

366

se lança à sa poursuite en criant : « Mais non, ma chérie, attends, ce n'est pas du tout ce que tu crois. » Le groupe se dispersa aussitôt, dans la gêne, laissant Rebecca seule avec une autre jeune femme.

« Je sais ce que vous éprouvez », assura cette dernière. C'était une petite personne menue et osseuse, avec une toison de boucles rousses et des dents mal alignées. « Moi aussi je viens de trahir quelqu'un.

— Je n'ai trahi personne ! protesta Rebecca sur la défensive.

— Oui, peut-être que trahison est un effet un peu fort, mais vous savez ce que je veux dire.

— Non, pas du tout. » Rebecca savait qu'elle connaissait son interlocutrice, mais sans parvenir à se rappeler où ni quand elles s'étaient rencontrées.

« Ce que je tiens à vous dire, en tout cas, c'est que vous ne devez vraiment rien à votre amie Victoria. Elle vous a joué un tour de cochon.

— Excusez-moi, mais qui êtes-vous ?

— Flossy McGee. Je travaille pour Billy Rosenblatt. On s'est rencontrées quand vous avez fait le bout d'essai pour *L'autre femme.* »

Aussitôt, Rebecca lui tourna ostensiblement le dos.

« Qu'est-ce qui vous prend ? demanda Flossy.

— Vous savez parfaitement ce qui me prend ! Nous n'avons rien à nous dire.

— Mais écoutez, je ne comprends vraiment pas. Pourquoi me faites-vous cette tête-là ? »

Rebecca poussa un soupir exaspéré : « Vous voulez vraiment que je vous mette les points sur les i ? Vous avez essayé de saboter mon bout d'essai en remplissant la coupe à champagne de bain de bouche.

— Quoi ? Mais vous êtes folle ! Au contraire, c'est moi qui vous ai suggérée pour le rôle. Et si quelqu'un a mis quelque chose dans la coupe, c'est votre chère amie Victoria. Elle a couru s'enfermer avec au petit coin, juste avant votre bout d'essai. Je m'en souviens très bien !

— Alors c'est ça le tour de cochon qu'elle m'a joué ? »
Rebecca attendit la réponse, les mains sur les hanches.

« C'en est un, certainement, mais en fait c'était d'un autre
que je voulais parler. Il y a une quinzaine de jours, Billy
voulait déjeuner avec vous et Victoria a intercepté son invitation et elle est venue à votre place.

— Alors, si je comprends bien, elle passe le plus clair de
son temps à me tirer dans les pattes ? Dites donc, vous
m'avez l'air d'une drôle de sème-la-merde, vous !

— Mais c'est la pure vérité, demandez à Billy !

— Non merci, je ne demanderai rien à personne. Victoria est ma meilleure amie et si vous avez le malheur de me
dire encore un mot sur son compte, je vous envoie une paire
de claques ! »

Et sur ces mots, Rebecca tourna une deuxième fois le dos
à son adversaire et s'éloigna d'un pas décidé.

Flossy se mit à errer parmi la foule des invités, à la
recherche de Billy Rosenblatt qui avait promis de faire une
apparition dans le courant de la soirée. Elle avait absolument besoin de lui parler seul à seule, et le plus tôt serait
le mieux, car après ça, elle pourrait enfin se détendre. Les
hommes lui souriaient et lui adressaient des clins d'yeux,
parce qu'elle était le bras droit de Billy Rosenblatt, mais
aucun ne la jugea suffisamment importante pour lui faire
des avances. On put d'ailleurs pleinement apprécier la différence entre le dessus du panier et les simples sous-fifres
lorsqu'on sonna à la porte, une dizaine de minutes plus
tard, et que Billy Rosenblatt fit son entrée. Aussitôt, on eut
l'impression que tous les invités, sans exception, conver-
geaient vers lui pour le saluer, lui serrer la main ou lui
taper sur l'épaule, pour lui parler discrètement d'une idée
de film ou le bombarder de compliments sur le succès de
sa dernière production. Il répondit à tous avec la plus
grande courtoisie, mais pour Flossy, cependant, qui le
connaissait plus intimement que n'importe quelle maîtresse,
ou même épouse, il était évident que son œil bleu pâle

parcourait la pièce en quête d'une chose et d'une seule : les femmes. En apercevant sa secrétaire, il eut un sourire soulagé et s'approcha d'elle.

« Ouf, c'est bon de voir un petit visage familier ! chuchota-t-il. J'avais un peu l'impression d'être tombé dans le bassin aux requins du parc aquatique. Vous avez vu comme ils essaient tous de me happer au passage ?

— Allons donc, Billy, c'est la première fois que je vous entends dire une chose pareille ! Je croyais que vous vous considériez automatiquement comme un des... euh des...

— Allez-y, dites-le, comme un des requins. L'ancêtre de la bande, n'est-ce pas ? Les Dents de la mer en personne ! C'était peut-être vrai dans le temps, Floss, mais plus aujourd'hui. Aujourd'hui, je sens le poids des ans. J'ai pris un coup de vieux.

— Oh mon Dieu, Billy, et moi qui ai justement quelque chose de désagréable à vous dire.

— Taratata, Floss, vous savez bien que vous me remontez toujours le moral !

— Pas ce soir, Billy. Allons quelque part où nous pourrons parler tranquillement voulez-vous ? »

Elle l'entraîna à l'étage, frappa à une porte, l'ouvrit, puis la referma bien vite avec un murmure d'excuse en apercevant un couple à demi nu qui se tortillait sur le sol. Sa deuxième tentative fut plus heureuse et ils s'installèrent dans une chambre tapissée de papier imitation bambou, avec un bureau peint en vert et une profusion de plantes.

« Asseyons-nous, dit Flossy.

— Qu'est-ce que c'est que tous ces mystères ? demanda Billy. Vous n'allez pas me donner votre démission, j'espère. Si c'est pour ça que vous m'avez attiré ici, vous auriez pu vous en dispenser. Je sais que ça fait un moment que je vous promets une augmentation et qu'elle ne s'est pas encore matérialisée, mais je vous jure que lundi matin à la première heure, je me mets en rapport avec...

— Non, Billy, ce n'est pas ça. C'est au sujet du livre d'Angela.

— Vous m'avez dit au téléphone que l'affaire était conclue.

— Elle l'est, mais... » Flossy hésita, rassemblant tout son courage, puis elle lâcha : « Mais je n'ai pas l'intention de vous revendre les droits.

— Quoi ? Non, excusez-moi, j'ai dû mal entendre ?

— Ecoutez, j'ai bien réfléchi, voyez-vous, et j'ai finalement décidé que ce film, j'allais le produire moi-même. J'ai contacté une ou deux compagnies et elles seraient intéressées... »

Billy était devenu cramoisi et ses cheveux argentés semblaient hérissés de rage.

« Qu'est-ce que vous me racontez, espèce de petite nullité, de petite malhonnête ? Je vous rappelle que c'est moi qui vous ai donné l'argent pour acheter les droits !

— Eh bien, non, justement. Ayant pris la décision dont je vous parle, je me suis permis de garder votre chèque et de me servir de mon argent à moi — toutes mes économies y sont passées. »

Elle sortit le chèque de Billy de son sac. Il le lui arracha et le déchira en mille morceaux avec autant de furie qu'il aurait pu mettre à déchirer Flossy elle-même, puis il fourra les lambeaux de papier dans sa poche.

« Nom de Dieu ! fulmina-t-il. Quand je pense à toutes les années que j'ai passées à vous former, à vous conseiller...

— Eh oui, c'est bien là le problème, Billy. C'est vous qui m'avez appris qu'il fallait toujours sauter sur les bonnes occasions lorsqu'elles se présentaient, quitte à faire de la peine à un vieil ami.

— Jamais je ne vous ai appris une chose pareille ! s'emporta Billy. Ou si je l'ai fait, je ne pensais tout de même pas que vous alliez retourner mes propres leçons contre moi !

— Je ne cherche pas...

— Trahi par ma plus proche collaboratrice. C'est impensable — le coup de Brutus à César, c'est de la gnognotte à côté. Je vais mettre ça entre les mains de mes avocats, je vous le jure sur tout ce que j'ai de plus sacré ! Je vais vous

370

écrabouiller, je veillerai personnellement à ce que vous ne trouviez plus jamais de travail à Hollywood !

— J'ai une meilleure idée, dit doucement Flossy. Pourquoi n'accepteriez-vous pas de coproduire ce film avec moi ? J'ai besoin de votre aide, Billy, vraiment besoin.

— Quoi ? Un film qui va faire de moi la risée de la profession !

— Mais pas du tout ! Au contraire, tout le monde sera absolument épaté de voir que vous avez le cran de vous occuper d'un film qui vous met gentiment en boîte.

— Gentiment ? C'est de la diffamation nauséabonde, oui !

— Mais non, je vous assure que non. Surtout quand le scénario sera fini, assura la jeune femme. C'est Roy Gleason qui va s'en charger et vous savez bien que ses personnages sont toujours terriblement humains et attachants.

— Ah bon, Gleason ? Oui, c'est un crack. Qu'est-ce qu'il vous a demandé ? La peau des fesses ?

— Cinquante mille et un pour cent des recettes.

— Vingt dieux ! Comment avez-vous réussi à lui faire avaler ça ?

— Je lui ai dit la vérité : que c'était mon premier film, que je n'avais pas beaucoup d'argent. Il s'est montré extrêmement compréhensif. D'après ce que j'ai cru comprendre, il a justement une fille de mon âge.

— C'est du beau travail ! reconnut Billy à contrecœur. Et pour la mise en scène ?

— Eh bien, j'ai envoyé le projet à une ou deux personnes et j'attends leur réponse.

— Savez-vous que Jay Matthews me doit une fleur ? C'est le genre de film qui lui irait parfaitement.

— Alors c'est oui ? Vous acceptez de coproduire ? » Flossy était si heureuse qu'elle en croyait à peine ses oreilles.

« Ça vaut mieux, non ? Sans ma protection, tout ce beau monde ne ferait de vous qu'une bouchée. Laissez-moi vous donner un bon conseil, Floss : Hollywood est une vraie jungle et on a besoin d'un guide expérimenté pour parvenir à la traverser sain et sauf. Oui, je crois que Jay Matthews sera vraiment le réalisateur idéal. Flossy, faites-moi penser à le contacter la semaine prochaine.

— Billy, répondit-elle doucement, je suis productrice, à présent. Je ne suis pas là pour m'ocuper des petits détails de ce genre.

— Non, mais dites donc, espèce de petite... » Brusquement il sourit et hocha la tête : « Lundi à la première heure, je vous engage une secrétaire. »

Il fallut un certain temps au barman pour préparer le Margarita, et encore plus longtemps à Mack Gordon pour retrouver Rebecca au milieu de la foule. « Tiens, voilà le meilleur Margarita que tu puisses trouver à l'ouest des monts Pecos ! » annonça-t-il en lui fourrant le verre glacé dans la main. « Je t'ai cherchée partout. J'ai même cru que tu étais déjà repartie.

— Non, mais je devrais l'être. Je ne suis pas en veine ce soir : pour commencer, John Guilford m'a filé un joint qui m'a fait perdre les pédales, ensuite j'ai saboté le mariage de Roy Gleason, et pour finir la petite salope qui sert d'assistante à Billy Rosenblatt a essayé de me dire pis que pendre de Victoria ! » Elle consulta sa montre. « Il faut vraiment que je file — il est presque onze heures.

— Ah non, pas question ! Je n'ai pas encore eu une seconde pour te parler tranquillement. Allez, respire un bon coup et bois ton remède, pendant que Papa Mack t'emmène faire un tour sur la plage.

— Non, je crois qu'il vaut mieux...

— Obéis ! Ça t'éclaircira les esprits pour le long trajet de demain. »

Ils enlevèrent leurs souliers et se mirent en route, pieds nus dans le sable qui leur glissait entre les orteils, aspirant à pleins poumons l'air froid de la nuit, regardant au loin les lumières de l'île Catalina qui étincelaient à travers le smog. L'océan apaisé déferlait sans trêve, avec un bruit sourd qui effaçait tous les péchés.

« Tu es déjà allée à Catalina ? demanda Mack. Il n'y a

absolument rien, à part un bourg minuscule et des troupeaux de bisons qui vivent en liberté. Ah, bon Dieu, ce sont vraiment les animaux les plus cons du monde ! Dans le temps, les cowboys s'amusaient à cerner un troupeau et à le faire courir en rond, et puis ils tiraient les bêtes comme des lapins, pan, pan, pan ! Ou alors, ils les chassaient jusqu'au bord d'une falaise et ces connards de bisons sautaient comme un seul homme, après quoi il n'y avait plus qu'à descendre en bas ramasser les carcasses toutes prêtes à être découpées.

— Oh, arrête, Mack, c'est horrible !

— C'est la loi du plus fort, Becky. Il faut bien que les faibles disparaissent pour que les forts survivent. C'est exactement la même chose à Hollywood. Les gars s'amusent à te tirer dessus pour voir s'ils réussiront à te paniquer suffisamment pour te faire sauter du haut de la falaise !

— Et nous sommes quoi, nous deux, Mack ? Les forts ou les faibles ?

— Nous sommes les forts, Becky. C'est pour ça que nous sommes ici. Nous savons ce que nous voulons, et nous le prenons.

Il la serra dans ses bras et voulut presser ses lèvres, qui empestaient le gin, sur celles de Rebecca.

« Fous-moi la paix ! » dit-elle en se dégageant et elle repartit en courant vers la maison.

Il la rattrapa par le bras et la jeta sur le sable, près de la barrière en bois qui délimitait sa propriété, là où les buisson de bougainvillées les cachaient aux regards indiscrets. Il se laissa tomber à califourchon sur elle, pour l'empêcher de s'enfuir, comme un cowboy sur un veau à marquer au fer rouge, et serrant son cou gracile dans ses deux gros poings, il gronda : « Si tu cries, je t'étrangle ! »

Rebecca leva les yeux et vit au-dessus d'elle un visage de fou furieux, au regard éteint par l'alcool. Craignant pour sa vie, elle se tut.

Il déchira sa robe jusqu'à la taille, dénudant ses petits seins dont les mamelons se recroquevillèrent au contact du froid nocturne ; puis il se redressa et se débattit avec sa braguette, en grognant de frustration, jusqu'à ce qu'il fût parvenu à dégager son membre, une épaisse matraque dont le gland était gros comme une prune. Prenant sa victime aux cheveux, il lui releva brutalement la tête et lui fourra le bout de son organe dans la bouche, l'enfonçant de plus en plus profondément, jusqu'à ce qu'elle fût secouée par une nausée.

« Si tu me mords, connasse, jeta-t-il entre ses dents, je te fracasse le crâne ! »

Il releva la jupe de Rebecca, lui arracha sa culotte et poussa sa verge en force dans le ventre qui se refusait, la faisant crier de dégoût et de souffrance. Quatre violents coups de reins — cinq au maximum — et il la ressortit pour la lui fourrer sous le nez. Elle était violacée et frémissait de tension. Il tira sur le prépuce et le sperme jaillit, se répandant en longs rubans sur le visage de Rebecca. Elle en eut le souffle coupé. Mack se laissa rouler sur le dos à côté d'elle. Elle mourait d'envie de pleurer, mais pour rien au monde elle ne voulait lui donner cette satisfaction.

« Ordure ! jeta-t-elle et elle lui cracha à la figure.

— Menteuse ! Je suis sûre que tu as adoré ! » dit-il tout essoufflé.

Brusquement, elle fut incapable de retenir plus longtemps ses larmes et son corps entier fut secoué par de violents spasmes de détresse et de frayeur.

« Tu m'as fait mal, sanglota-t-elle, tu m'as déchirée. » Il crut qu'elle parlait de sa robe, mais elle passa la main entre ses jambes et lui montra ses doigts ensanglantés. Elle voulut se relever, mais retomba, en se recroquevillant de douleur.

Mack ramena autour d'elle ce qui restait de sa robe, la prit dans ses bras et repartit vers la maison.

« Où m'emmènes-tu ? demanda-t-elle, prise de panique.

— Au lit. Il y a un médecin formidable ici, ce soir. Mon voisin, le Dr Rosen. Je vais lui demander de monter t'examiner.

— Mais il faut que je rentre chez moi !

— Pour le moment, il n'en est pas question. Tu es bles-

374

sée et tu as besoin d'un médecin. Détends-toi et profite du voyage. »

Il passa par la porte de derrière afin de ne pas trop attirer l'attention. Les rares invités qui les remarquèrent décidèrent qu'il devait s'agir d'un nouveau jeu, ou, s'ils furent assez perspicaces pour deviner la gravité de la situation, ils préférèrent ne pas s'en mêler. Après tout, comment savoir si la carrière de Mack Gordon n'allait pas subitement prendre un nouveau départ ? A tout hasard, il valait mieux éviter de se le mettre à dos. Il porta Rebecca au premier étage, dans sa propre chambre, aux meubles capitonnés de cuir blanc, avec une immense baie vitrée donnant sur la mer. Il la déposa sur le lit et jeta sur elle une couverture en patchwork. Ses gestes étaient plutôt doux, mais ses yeux restaient aussi froids et ternes que du plomb fondu. Il redescendit aussitôt chercher le médecin. Rebecca tenta de se lever, mais une douleur fulgurante lui arracha un cri. Elle avait froid et pourtant elle transpirait. Les pensées tournaient en rond sous son crâne : il faut que je fiche le camp d'ici, il faut que je retourne dans le désert. Quand je reverrai Beeze et que je lui raconterai ça, il fera liquider Mack Gordon. Et moi, j'irai pisser sur sa tombe —si je suis capable de repisser un jour !

Le Dr Rosen avait la peau couleur de pain d'épice, des boucles noires, des lèvres sensuelles et des lunettes à monture noire. Il dégageait un charme juvénile et traita sa patiente avec une extrême suavité. Il lui sourit avant d'aller se laver les mains dans la salle de bains et Rebecca se dit ausitôt : ce type-là n'est pas plus médecin que moi ; c'est un acteur à qui Mack a demandé de jouer le rôle. Je sais de quoi je parle, je suis actrice, pas vrai ? Ce n'est pas à une vieille guenon qu'on apprend à faire des grimaces !

Il ressortit, en s'essuyant les mains avec une serviette : « Bien, dit-il doucement, laissez-moi regarder ». Il rabattit le patchwork et écarta les lambeaux de robe et ce qui restait du jupon, comme s'il effeuillait les pétales d'une fleur fanée. Il fronça les sourcils en apercevant la mare de sang qui tachait le dessus de lit.

« Il me faut quelque chose pour lui rehausser le bassin.

— Un gros livre, ça irait ? demanda Mack.

— Tiens, j'ignorais que tu savais lire ! persifla Rebecca, d'une voix étranglée par la souffrance.

— Parfait ! répondit le médecin, sans prendre garde à son intervention. Et puis il me faut aussi une cuillère, du coton et de la teinture d'iode ou de l'eau oxygénée. Et puis apportez aussi un seau de glaçons et une ou deux serviettes propres. » Il contempla pensivement le visage crayeux de la jeune femme, où perlaient des gouttes de sueur. « Vous avez des tranquillisants ?

— Du Valium, répondit Mack.

— Apportez-m'en. »

Lorsque le metteur en scène eut disparu, le Dr Rosen tâta le front de Rebecca, lui prit le pouls.

« A quoi bon ? demanda-t-elle. Je sais très bien que vous n'êtes pas docteur. Et permettez-moi de vous dire que vous n'êtes même pas un très bon acteur. Vous en rajoutez trop dans le genre dévoué et sérieux. Un vrai docteur serait en train de vitupérer, si on l'avait obligé à quitter une soirée pour s'occuper de quelqu'un. »

Le médecin lui sourit : « Que faut-il pour vous convaincre ? Une ordonnance illisible ? Une note d'honoraires colossale ? » Il lui essuya le front avec la serviette qu'il avait apportée de la salle de bains, une serviette en velours éponge bleu avec les initiales M.G. brodées en lettres d'or.

« A quand remontent vos dernières règles ? s'enquit-il.

— Je ne sais pas. Quinze jours. Un mois. Il y a des fois où je ne les ai pas du tout. Quand je n'ai pas de sang à gaspiller. »

Mack revint avec les articles demandés. Il avait l'air un peu effrayé à présent. Il aida le médecin à soulever le bassin de Rebecca pour glisser dessous un gros dictionnaire. Le Dr Rosen arrosa la cuillère de teinture d'iode et s'en servit comme d'un spéculum pour écarter les lèvres de la vulve.

« Plus bas », lança-t-il à Mack, chargé de lui tenir une lampe de façon à éclairer le passage au-delà. Puis, à l'adresse de Rebecca : « Ça va vous faire un peu mal. »

Finalement, il s'avéra que ce n'était pas aussi grave qu'ils l'avaient tous craint, du moins en termes de dégâts physiques. L'hémorragie était due à un léger déchirement de la paroi vaginale et le Dr Rosen l'endigua très vite en appliquant dessus un tampon d'ouate. Quant à l'hématome qui s'était formé dans la vulve, l'engorgeant et lui donnant l'aspect et la couleur d'un fruit avarié, il ordonna à Mack d'y appliquer une poche à glace, jusqu'à ce que l'enflure eût disparu.

Le Valium ne tarda pas à faire son effet et la dernière chose qu'entendit Rebecca avant de sombrer dans l'inconscience fut le médecin déclarant sèchement à Mack que s'ils n'étaient pas voisins depuis huit ans, il serait allé tout droit au poste de police.

Elle fut tirée de sa torpeur par l'éclat du soleil sur une mer couleur d'ardoise. Mack venait d'ouvrir les doubles rideaux. Un bref instant, elle prit l'océan pour le désert et se crut de retour à l'hôtel de Furnace Creek pendant le tournage de *La toile d'araignée*, puis elle se rappela les événements de la nuit précédente.

« Il faut que je m'en aille », dit-elle en se levant. Elle avait nettement moins mal, à présent, et elle espérait pouvoir marcher, mais dès qu'elle fut debout, la pièce se mit à tourner comme un manège et Mack n'eut que le temps de la rattraper au vol.

« Je t'ai apporté le petit déjeuner au lit », annonça-t-il fièrement.

Malgré sa légère résistance, il la recoucha et lui posa le plateau sur les genoux. Il y avait trois œufs au plat, une douzaine de saucisses luisantes de graisse, deux petits pains grillés tartinés de crème de gruyère, de la confiture de fraises et du café.

« Je vais vomir, dit-elle en voyant cet amas de nourriture, prise à la gorge par le puissant mélange d'odeurs.

— Ben crotte alors ! Tu parles d'une façon de me remercier ? Ça fait une demi-heure que je m'échine...

— Enlève ça, vite ! Je vais vomir ! »

Il tira une chaise au pied du lit et s'y assit, le plateau sur les genoux, puis il se mit en devoir d'engloutir son contenu.

« J'exige que tu me ramènes chez moi immédiatement !

— Pourquoi si vite ? Tu as besoin de repos, Becky. Tu as une mine de chien. Reste donc ici un jour ou deux. Je m'occuperai de toi. Nous ferons de longues promenades sur la plage.

— Non, ce n'est pas vrai, je rêve ! s'exclama-t-elle, sidérée. Hier soir, tu me violes, et voilà qu'aujourd'hui tu veux prendre soin de moi.

— Tu sais que j'ai la réputation d'être un homme qui ne s'excuse jamais, mais cette fois, je ferai une exception. Je suis sincèrement désolé. J'avoue que j'ai un peu perdu la boule. C'est toi qui me mets dans cet état, Becky. Tu as quelque chose de tellement excitant. Hier soir, je mourais d'envie de te posséder et je ne savais pas comment te le demander, alors je t'ai prise comme j'ai pu, comme un voleur. J'étais ivre et shooté et complètement dingue. Je te demande pardon.

— Si tu avais fait preuve d'un minimum de douceur et de patience, on aurait quand même pu éviter ça !

— Laisse-moi me racheter. Donne-moi deux jours pour te montrer comment je peux être, quand je ne bois pas. Je t'en prie, Becky. Nous pourrions être si heureux ici, tous les deux. Plus tard on pourrait refaire un film ensemble. On pourrait même avoir un gosse.

— Si je peux encore en avoir après hier soir !

— Oh, merde, lâche-moi un peu les baskets, tu veux. Je t'ai demandé pardon, non ? Je me sentais tellement coupable que je n'ai pas fermé l'œil de la nuit. J'avais envie de me tuer, de monter dans ma voiture et de me jeter du haut d'une falaise.

— Il faut que je parte, dit-elle.

— Bon, je vais te ramener chez toi, mais laisse-moi d'abord aller chercher le Dr Rosen qu'il s'assure que ce n'est pas prématuré. Il habite juste à côté. »

Mack partit et Rebecca resta plongée dans ses pensées. Elle commença par se demander pourquoi elle ne fichait pas le camp sans demander son reste. Elle avait du mal à marcher, mais elle savait pertinemment qu'elle était tout à fait capable d'aller jusqu'à sa voiture et de regagner sans encombre sa maison de Benedict Canyon. Et à partir de là, le trajet se ferait dans le confort le plus total, vautrée à l'arrière de la grande limousine climatisée de Beeze. Et pourtant, elle n'arrivait pas à sortir de ce lit ; elle semblait privée de volonté. Une autre question la tracassait encore bien davantage : pourquoi s'était-elle laissé violer par Mack Gordon la veille au soir ? pourquoi ne l'avait-elle pas mordu, ne lui avait-elle pas envoyé un bon coup de genou dans le bas-ventre, comme elle en mourait d'envie à présent ? Il était plus que probable qu'il ne l'aurait pas tuée —il n'était quand même pas dingue à ce point, se dit-elle — et s'il avait essayé de la tabasser, elle n'aurait eu qu'à appeler à l'aide. Il y avait des gens partout. Mais non, elle s'était soumise avec une étrange docilité. Fallait-il vraiment penser que cette attaque avait représenté pour elle un châtiment mérité pour avoir été aussi heureuse auprès de Beeze ? Etait-ce donc là le comble du masochisme : de ne jamais laisser durer sa félicité ? Etait-ce là son destin inéluctable — son *karma* comme aurait dit le yogi Gnesha — ou bien était-ce une tendance contre laquelle elle pouvait lutter ? Etait-elle capable de quitter cette ville et ses brouillards pour la merveilleuse clarté du désert ?

Cette fois-ci, le Dr Rosen avait apporté sa sacoche et il examina Rebecca au moyen d'instruments étincelants.

« C'est en bonne voie, annonça-t-il, mais si j'étais vous, j'éviterais les rapports sexuels pendant une bonne quinzaine de jours.

— Oh, je ne suis vraiment pas d'humeur à batifoler. assura la jeune femme. Je peux partir d'ici ?

— Mais oui, sans problème.

— Elle veut partir en voyage. Filer en voiture jusqu'au désert de Mojave. C'est de la folie, n'est-ce pas, docteur ?

— Je crois qu'il vaut mieux éviter les gros efforts pour le moment, reconnut le praticien, malgré son évidente envie de contredire Mack Gordon dans la mesure du possible.

— Vous ne croyez pas qu'il vaudrait mieux qu'elle reste ici un jour ou deux et qu'elle me laisse s'occuper d'elle ?

— Tout dépend de ce que vous entendez pas s'occuper d'elle ? riposta le médecin.

— Bon Dieu, mais qu'est-ce que vous avez tous après moi ? Vous ne vous rendez pas compte de ce que j'endure. Je vous certifie que je souffre au moins autant qu'elle !

— Ça m'étonnerait ! dit sèchement le Dr Rosen.

— Je peux vous poser une question médicale ? demanda Rebecca.

— Oui, si l'avis d'un acteur vous intéresse », répondit-il gentiment.

Elle lui sourit : « Voilà : supposons qu'à la suite d'un accident, un homme ait dû subir une ablation du pancréas. Il est obligé de prendre des drogues pour compenser, n'est-ce pas ?

— Oui, de l'enzyme pancréatique synthétique, dit le médecin, en opinant du bonnet.

— Et de l'insuline ?

— Oui.

— Mais supposez qu'il reste un jour sans insuline. Est-ce qu'il mourrait ?

— Ça dépend. Probablement pas. Il devrait pouvoir survivre quelque temps.

— Vraiment ? » Rebecca haussa les sourcils.

« Et s'il avait assez d'insuline pour une semaine, intervint Mack, est-ce qu'il ne pourrait pas la faire durer en réduisant ses doses ?

— Oui, ce serait même la solution la plus intelligente, convint le Dr Rosen. De cette façon-là, il pourrait certainement espérer survivre un mois ou plus. Pourquoi me demandez-vous tout ça ? C'est pour un film ?

— Oui, c'est ça, répondit Mack. Une histoire d'amour, l'éternel triangle. Il y a un milliardaire qui joue interminablement au chat et à la souris avec une merveilleuse jeune actrice et un metteur en scène qui se demande comment il a pu la laisser le quitter.

— Mack, je t'en prie, lança Rebecca, tu vas me faire dégueuler ! » Elle vit que le médecin s'apprêtait à partir et elle demanda : « Une dernière chose. Supposons que notre homme n'ait plus du tout d'insuline — comment mourrait-il ? Enfin, je veux dire, qu'est-ce qu'il éprouverait ? »

Rosen réfléchit un instant avant de répondre : « Il aurait constamment besoin d'uriner. Son corps se dessécherait, ses yeux, sa bouche. Il serait obligé de boire sans arrêt, sans jamais apaiser sa soif. Après, il aurait des nausées, des vomissements, des crises d'étouffement. Et puis finalement, le cœur s'arrêterait à cause de la concentration de potassium. Ça pourrait être très impressionnant dans un film, vraiment très impressionnant.

— Tu vois ? fit Mack, quand le médecin se fut retiré.

— Je vois quoi ?

— Ce gars — ce Beeze, il fait joujou avec toi, il te manipule. Si c'est ça ton idée de l'amour fou, tu es encore plus tordue que je ne le pensais.

— Ça te va bien de parler de tordus !

— Tu as entendu le docteur. Il peut très bien durer encore un mois ! Mais lui, il a préféré te raconter je ne sais quelle calembredaine comme quoi il mourrait certainement au bout de sept jours si tu n'étais pas revenue. Et puis comment peux-tu être sûre qu'il n'a pas tout une réserve d'insuline cachée quelque part ? Tiens, je parie qu'il en a ! C'est la solution la plus logique ! »

Rebecca se rappela sa visite au laboratoire avec Beeze, le revit en train de briser les flacons, un par un. La scène avait été montée très soigneusement pour l'impressionner au maximum. Un homme aussi intelligent que Beeze garderait-il toute son insuline au même endroit, plutôt que d'en avoir une autre réserve ailleurs, en cas d'incendie ou d'accident quelconque ? Dans le réfrigérateur de la cuisine, peut-être ? Rebecca s'efforça de conserver sa foi en Beeze, mais les germes du doute prenaient racine à une vitesse effarante. Tout ce que Mack avait dit de Beeze était parfaitement vrai, c'était un joueur né, un manipulateur, un homme qui se permettait de rendre la justice comme s'il était Dieu.

Elle se rendormit pendant quelques heures et, à son réveil, elle décida d'aller se promener avec Mack. L'enflure avait disparu et la douleur se réduisait à présent à un bref élancement de temps en temps, tout à fait supportable, si elle marchait à petits pas. Dehors, l'air était humide et froid. Le brouillard pendait devant le soleil comme un rideau et les mouettes en sortaient et y rentraient brusquement, lorsqu'elles prenaient leur élan pour plonger et crever la surface de l'eau en quête de nourriture. Mack avait passé un bras protecteur autour de ses épaules ; elle avait les deux poings profondément enfouis dans les poches d'un jean qu'il lui avait prêté, dans lequel elle flottait de façon comique. Elle lui avait également emprunté un chandail de marin en laine bleue et des chaussettes de sport, car elle aurait été incapable d'avancer dans le sable avec ses talons aiguilles. Le fait de porter les vêtements de son compagnon lui donnait le sentiment extraordinaire que sa propre sensibilité, si aiguë qu'elle avait parfois l'impression de passer sa vie à ramper sur un sol de béton hérissé de tessons de bouteille et de fil de fer barbelé, était à présent protégée par le cuir éléphantesque de Mack, par cette cuirasse innée qui lui permettait de piétiner les plus faibles que lui sans l'ombre d'un remords.

A environ un kilomètre et demi de chez Mack, ils trouvèrent une bande d'amis qui jouaient au volley-ball sur la plage. Mack se joignit à eux et Rebecca s'affala dans un transat pour les regarder. Elle ferma les yeux et le soleil se transforma en lumière orange diffuse. La brise chargée d'embruns formait une croûte sur sa peau. Très vite, les cris surexcités des joueurs furent noyés par le rugissement de l'océan et elle s'endormit bercée par son rythme. Elle se réveilla en sursaut lorsque Mack posa le fond d'un verre glacé sur son estomac dénudé par le gros chandail. Elle faillit l'envoyer bouler, mais elle se rendit compte que c'était sa façon à lui d'être affectueux et elle ravala sa mauvaise humeur. Ils s'installèrent tous sur la véranda du garçon qui avait organisé la partie de volley, un vieil ami de Mack, avocat spécialisé dans les litiges des gens de théâtre, et ils burent de la bière en échangeant de menus propos. Entre les boissons, le soleil et les sympathiques bavardages du

382

petit groupe, la journée fut escamotée comme une carte à jouer dans la main d'un joueur professionnel. Avant d'avoir eu le temps de se retourner, Rebecca se retrouva avec les autres, à la nuit tombée, en train de faire griller des steaks sur un barbecue. Après le dîner, un des convives, qui composait des chansons, s'assit au piano et joua quelques œuvres de son cru et quelques-unes de celles que lui réclamaient les autres invités. Rebecca se sentait si bien, avait tellement l'impression de « planer », pour reprendre le dernier mot à la mode, qu'elle se mit à chanter : quand elle eut fini, tout le monde la félicita et lui dit qu'elle devrait vraiment monter un tour de chant.

« J'avais l'intention de repartir ce soir, confia-t-elle à Mack en rentrant chez lui, le long de la plage, mais il est trop tard et j'ai vraiment trop bu.

— Reste aussi longtemps que tu voudras, mon chou », dit-il en la serrant contre lui et en l'embrassant tendrement sur le front.

Ils passèrent le lendemain, dimanche, à paresser dans la maison, lisant le *New York Times* du dimanche, auquel Mack s'était abonné par pur snobisme, et dévorant de la cuisine juive. Après quoi, ils regardèrent *Un chant de Noël* et *Miracle dans la trente-quatrième rue* à la télévision.

« Il faut vraiment que je me tire, déclara Rebecca.

— Mais c'est le 24 décembre demain. Tu ne vas quand même pas me laisser réveillonner tout seul.

— Tu n'as donc pas de famille ?

— Personne d'autre que toi. »

Rebecca contempla d'un air songeur les paquets enrubannés qui attendaient sous l'arbre. « Et ça c'est pour qui, alors ? demanda-t-elle en faisant l'enfant.

— Pour personne. Ils sont vides.

— Ouais, tu parles ! » dit-elle, en lui souriant pour la première fois depuis bien longtemps.

Le lendemain matin, elle fila jusqu'au centre commercial de Cross Creek acheter un cadeau à Mack. Elle trouva pour trois cents dollars chez Fred Segal un blouson d'aviateur en cuir suffisamment m'as-tu-vu pour lui plaire et paya par chèque. Elle s'acheta aussi une tenue de gala, un pantalon moulant en satin et un élégant haut de tricot. Elle ne pouvait quand même pas dignement fêter Noël dans les vieux laissés-pour-compte de Mack Gordon !

A minuit une, elle donna son cadeau avec un grand sourire, en chuchotant : « Joyeux Noël, Mack. »

Il eut l'air quelque peu honteux en sortant le blouson de son emballage, le palpa, l'enfila et se pavana en regardant son reflet dans les portes en verre qui donnaient sur la mer froide et noire.

« Merci, Becky, c'est superbe. Je suis vraiment confus de ne rien t'avoir acheté.

— Alors, ça ne t'ennuie pas si j'ouvre une de ces boîtes au pied de l'arbre ?

— Fais comme chez toi », dit-il perplexe.

En arrachant le papier vert, avec son dessin de sucres d'orge et ses étoiles dorées, Rebecca retrouva son âme d'enfant. Elle se rappela son habitude de fouiller tous les placards à la recherche des cadeaux de Noël, de descendre dans le salon au milieu de la nuit pour admirer l'arbre illuminé et finalement, elle se remémora le merveilleux matin où personne n'avait le droit d'ouvrir le moindre cadeau tant que sa mère n'avait pas fini sa première tasse de café, une tasse qui semblait aussi intarissable que le tonneau des Danaïdes. La chaleureuse sensation éprouvée à cette époque-là — et maintenant — en ouvrant ses cadeaux, c'était de l'amour, car dans sa famille l'amour s'exprimait tout naturellement sous forme de cadeaux. De même que les gaz deviennent liquides sous pression, l'amour, lui, devenait marchandises. Elle souleva le couvercle de la boîte — il portait l'emblème d'une de ses boutiques préférées — écarta le papier de soie et leva les yeux vers Mack, sans comprendre.

« Il n'y a rien dedans, dit-elle. La boîte est vide. »

Il ne put s'empêcher de rire en voyant son air piteux.

« Mais oui, je te l'ai dit. L'arbre avait l'air moche comme ça, sans rien dessous, alors j'ai mis deux ou trois vieilles boîtes qui traînaient, enveloppées dans du papier cadeau.

Pour l'amour du ciel, Becky, ne fais pas cette tête-là ! Je t'avais prévenue !

— Mais... je croyais... »

Elle regarda autour d'elle, comme une personne qui sort de transe : « Qu'est-ce que je fiche ici ? dit-elle, davantage pour elle-même que pour Mack. Je suis complètement ravagée ! » Elle lui tourna le dos et se précipita vers la porte d'entrée.

« Où vas-tu ? » hurla-t-il en se lançant à sa poursuite.

Il ne la rattrapa que sur le bord de l'autoroute de la Côte, où elle avait garé sa Mustang le vendredi. Les voitures passaient à côté d'eux dans un rugissement, trop vite, trop près. Rebecca était déjà derrière le volant, essayant désespérément de mettre le moteur en marche. Mack s'appuya contre la portière.

« Où vas-tu ? répéta-t-il d'un ton plus doux.

— Où je devrais être depuis déjà plusieurs jours ! répondit-elle. Dieu veuille que je n'arrive pas trop tard ! »

Le moteur se mit à tourner ; elle appuya à fond sur l'accélérateur, pour essayer de renverser Mack, de lui casser au moins un bras ou autre chose, mais il s'écarta trop rapidement, en riant de sa tentative. Elle faillit faire demi-tour pour aller l'écraser pour de bon, mais elle y renonça et mit le cap sur la ville, le pied au plancher.

Trouver son trousseau de clefs au fond de son sac encombré, insérer la clef idoine dans la serrure, la tourner d'un côté, puis de l'autre — toutes ces tâches si simples semblaient prendre des heures. Elle ouvrit enfin la porte à toute volée et se rua dans la cuisine.

Le beurrier était vide.

Elle se laissa tomber sur une chaise et se mit à pleurer. Beurrier vide, paquets vides ! Qui avait pu faire une chose pareille ? Qui avait pu prendre le flacon ?

Une seule personne.

Elle le savait depuis le début, d'ailleurs.

Alors pourquoi avait-elle refusé de l'admettre ?

Parce qu'il était trop douloureux de renoncer à une mère, à une sœur, à une amie.

Elle ouvrit la porte de la chambre de Victoria et alluma l'électricité. La dormeuse se tourna à plusieurs reprises sous ses couvertures, puis elle ouvrit un œil, puis l'autre. Elle leva enfin la tête et sourit à Rebecca.

« Tu es de retour ? dit-elle de sa voix veloutée. Quelle heure est-il ?

— Où est l'insuline ? demanda Rebecca d'une voix froide comme de l'acier.

— Quelle insuline ?

— Ne joue pas les idiotes, je suis pressée.

— Si tu es tellement pressée, pourquoi es-tu restée trois jours chez Mack Gordon ?

— Mêle-toi de tes affaires ! Dis-moi ce que tu as fait de l'insuline !

— Ah, tu parles de ce machin que tu avais laissé dans le frigo ? Je n'y ai pas touché. Ça doit être les types qui sont venu réparer le séchoir, la semaine dernière. Ils voulaient quelque chose à boire et je leur ai dit de se servir. Ils ont dû croire que c'était de la drogue. Evidemment, je n'aurais pas dû les laisser tout seuls, mais...

— TU AS FINI DE DECONNER ? BON DIEU ! DIS-MOI LA VERITE ! »

Elle tira brusquement Victoria de son lit et la catapulta contre le mur. Les deux femmes se dévisagèrent, également surprises par ce soudain accès de violence. Les yeux de Victoria, d'abord agrandis par la crainte d'un danger physique, prirent une expression sournoise. Elle empoigna une paire de ciseaux à ongles sur sa coiffeuse et les brandit comme un poignard. Elles se firent face, silencieuses, aux aguets.

« Je veux mon insuline, répéta Rebecca.

— Il n'y en a plus. Je l'ai cassée. Foutue aux chiottes !

— Tu mens ! Tu n'as jamais cessé de me mentir !

— Espèce de sale garce de juive, glapit Victoria, pourquoi est-ce que je te dirais la vérité ? Tu as toujours eu tout ce que tu as voulu, avec tes parents pleins aux as qui te donnaient tout le fric dont tu avais besoin, qui te payaient des études, des cours d'art dramatique, qui ont soudoyé les gens pour te faire engager !

— Qu'est-ce que tu racontes ?

— Mais oui, si on t'a engagée, c'est parce que ton père est célèbre, c'est évident. Si ce n'était qu'une question de talent, tu n'aurais jamais travaillé de ta vie ! Tu as l'air d'un rat et tu en fais tellement que c'en est à pleurer !

— Alors, c'est ça, le secret de ma réussite ? » La voix de Rebecca était sourde et tremblante de rage.

« Ça, et surtout que tu es juive. Tout le monde le sait que vous formez une véritable mafia, que vous ne pensez qu'à vous tenir les coudes et à barrer la route aux autres ! Il n'y a qu'à vous voir ensemble, avec tes chers amis, Leslie *Horowitz* et Billy *Rosenblatt*.

— Fous le camp d'ici ! hurla Rebecca.

— Si je veux ! » rétorqua Victoria, en cherchant à l'atteindre avec ses ciseaux.

Rebecca lui attrapa le poignet au vol et s'efforça de lui arracher son arme. Les deux femmes se mirent à lutter, à se tirer, à se pousser, en soufflant comme des otaries ; elles renversèrent la table de nuit, envoyant la lampe de chevet rouler au sol. Rebecca se prit les pieds dans le cordon électrique et arracha les fils ; une gerbe d'étincelles jaillit dans la pénombre comme un feu d'artifice. Elle tomba sur le dos et Victoria lui décocha un coup de ciseaux qu'elle parvint à éviter de justesse en roulant sur le côté. Elles continuèrent leur lutte, se traînant sur la moquette, se griffant, se donnant des coups de pied, sans perdre un seul instant de vue le bec meurtrier des ciseaux. Victoria poussa Rebecca vers les fils électriques dénudés, qui crépitaient sur le sol, et celle-ci dut se raccrocher aux montants du lit pour ne pas être électrocutée, laissant les mains libres à sa rivale. Aussitôt cette dernière se redressa sur les genoux et, tenant son arme à deux mains, la plongea vers le cœur de Rebecca. Celle-ci les esquiva une deuxième fois en roulant sur elle-même, mais pas assez vite cette fois-ci. La pointe de métal lui transperça le bras et elle sentit couler son sang tiède. Heureusement pour elle, les lames s'étaient coincées dans les poils épais de la moquette et profitant de ce que Victoria essayait de les dégager, elle lui décocha un coup de pied en plein plexus. Victoria, le souffle coupé, roula sur le dos, incapable de respirer. Rebecca s'empara des ciseaux et les brandit au-dessus du visage de son adversaire.

« Dis-moi où est l'insuline, jeta-t-elle, ou je te plante les ciseaux dans la figure. Je ne plaisante pas, tu sais ! Je te jure que je te dessine des croix sur les joues et peut-être même que je te crève un œil. Et pour t'arranger ça, je te garantis que tu pourras toujours chercher un chirurgien esthétique.

— Je l'ai jetée dans l'herbe, murmura Victoria d'une voix saccadée. Elle doit y être encore si personne n'a marché dessus.

— Tu vas d'abord me montrer exactement où tu l'as envoyée, et puis tu reviendras prendre tes cliques et tes claques et tu déguerpiras de chez moi. Je ne veux plus jamais te revoir ! »

Hélas, Victoria fut incapable de localiser avec précision la portion de terrain où elle avait lancé le flacon. Lorsqu'elle eut indiqué à Rebecca une zone qui faisait bien trente mètres carrés, elle sauta dans sa voiture et disparut dans la nuit, dans un rugissement de moteur. Rebecca courut chercher une lampe électrique dans la cuisine et se traîna interminablement parmi les ficoïdes, alternant entre les larmes et la colère contre elle-même, interrompant ses recherches pour se laisser aller au désespoir et les reprenant soudain avec une nouvelle flambée de foi quasi fanatique. Elle devait ressembler, songea-t-elle, à un de ces abrutis qui trouvent toujours le moyen de perdre leur lentille de contact dans le hall de leur hôtel. Une lueur, là, qu'est-ce que c'était ? Elle se rua dessus pour découvrir, cruellement, qu'ils s'agissait d'un morceau de bouteille à moitié enfoncé dans le sol. Elle se rappela qu'un de ses amis, ayant perdu son alliance dans l'herbe en tondant sa pelouse, avait fait venir une patrouille de scouts pour la lui retrouver. Si elle en faisait autant ? Pourrait-elle leur expliquer, à ces petits jeunots timides, que la vie d'un homme était en jeu et que ses propres chances de bonheur s'amenuisaient à chaque seconde qui passait ? Elle resta plusieurs heures à quatre pattes dans l'herbe, les genoux de son pantalon trempés de rosée, les yeux brûlants de sommeil, avant de sentir soudain un objet rond et lisse sous ses doigts. Le flacon était plein, exactement comme quand Beeze le lui avait donné, et le bouchon de caoutchouc était intact. Elle s'assit dans l'herbe et pleura d'épuisement, la petite fiole serrée contre son cœur. Lorsqu'elle rouvrit les yeux, la limousine l'attendait au bord du trottoir et Samson lui tenait la portière. Elle se leva et courut s'y réfugier.

La porte d'entrée de la maison de Beeze était grande ouverte, ainsi que toutes les fenêtres. Pendant la brève absence de Rebecca, le désert avait déjà commencé à reprendre ses droits : la poussière tapissait le sol de marbre et les duvets de chardon volaient silencieusement dans les couloirs, comme des fantômes ; des chouettes avaient fait leur nid sur les corniches des plafonds et des rats-kangourous avaient éventré les sièges des ravissantes chaises en bois doré. Plus la moindre trace d'occupation humaine. Elle courut dans la chambre octogonale de Beeze, tout en haut de la demeure, et la trouva vide. Elle visita toutes les chambres les unes après les autres, puis la bibliothèque où ils avaient disputé tant de parties de dames, le salon de musique où le clavecin fermé ressemblait à un cercueil d'enfant. En désespoir de cause, elle hurla son nom, mais ne reçut pour toute réponse que le chant matinal d'un engoulevent, obsédant de solitude.

Elle s'avança en haut des marches qui menaient au jardin et fut horrifié par le spectacle que lui offraient les premiers rayons roses de l'aube : les fleurs fanées sur tige, les haies aussi nues que des sculptures en fil de fer, les pelouses mitées, le jardin entier brun, sec et cassant. Qui eût cru que les plantes — des plantes du moins plus luxuriantes que le chardon ou la sauge — avaient jamais poussé ici ? Elle resta un long moment absorbée dans la contemplation de ce squelette de jardin, de ce symbole stylisé de la mort, puis le soleil levant éclaira le corps de Beeze, penché sans vie par-dessus le bord du bassin, la tête et un bras pendant à l'intérieur de la vasque de marbre vide, où l'eau avait naguère dansé et étincelé.

Son corps se dessécherait, ses yeux, sa bouche. Il serait obligé de boire sans arrêt, sans jamais apaiser sa soif...

Laissant échapper un cri de désespoir, elle dévala les marches et les allées, bordées la veille encore de fleurs aux couleurs chatoyantes jusqu'au bassin où Beeze se mourait, et allongea son amant à plat sur le sol. Il était deux fois plus lourd qu'elle, mais, confrontée au désastre, elle se sentait brusquement animée par une force surhumaine. Elle s'agenouilla à côté de lui et prit sa tête sur ses genoux, caressant doucement la pauvre visage ravagé, les cicatrices et les trous, comme s'il s'était agi de la peau satinée d'un enfant.

« Rebecca ! » souffla-t-il. Sa voix faisait un bruit sec d'osselets s'entrechoquant dans sa poche en cuir.

« Je suis revenue, Beeze. J'ai l'insuline. Dis-moi seulement où se trouve la seringue et...

— Non, trop tard ! » Il manquait d'air à chaque mot.

Après, il aurait des nausées, des vomissements, des crises d'étouffement.

« Oh Beeze ! » Elle pleurait à présent. « Tu es le seul homme qui m'ait jamais aimée et je ne t'ai pas cru. J'ai cru que tu voulais te jouer de moi. Et maintenant, je t'ai tué.

— Non, défaillance cardiaque avant ton départ. Infarctus. Resnick m'avait donné un mois. Mort de toute façon. Pas ta faute, n'y pouvais rien.

— Mais alors, ta vie n'était pas vraiment entre mes mains ? demanda-t-elle, étrangement déçue. Ou bien menstu pour me réconforter ? Je ne sais plus que croire, à présent. Dis-moi que je ne t'ai pas tué, dis-le-moi, je t'en prie.

— Tu m'as donné la vie. Sans toi, rien n'aurait eu aucun sens, à aucun moment.

— Qu'est-ce que je vais devenir sans toi ?

— Oublié en quelques mois. Le désert, la maison, un rêve, un conte de fées.

— Oh non, Beeze, non. Jamais je ne t'oublierai. »

Et pourtant, malgré ses protestations, toute l'aventure lui paraissait déjà irréelle. Elle avait la tête qui tournait par manque de sommeil et elle était émotionnellement brisée. Un voile de brume scintillait, déformant le jardin, donnant l'impression qu'il n'était qu'un reflet dans l'eau. La ligne de démarcation entre la réalité et l'hallucination était soudain dangereusement floue.

« Je t'aime », dit-elle.

Il n'eut pas le temps de répondre. Un grand frisson le secoua, comme si une main invisible venait de trancher les liens qui retenaient encore l'âme captive. Sa tête retomba en arrière sur les genoux de Rebecca et ses yeux fixèrent aveuglément le ciel.

Et puis finalement, le cœur s'arrêterait, à cause de la concentration de potassium...

« Beeze ! » hurla-t-elle, mais nulle voix humaine n'avait le pouvoir de le faire revenir.

Elle se jeta sur son cadavre en pleurant, en criant son nom, en s'arrachant les cheveux et en frappant des deux poings contre le sol, comme une héroïne de tragédie grecque. A la crise d'hystérie succéda une période d'inconscience ; lorsqu'elle revint à elle, il était midi et le soleil brûlait de tous ses feux. Prise d'une brusque horreur à l'idée de l'effet que la chaleur pourrait avoir sur le corps de Beeze, elle redouta de le voir s'enfler et se bouffir de gaz dégagés par la putréfaction, avant d'éclater en un hideux geyser de sang et de viscères. Elle lui ferma les paupières et voulut le soulever par les bras, mais à présent que la première poussée d'adrénaline s'était dissipée, elle était aussi faible qu'un nouveau-né. Elle chercha Samson du regard, l'appela à plusieurs reprises, mais ses cris restèrent sans réponse. Avec l'énergie du désespoir, elle parvint à traîner toute seule le corps de son amant le long des allées et des marches du perron, jusqu'à l'intérieur de la maison.

Elle l'étendit sur le marbre frais du grand hall d'entrée, où ils s'étaient vus pour la première fois. S'agenouillant à côté de lui, elle resta ainsi plusieurs heures, sans prendre garde à l'ankylose qui lui vrillait les genoux, plongée dans le souvenir de tout ce qui s'était passé depuis cette première rencontre. Beeze avait mis son amour à l'épreuve et elle avait échoué. Comment avait-elle pu passer ces quelques jours fatals avec Mack Gordon, comment avait-elle pu faire une chose pareille ? Nourrissait-elle donc une telle haine envers elle-même ?

Ou bien son erreur avait-elle été au contraire de revenir dans le désert ? Beeze avait-il voulu, comme semblaient l'indiquer ses dernières paroles, profiter de sa mort imminente pour la manipuler une ultime fois, de façon machiavélique ? Elle pouvait apprendre la vérité, rechercher le Dr Resnick pour lui demander si, oui ou non, elle avait diagnostiqué cette maladie du cœur. Mais non, ce n'était pas nécessaire. Au fond d'elle-même, Rebecca connaissait déjà la réponse : au seuil de la mort, Beeze avait menti pour la protéger. La meurtrière, c'était elle, elle avait tué Beeze par pure négligence. Et comme la police ne la punirait sûrement pas pour ce crime — elle n'arriverait même pas à la persuader de l'existence de Beeze ! — c'était donc à elle de se punir. L'idée de vivre tout le reste de sa vie avec la mort de son amant sur la conscience était plus qu'elle n'en pouvait supporter. Elle n'avait plus qu'une envie : dormir. Si seulement elle avait pensé à apporter son Valium bien-aimé, elle aurait pu en prendre cent comprimés pour dormir cent ans, comme la Belle au bois dormant, et attendre le baiser de son prince charmant. Mais elle n'avait pas de Valium.

Elle savait ce qui lui restait à faire.

Dehors, il commençait à faire sombre et froid, mais elle entendait à peine le vent qui sifflait dans les couloirs, tandis qu'elle se dirigeait vers la cuisine. Elle y prit un couteau à découper, un immense couteau, aiguisé comme un rasoir, puis elle monta dans la salle de bains de la chambre d'amis, se déshabilla et s'étendit dans la baignoire vide où l'eau jaillissante l'avait naguère aidée à se préparer au sommeil. Elle allait s'ouvrir les veines et regarder son sang s'écouler par la bonde, jusqu'au moment où ses paupières alourdies se fermeraient d'elles-mêmes. Samson la découvrirait et préviendrait la police. La presse aurait vent de l'affaire et elle aurait enfin droit à la couverture de *Newsweek*, ce qui lui assurerait au moins un bon mois de célébrité incontestée. Elle serait promue dernière grande découverte d'Hollywood. Une grande découverte morte, évidemment.

En fait, il était très facile d'être une actrice morte ; être une actrice vivante était autrement ardu. Vivante, il faudrait qu'elle tournât *L'autre femme*, en donnant tout ce qu'elle avait dans les tripes ; il faudrait qu'elle acceptât enfin de devenir une grande vedette, capable de choisir ses rôles avec discernement ; il faudrait réussir — elle ne pourrait plus retarder l'échéance. L'épanouissement artistique, le respect de ses pairs, l'adulation des critiques, tout ce qu'elle avait si ardemement désiré lui appartiendrait. L'idée l'emplissait d'horreur, au point de l'amener à se demander si ce suicide n'était pas, somme toute, une ultime façon d'éviter le bonheur, celui de la réussite professionnelle. Beeze, quant à lui, aurait certainement préféré la voir rester en vie et tourner son film, Beeze qui aimait tant l'art et l'ordre, Beeze qui allait tous les jours se recueillir dans le temple obscur des rêves.

Et Leslie ? De même qu'elle portait le poids de la mort de Beeze, l'ami qu'elle chérissait porterait le poids de la sienne. Il se tuerait probablement à coups de drogue, en l'espace d'un an ou deux, à moins qu'il ne se jetât une deuxième fois par la fenêtre. Aaron et Sylvie ne se remettrait jamais de sa mort. Tous les gens qu'elle aimait seraient happés par le tourbillon de chagrin que déclencherait sa disparition. Elle seule ne souffrirait pas. Brusquement le suicide perdit son côté noble de Dr Jekyll pour prendre l'aspect bossu, affreux, difforme dans son égoïsme forcené, de M. Hyde. Rebecca comprit, avec cette parfaite clarté d'esprit qui caractérise les moments de crise, qu'il était temps de se décider. Elle avait le choix entre se tuer ou bien renoncer à tout jamais au masochisme et à l'autodestruction, pour commencer à se forger enfin une véritable existence. Elle porta le couteau à son poignet gauche, là où le sang coulait dans les artères comme un fleuve sous les glaces, et appuya. Le conflit qui faisait rage en elle agitait sa main d'un tremblement incoercible. Brusquement, elle poussa un cri, un cri de victoire et de défaite, pleurant la mort d'une femme et célébrant la naissance d'une autre. Elle jeta au loin le couteau qui rebondit contre le mur et tomba au sol avec un tintement sourd. Ce furent des larmes et non du sang qui s'écoulèrent par la bonde. Plus tard, elle se rhabilla et redescendit auprès de Beeze. Ce fut là que Samson la trouva, attendant paisiblement.

Les mains et les pieds du serviteur étaient couverts de poussière. Elle eut peur tout d'abord qu'il ne la tînt pour responsable de la mort de Beeze, mais son visage ne reflétait aucun ressentiment, uniquement la tristesse et l'incompréhension d'un chien fidèle qui a perdu son maître. Il lui posa une main compatissante sur l'épaule, puis il souleva le corps de Beeze et l'emporta sur son dos vers la porte d'entrée. Rebecca se leva pour le suivre.

Elle vit alors à quoi il s'était occupé toute la journée ; il avait creusé une tombe devant la maison, une fosse profonde de deux mètres dans ce sol dur comme de la pierre. Il enveloppa le corps de son maître dans un linceul de velours vert (Rebecca reconnut l'un des rideaux du lit à baldaquin où elle avait dormi) et le déposa tendrement au fond du trou. Rebecca jeta sur lui une poignée de terre. Elle aurait voulu prononcer quelques paroles profondes et belles, mais les seules qui lui vinrent à l'esprit furent : « Les cendres retournent aux cendres, la poussière à la poussière. »

Samson combla le trou, puis il posa dessus, en guise de pierre tombale, le masque de Beeze. Rien d'autre.

Plus tard encore, l'hélicoptère les emporta dans la nuit, au clair de lune, et Rebecca regarda la tombe rapetisser au-dessous d'elle et disparaître, la demeure se transformer en jouet. Bientôt elle aussi eut disparut et il ne resta plus que le ciel obscur et les étoiles.

La Belle s'agenouilla après de sa Bête bien-aimée et, débordant d'amour pour cette noble créature, elle lui prit la tête entre ses bras et la baisa avec une tendresse infinie. A son grand effroi, la Bête disparut pour laisser place au plus beau prince qui se pût voir.

Ah, où donc s'en est allée ma chère Bête ? s'écria-t-elle.

Je suis la Bête, répondit le prince, ou plutôt, telle était la forme sous laquelle m'avait emprisonné une mauvaise fée et que j'étais condamné à conserver éternellement si vous n'aviez point rompu son enchantement par votre baiser. Ah, Belle, c'est vous qui m'avez sauvé et je vous en saurai gré toute ma vie durant. Voulez-vous être ma femme et partager mon royaume ?

La Belle accepta.

Et ils vécurent ainsi dans la félicité la plus parfaite.

L'impression de ce livre
a été réalisée sur les presses
des Imprimeries Aubin
à Poitiers/Ligugé

pour les Éditions de l'Acropole

Achevé d'imprimer en mai 1983
Nº d'impression, L 15574
Dépôt légal, mai 1983

Imprimé en France